CYFRINACHOL

# BANANAS!

# David Walliams

CYFRINACHOL.

# BANANAS!

Arlunwaith gan
Tony Ross

Addasiad gan
Dewi Wyn Williams

atebol

**Y fersiwn Saesneg**

Cyhoeddwyd gyntaf yn Saesneg gan HarperCollins Children's Books yn 2020

Mae HarperCollins Children's Books yn adran o HarperCollins Publishers Ltd,
HarperCollins Publishers, 1 London Bridge Street, Llundain SE1 9GF

Hawlfraint y testun © David Walliams 2020
Hawlfraint yr arlunwaith © Tony Ross 2020
Llythrennau enw'r awdur © Quentin Blake 2010

**Y fersiwn Cymraeg**

Cyhoeddwyd gyntaf yn Gymraeg gan Atebol Cyfyngedig, Adeiladau'r Fagwyr,
Llanfihangel Genau'r Glyn, Aberystwyth, Ceredigion, SY24 5AQ

Addaswyd i'r Gymraeg gan Dewi Wyn Williams
Dyluniwyd gan Owain Hammonds

Golygwyd gan Adran Olygyddol Cyngor Llyfrau Cymru
Dymuna'r cyhoeddwr gydnabod cymorth ariannol Cyngor Llyfrau Cymru

Hawlfraint © Atebol Cyfyngedig 2021

ISBN 978-1-80106-083-7

atebol.com

I James a Sophie,

Gyda chariad,

David x

CYFRINACHOL

# DIOLCHIADAU

## HOFFWN DDIOLCH I:

**ANN-JANINE MURTAGH**

FY NGHYHOEDDWR GWEITHREDOL

**CHARLIE REDMAYNE**

PRIF WEITHREDWR

**TONY ROSS**

FY ARLUNYDD

**PAUL STEVENS**

FY ASIANT LLENYDDOL

**HARRIET WILSON**

FY NGOLYGYDD

**KATE BURNS**

FY NGOLYGYDD CELF

CYFRINACHOL

**VAL BRATHWAITE**

CYFARWYDDWR
CREADIGOL

**SAMANTHA STEWART**

RHEOLWR OLYGYDD

**ELORINE GRANT**

DIRPRWY GYFARWYDDWR CELF

**KATE CLARKE**

DYLUNYDD

**MATTHEW KELLY**

DYLUNYDD

**SALLY GRIFFIN**

DYLUNYDD

**GERALDINE STROUD**

FY NGHYFARWYDDWR
CYSYLLTIADAU CYHOEDDUS

**TANYA HOUGHAM**

CYNHYRCHYDD SAIN

David Walliams

# LLUNDAIN

**CYFRINACHOL**

Mae Prydain wedi bod yn rhyfela yn
erbyn yr Almaen am dros flwyddyn. Dyma
gyfnod pan oedd y bomio ar ei waethaf (y
*Blits*), gyda bomiau'r Natsïaid yn disgyn
fel glaw ar y ddinas. Mae trigolion
Llundain yn byw mewn ofn. Felly hefyd
anifeiliaid y ddinas, yn enwedig y
rheini sydd yn SW LLUNDAIN.

Y cymeriadau yn ein hantur yw ...

# ERIC

Mae gan y bachgen byr, swil, 11 oed
hwn glustiau fel eliffant ac mae un o
lensys ei sbectol wedi cracio. Yn drist
iawn, fel llawer o blant y cyfnod,
bu farw rhieni Eric yn y rhyfel. Yn
blentyn amddifad, mae'n aml yn dawel
a'i ddychymyg yn fyw. Yr unig beth sy'n
gwneud y bachgen hwn yn hapus yw ymweld
â **SW LLUNDAIN.** Yno, mae wedi creu
perthynas arbennig gyda ffrind blewog,
anferth. Mwy amdani hi yn y man.

# WNCWL SID

Sid yw hen ewythr Eric, a'r gofalwr sw hynaf yn
**SW LLUNDAIN**. Mae wedi bod yn gweithio yno
ers cyn cof, gan gynnwys ei gof ei hun. Fel sawl
dyn ar ddechrau'r Rhyfel Byd Cyntaf, ymunodd
â'r fyddin. Ond yn anffodus, ar ei ddiwrnod
cyntaf ar faes y gad yn Ffrainc, rhoddodd ei
droed ar ffrwydryn, a chollodd ei ddwy goes. Y
dyddiau hyn, mae Sid yn cerdded o gwmpas ar ddwy
goes dun, ond ni all neb na dim ladd ei ysbryd
rhyfelgar. Byddai'r gofalwr sw wrth ei fodd pe
bai'n gallu ymladd y Natsïaid gan brofi, unwaith
ac am byth, ei fod o'n arwr.

# NAIN

Mae nain Eric yn ddynes arswydus. Mae hi'n
gwisgo du o'i chorun i'w sawdl: esgidiau duon,
côt ddu, a het *Siani Morus** ddu. Dyw hi byth
yn mynd i unman heb ei chorn clust, sydd yn
gymorth iddi glywed. Mae'r corn hefyd yn cael
ei ddefnyddio fel arf i wthio pobl o'i ffordd.
Ar ôl i Eric golli ei rieni, penderfynodd ei
nain ofalu amdano. Ac er bod Eric yn hoff o'i
nain, mae cyd-fyw â hi'n anodd gan ei bod yn
ddynes lem iawn.

*Yn ne Cymru, yr enw ar y math hon o het yw 'het flew' neu
'het gopa dal'.

# BESI

Mae Besi'n gymeriad a hanner,
yn llawn hwyl a chariad.
Mae'n gweithio fel meddyg
yn yr ysbyty milwrol yn
Llundain, lle mae hi'n gofalu
ddydd a nos am y milwyr sydd
wedi eu hanafu. Mae Besi a Sid
yn gymdogion, yn byw drws nesa
i'w gilydd mewn rhes o dai
teras bychain. Ffrwydrodd bom
yno gan greu twll yn y ffens
sydd yn rhannu eu gerddi cefn,
sy'n golygu bod Besi yn gallu
ymweld â Sid unrhyw adeg o'r
dydd neu'r nos.

# NINA Y WARDEN
CYRCH AWYR

Nina yw un o'r cannoedd o
wardeiniaid cyrch awyr sydd yn
gofalu am ddiogelwch y bobl
pan mae awyrennau'r Natsïaid
yn bomio'r ddinas. Pan glywir
y seiren cyrch awyr, gwaith y
wardeiniaid yw sicrhau bod y
trigolion yn gadael y strydoedd
ac yn cysgodi. Mae hi'n swydd
berffaith i rywun sydd â'i bys
ym mrywes pawb, ac un sydd yn
mwynhau bod yn feistres corn.

## SYR ROBIN RWDLYN

O gofio bod Syr Rwdlyn yn Gyfarwyddwr
Cyffredinol **SW LLUNDAIN**, y syndod
mawr yw ei fod o'n casáu anifeiliaid. Mae
anifeiliaid o bob maint a siâp yn rhoi
braw iddo. Mae'n ofni bod yr anifeiliaid
am boeri arno, ei frathu, neu'n waeth na
dim, pi-pi ar ei ben. O ganlyniad, mae'n
treulio'r helyw o'r amser yn cuddio yn ei
swyddfa, mor bell â phosib o'r bwystfilod
dychrynllyd. Mae'n siarad yn boenus o
grand, fel pe bai llond cae o datw poeth yn
ei geg.

# CORPORAL CRINC

Y cyn-filwr hwn o'r Rhyfel
Byd Cyntaf yw'r gwarchodwr
nos yn **SW LLUNDAIN**.
Mae ganddo fwstásh enfawr,
trwchus, helmed dun am ei
ben bob awr o'r dydd, rhes
hir o fedalau ar ei frest
ac, yn bwysicach na dim, ei
reiffl. Mae Crinc wedi cael
gorchymyn pendant i saethu
unrhyw anifail sydd yn dianc
o'r sw yn ystod ymosodiadau
yn y nos.

# MISS AFLAN

Mae'r milfeddyg
lydan, dal hon yn **SW
LLUNDAIN** yn cael
ei galw pan mae angen
difa anifail. Gyda'i
nodwydd wenwynig yn
ei llaw, mae'r Miss
Aflan anfad yn caru ei
gwaith. A pho fwyaf
yw'r anifail, gorau
oll. Mae hi'n gymeriad
annymunol sydd yn
chwyrnu wrth siarad.

## SALI a MALI

Mae'r ddwy efaill rhyfedd hyn yn
cadw gwesty gwag yn ninas glan y môr
Abertawe. Nid yw'r gwesty, **GWESTY
ANNWFN**, wedi croesawu gwestai ers
blynyddoedd. Felly beth mae'r ddwy
od yn ei wneud yno? Efallai fod eu
pryd a gwedd prydferth yn cuddio rhyw
gyfrinach fawr dan yr wyneb.

# CAPTEN SPEER

Speer yw cadlywydd effeithiol a didrugaredd un o longau tanfor (*U-boats*) y Natsïaid. Mae'r *Führer* Adolf Hitler, arweinydd y Natsïaid a ddaeth i rym yn yr Almaen, yn bersonol wedi anfon Speer ar gennad gyfrinachol iawn. Anfonwyd y llong danfor i arfordir deheuol Prydain, lle mae hi'n llechu, yn barod i ymosod. Ac os bydd Capten Speer yn llwyddiannus, bydd cwrs y rhyfel yn newid gan sicrhau buddugoliaeth, heb os, i'r Natsïaid.

# WINSTON CHURCHILL

Dyn mawr, sy'n moeli, yw Prif Weinidog
Prydain, bob amser wedi ei wisgo'n
drwsiadus mewn siwt dridarn, dici-bô a het
Homburg. Mae Winston Churchill yn enwog
am ei areithiau ysbrydoledig, ei gymeriad
penderfynol, di-ildio a'i hoffter o frandi
a sigârs. Mae'n cael ei ystyried gan lawer
fel yr unig arweinydd a allai arwain
Prydain i fuddugoliaeth dros y Natsïaid.

Ac yn olaf, rhaid peidio ag anghofio am ...

## GRETA'R GORILA

Greta yw un o'r anifeiliaid hynaf yn **SW LLUNDAIN**, a hi hefyd yw'r un fwyaf poblogaidd. Hi yw prif atyniad a seren y sw. Mae plant wrth eu boddau gyda giamocs yr hen gorila, ac mae hi wrth ei bodd yn dangos ei hun i'r torfeydd, yn enwedig os caiff gynnig banana neu ddwy. Mae hi'n mwynhau gwneud sŵn torri gwynt wrth yr ymwelwyr. Mae'r gorila wedi creu perthynas glòs gydag un plentyn yn arbennig. Bachgen byr, swil gyda sbectol wedi cracio, o'r enw Eric.

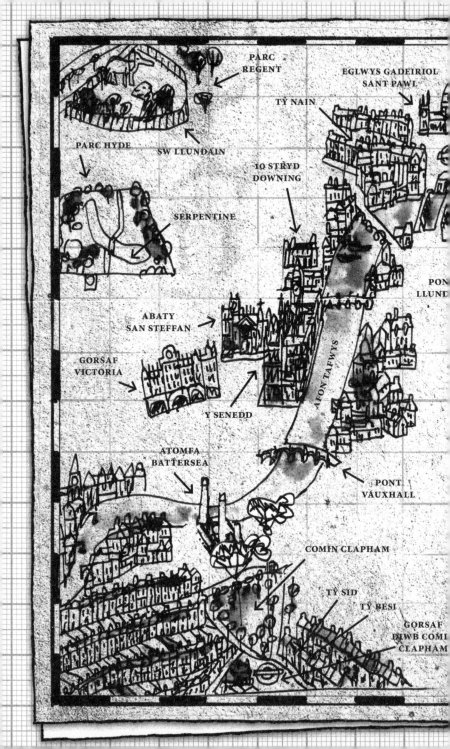

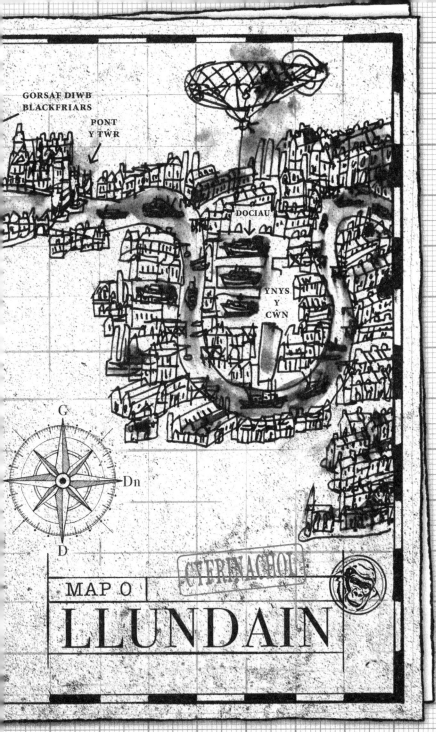

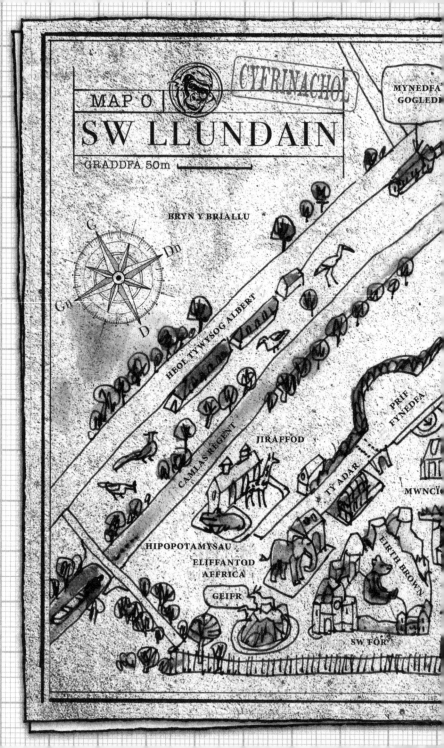

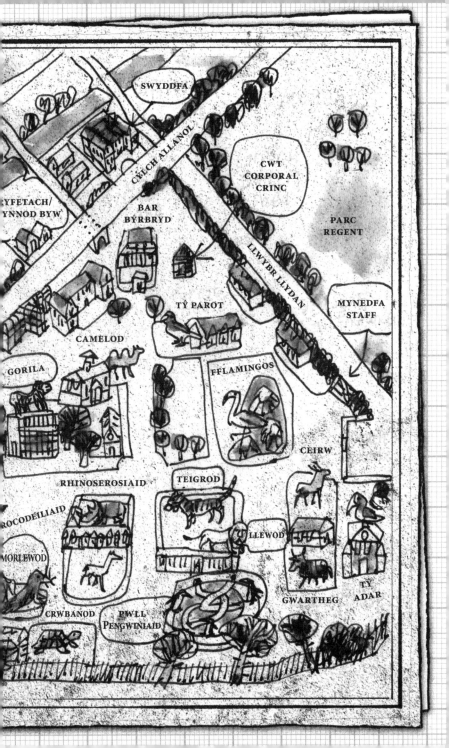

RHAN 1

# AMSER I FENTRO

# WIBLO WOBLO

Bywyd.

*Cariad.*

CHWERTHIN.

Roedd y byd wedi ei hyrddio i ryfel tu hwnt o erchyll, felly roedd y tri pheth hyn yn bwysicach nag erioed.

Maen nhw'n bwysig i'r stori hon hefyd.

Mae ein hantur yn dechrau ar brynhawn oer, ffres yn Llundain ym mis Rhagfyr 1940. A bod yn fanwl, yn **SW LLUNDAIN**. Yno, roedd bachgen bach newydd wneud darganfyddiad. Darganfyddiad a wnaeth iddo chwerthin am y tro cyntaf ers amser maith.

'HA! HA! HA!'

Y bachgen bach hwnnw oedd plentyn amddifad 11 oed o'r enw Eric. Roedd yn fyr am ei oed ac roedd ganddo

glustiau mawr. Gwisgai'r bachgen sbectol, ond roedd un o'r lensys wedi cracio, a doedd ganddo ddim arian i'w hatgyweirio.

Cyn gynted ag y byddai cloch yr ysgol yn canu yn y prynhawn, byddai Eric yn rhedeg mor gyflym ag y gallai trwy'r gatiau. Roedd gas ganddo'r ysgol, lle'r oedd yn cael ei fwlio'n ddidrugaredd

am fod ganddo glustiau mawr, a lle cafodd y llysenw 'Jac-y Jwgs' (am fod ganddo glustiau fel jygiau).

Cafodd Eric orchymyn pendant gan ei nain i ddod adref ar ei union. Ond roedd yn well ganddo ddargyfeirio a dilyn ffordd arall. O'r ysgol, rhuthrodd trwy'r strydoedd, gan osgoi mynyddoedd o rwbel. Roedd anturiaethau lu i'w cael yng nghanol malurion awyrennau'r Natsïaid a saethwyd i'r llawr, bysus deulawr wedi llosgi neu adeiladau wedi eu bomio, ond doedd y bachgen ddim yn dili-dalio o gwbl. Dim ffiars o beryg! Roedd ar frys i gyrraedd ei hoff le yn y byd i gyd.

## SW LLUNDAIN.

Ar wahân i'r anifeiliaid, y peth gorau am y sw oedd bod Eric yn cael mynd i mewn **YN RHAD AC AM DDIM!** Y rheswm am hynny oedd bod ei Wncwl yn gweithio yno fel gofalwr sw. Wncwl ei fam oedd Wncwl Sid mewn gwirionedd, ond roedd Eric bob amser yn galw'r hen ŵr yn 'Wncwl Sid'. Doedd dim yn well ganddo nag ymweld â'r lle. Ei freuddwyd oedd cael bod yn ofalwr sw ei hun ryw ddiwrnod. I Eric, roedd anifeiliaid yn llawer mwy dymunol na phobl. Yn un peth, doedd yr un ohonynt yn gwneud hwyl am ei ben am fod ganddo glustiau mawr. Yn wir, roedd gan rai o'r anifeiliaid glustiau mawr hefyd. Ond doedd dim ots am hynny, achos roedd pob un yn olygus yn ei ffordd ei hun.

Carai Eric fwydo'r anifeiliaid, a'u hymolchi, a doedd dim ots ganddo lanhau eu caetsys. Roedd caca ambell eliffant yn pwyso tunnell ac roedd angen dau ddyn i'w garthu.

# ESIAMPLAU O GACA
# GWAHANOL ANIFEILIAID

MORGRUGYN

PIRANA

SGORPION

PENGWIN

ARMADILO

SEBRA

TEIGR

GORILA

CAMEL

RHINOSEROS

ELIFFANT

Arferai Sid smyglo Eric i mewn trwy fynedfa gefn y sw. Wrth wneud hynny, doedd dim rhaid iddo dalu'r pris mynedfa o chwe cheiniog – ffortiwn fechan i fachgen bach. Doedd gan Eric ddim hyd yn oed ceiniog yn ei boced, heb sôn am chwech ohonyn nhw!

Felly, bob diwrnod am bedwar o'r gloch ar ei ben, byddai Eric yn cyrraedd y fynedfa. Yno, fel pe bai ar ymgyrch filwrol, byddai'n cuddio o'r golwg cyn cnocio deirgwaith.

## CNOC! CNOC! CNOC!

Yna, byddai'n aros yn dawel nes iddo glywed 'Tywut-tyhwww!' Dyna sŵn ei hen ewythr yn dynwared tylluan! Arwydd oedd hwnnw bod neb arall o gwmpas. Y peth nesaf fyddai'r plentyn yn ei glywed oedd sŵn traed yr hen ŵr yn nesáu. Roedd gan Sid goesau tun. Chwythwyd ei ddwy goes i ffwrdd yn y Rhyfel Byd Cyntaf. Pan gerddai, roedd sŵn clincio, clancio a chlyncio.

### CLINC! CLANC! CLYNC!

'Cyfrinair!' sibrydai Sid, gan guddio tu ôl i'r giât.

'**Wibl wobl!**' oedd ateb y bachgen.

'Ha! Ha!' chwarddodd Sid, gan agor y giât. 'Mewn â chdi!'

Roedd y cyfrinair yn newid bob diwrnod. Byddai'r

plentyn yn meddwl am un newydd bob tro er mwyn gwneud i'w hen ewythr chwerthin.

Rhai o'i ffefrynnau oedd:

CNAU MWNCI!

PING PONG PW!

RHECH WLYB!

NICARS NAIN!

SYR WILI WALIA!

TRÔNS TAID!

MARTHA PLU CHWITHIG!

PW PIBO MELYN!

MW-MW!

CNOC CNOC!

LLANFAIRPWLLGWYNGYLLGOGERYCHWYRNDROBWLLLLANTYSILIOGOGOGOCH!

'Diolch, Wncwl Sid.'

'Sut ddiwrnod gest ti yn yr ysgol heddiw?' gofynnodd yr hen ŵr. Roedd y tebygrwydd teuluol yn amlwg. Roedd Sid yn fyr gyda chlustiau mawr hefyd. Yr hyn oedd yn gwahaniaethu'r ddau oedd y ffaith bod gan Sid aeliau trwchus a barf fwy trwchus fyth. Ac o ganlyniad i'r ffaith bod ganddo goesau tun, roedd o'n simsan ar ei draed, a oedd hefyd wedi eu gwneud o dun. Edrychai Sid bob amser fel pe bai ar fin syrthio.

'Dwi'n casáu'r peth!' meddai'r bachgen yn bwdlyd.

'Dwi'n amau 'mod i'n gwybod be ti'n mynd i'w ddweud!'

'Mae'r plant yn pigo arna i am fod gen i glustiau mawr.'

'Mae dy glustiau di'n edrych yn gwbl normal i mi!' meddai'r hen ŵr, gan wiglo'i glustiau mawr gyda'i ddwylo, a gwneud i'r bachgen chwerthin.

### 'Ha! Ha!'

'Paid ti â gadael i'r bwlis dy boeni di! Be sy yn fan hyn sy'n bwysig,' meddai Sid, gan roi ei law ar ei galon. 'Ti'n fachgen **siort orau** – paid ti byth ag anghofio hynny!'

'Dreia i beidio.'

'Does gen ti ddim ffrindiau yn yr ysgol?'

'Dim rhai agos,' atebodd y bachgen, yn drist.

'Wel, dwi'n gwybod bod yr holl anifeiliaid yn fan'ma'n ffrindiau i ti. Maen nhw'n dy garu di cymaint ag wyt ti'n eu caru nhw.'

Cofleidiodd y bachgen yr hen ŵr, gan osod ei ben ar fol crwn, anferth Sid.

'Woa!' gwaeddodd Sid, gan ysgwyd ei freichiau i fyny ac i lawr fel pe bai'n ceisio hedfan.

'Ddrwg gen i! Dwi wastod yn anghofio bod eich coesau yn ... '

'Paid â phoeni. Galli di fy ngwerthu am fetel sgrap ar ôl imi adael y byd 'ma!' meddai Sid, yn ysgafn.

Gwenodd y bachgen. 'Dach chi'n ddoniol!'

'Efallai fod rhyfel ymlaen, ond mae'n bwysig ein bod ni'n gwenu. A chwerthin. Am ba reswm arall 'dan ni'n ymladd?'

'Wnes i erioed feddwl am y peth felly,' meddyliodd y bachgen. 'Ond dach chi'n iawn, Wncwl Sid. Dach chi eisiau help llaw gyda rhywbeth heddiw?'

'O! Ti'n fachgen da, ond dwi wedi gorffen carthu. Cer i fwynhau dy hun!'

'Diolch! Dwi bob amser yn gwneud hynny!'

'Dwi'n gwybod y bydd yr anifeiliaid yn falch o dy weld ar ôl neithiwr!'

Gwyddai'r bachgen yn syth am beth oedd o'n sôn. Y noson cynt, digwyddodd y cyrch bomio gwaethaf gan awyrlu'r Natsïaid (neu'r *Luftwaffe*) ar Lundain ers i'r rhyfel gychwyn.

'Deffrais Nain cyn gynted ag y clywais i'r seiren yn canu. Dyw ei chlyw hi ddim yn dda iawn.'

'Nac'dy, dwi'n gwybod! Mae hi'n fyddar fel post.'

'Ac er 'mod i dal yn fy myjamas a Nain dal yn ei dillad nos, mi redon ni i **DIWB BLACKFRIARS**. Cysgodd y ddau ohonan ni ar blatfform yr orsaf gyda channoedd o bobl eraill.'

'Sut brofiad oedd o?' gofynnodd yr hen ŵr. 'Swnllyd, debyg.'

'A drewllyd. Doedd hi ddim y noson orau o gwsg ges i erioed!'

'Na, ond o leiaf roeddat ti a dy nain yn ddiogel.'

'Ble wnaethoch chi gysgodi?'

'Fi? Gorchmynnodd y warden imi fynd i'r lloches fomio, ond penderfynais fynd yn syth i fan hyn, i'r sw. Roedd rhaid imi fod yma i ofalu am yr anifeiliaid. Gwneud y siŵr eu bod nhw ddim yn cynhyrfu.'

Gwingodd y bachgen wrth feddwl am yr anifeiliaid yn dioddef. 'Sut oeddan nhw?'

'Mi wnes i fy ngorau glas, ond roedd y bomio'n ddidrugaredd.'

## Bwm! Bwm! Bwm!

'Mae'n ddrwg gen i i ddweud wrthat ond dy ffrind oedd yr un a ddioddefodd waethaf. Mae hi'n casáu sŵn bomio. Roedd hi wedi dychryn yn drybeilig.'

Llyncodd y bachgen ei boer yn ofnus. 'Gwell imi fynd i'w gweld hi ar unwaith.'

'Syniad da! Ti yw'r gorau am godi ei chalon hi.'

Gosododd y gŵr ei law ar ysgwydd y bachgen. Rhedodd Eric i ffwrdd i chwilio am ei ffrind.

I Eric, byd o hud a lledrith oedd **SW LLUNDAIN**. Doedd o erioed wedi bod y tu allan i'r ddinas, ac yn yr ychydig aceri hyn o'r ddinas fe drigai'r anifeiliaid mwyaf hudolus yn yr holl fyd.

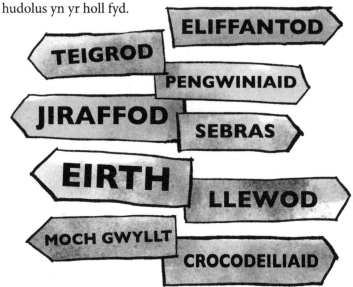

Ond roedd un anifail arbennig yr oedd Eric yn ei hoffi yn fwy na'r un arall.

Ei henw oedd Greta.
**Greta'r gorila**.

CYFRINACHOL

Yr hyn oedd yn rhyfedd am Greta oedd ei bod mor ddynol, ac eto mor annynol ar yr un pryd.

Dros bob modfedd o'i chorff roedd blew du, fel côt ffwr anferth. Roedd ei phen yn enfawr, a'i thalcen cyn hired â'i hwyneb. Ar ochr ei phen, uwchben ei llygaid, roedd dwy glust fawr. Clustiau bychain sydd gan gorilas fel arfer, ond nid Greta. Efallai mai dyna'r rheswm pam oedd y bachgen yn teimlo'n agos ati. Neu efallai ei dwy lygaid oren, caredig yr olwg.

Roedd trwyn llydan y gorila wedi crebachu fel un hen wraig. Addas iawn, achos hen wraig oedd Greta. Yn hanner cant oed, roedd hynny'n hen i gorila. Ond nid hen wraig addfwyn oedd hi pan agorai ei cheg.

# DANNEDD!

Roedd gan Greta ddannedd anhygoel, dau ar y top a dau ar y gwaelod.

Rhywbeth arall oedd ddim yn ei gwneud yn hen wraig addfwyn oedd ei breichiau. Roedden nhw mor llydan â'i choesau, ac roedd y rheini eisoes yn lletach na cheg afon Menai. Ar ben hynny, roedd ei bol yn grwn fel casgen. Yr hyn oedd Eric yn ei hoffi fwyaf am ei ffrind gorau oedd ei dwylo a'i choesau. Nid oeddynt mor annhebyg i'w ddwylo a'i goesau, heblaw'r ffaith eu bod yn **ANSBARADIGAETHUS O FAWR.**

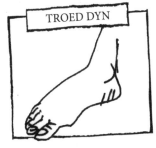

TROED DYN

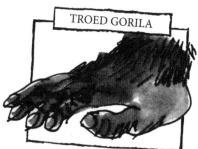

TROED GORILA

Efallai mai Greta oedd y gorila mwyaf yn **SW LLUNDAIN**, ond hi hefyd oedd yr un fwyaf addfwyn. Weithiau, byddai aderyn y to'n hedfan i'w chaets ac yn glanio ar ei phen. Byddai rhywun yn dychmygu y byddai gorila, gyda'i holl nerth, yn gwasgu ymwelydd dieithr yn ei law, yn enwedig un na chafodd wahoddiad. Ond nid Greta. Na, byddai hi'n ei drin fel babi gan afael yn dyner ynddo yn ei llaw, a'i fwytho. Ac ambell dro, byddai'n dynwared cân yr aderyn.

'TWÎT TWÎT!'

Ac yna rhoi cusan ar ei big.

*'MWWWWWW-A!'*

Wrth wylio hyn, byddai'r dorf o amgylch y caets wrth eu boddau. Y gorila oedd

# SEREN FWYAF SW LLUNDAIN

Y peth gwaethaf am fod yn blentyn amddifad oedd prinder cwtshys. Bu farw rhieni Eric yn ystod y rhyfel, ac roedd y ddau'n wych am gwtshio. Weithiau, roedden nhw'n cael cwtsh deuluol, gydag Eric yn y canol. Yr enw am hyn oedd

**CWTSHOL.** Cwtsh yn y canol.

Hoffai'r bachgen **GWTSHOLS** yn fwy na dim arall yn y byd. Roedd teimlo cariad a chynhesrwydd ei rieni yn gwneud iddo deimlo'n ddiogel. Ond bellach roedd y rhyfel wedi dwyn y profiad oddi arno.

Am byth.

Gwyddai Eric na fyddai'n cael cwtshol felly byth eto. O ganlyniad, pan oedd o'n syllu trwy fariau caets Greta, ei ddymuniad oedd gallu mynd i mewn ati. Wedyn gallai'r gorila ei anwesu yn ei breichiau mawr, cryfion a'i wasgu'n dynn. Roedd Greta yn fwy na'i dad a'i fam gyda'i gilydd. Roedd Eric o'r farn y gallai hi roi **CWTSHOL GWYCH IDDO**.

# TRICIAU

Rhuthrodd Eric heibio caetsys nifer o anifeiliaid cyn cyrraedd un ei ffrind gorau. Er mawr dristwch iddo, gwelodd Greta yn gorwedd ar ei chwrcwd yn y gornel gyda'i chefn tuag at y dorf, yn siglo o'r naill ochr i'r llall.

Roedd rhywbeth o'i le.

Roedd rhywbeth mawr o'i le.

Doedd yr hen gariad ddim fel hi ei hun o gwbl. Fel rheol byddai'n diddanu'r dorf, yn gwneud nifer o driciau, yn enwedig am fanana. Neu ddwy. Neu dair. Neu gymaint ag y gallai stwffio i'w cheg ar yr un pryd. Ac roedd hynny'n llond gwlad o fananas.

Rhai o hoff driciau Greta oedd:

**TYNNU EI THAFOD**

SIGLO'I PHEN ÔL

SALIWTIO FEL SOWLDIWR

CURO'I BREST

RHOI EI BYSEDD YN EI CHLUSTIAU

PLICIO BANANA GYDA'I THRAED

SIGLO AR RAFF FEL TARZAN

GOSOD EI THRWYN YN FFLAT YN ERBYN Y CAETS

BWRW EI THIN DROS EI PHEN

CHWIFIO'I DWYLO
FEL Y FRENHINES

CHWYTHU BANANA I FYNY
I'R AWYR O'I CHEG A'I DAL

COGIO
LLITHRO
AR GROEN
BANANA

ROWLIO'N WIRION
YN Y GWELLT DAN
CHWERTHIN LLOND BOL

DYNWARED CERDDEDIAD
RHYWUN OEDD YN CERDDED
HEIBIO, YN ENWEDIG Y
CYFARWYDDWR EI HUN, SYR
ROBIN RWDLYN

Ni allai'r bachgen ddioddef gweld ei ffrind mor drist heddiw. Roedd y bomio y noson cynt yn amlwg wedi rhoi braw iddi. Dechreuodd y dorf o amgylch y caets fân siarad a chwyno.

**'Fe dales i arian da i weld hyn!'**

**'Mae'r gorila hyn yn waeth am neud tricie na \*Tommy Cooper!'**

**'Wel, gwastraff amser yw hyn!'**

Ni allai Eric wthio'i ffordd trwy'r dorf, ac felly camodd ar ben mainc a gweiddi, 'GRETA!'

Cyn gynted ag y clywodd y gorila lais ei ffrind gorau, rhoddodd y gorau i siglo'n ôl ac ymlaen a chododd ar ei thraed. Yna gafaelodd mewn rhaff cyn dringo i fyny yn rhwydd, gan ddefnyddio ei dwylo a'i thraed. Ar ôl iddi gyrraedd pen y rhaff, gallai weld y bachgen yn glir dros bennau'r bobl.

'HW-HWW!' gwaeddodd, ar ôl ei weld. Er ei bod yn waedd uchel iawn, digon i roi cur pen i aspirin, roedd hi'n ddigon hawdd dweud mai gwaedd hapus oedd hi.

---

\*Cafodd y comedïwr a'r consuriwr penigamp, Tommy Cooper, ei eni yng Nghaerffili. Saif cerflun ohono ger y castell.

# SYNAU RHECHU

Edrychodd y dorf o'u cwmpas i ddarganfod pwy oedd y gorila mor falch o'i weld. Roedd Eric yn boenus o swil; mor swil nes iddo wrido, a'i wyneb mor goch â chrys pêl-droed Cymru.

Cododd Eric ei law ar ei ffrind. Yna lledodd y dorf fel y Môr Coch i wneud lle iddo fynd i'r tu blaen.

Llithrodd Greta i lawr y rhaff yn rhwydd a chamu tuag at Eric. Rhoddodd ei law ar y bariau haearn.

'**Cym bwyll, w!**' gwaeddodd llais o'r dorf.

'**Mae gorilas yn beryglus ofnadwy!**' meddai un arall.

'**Mi rwygith dy fraich i ffwrdd cyn iti fedru dweud 'Awtsh!**'' rhybuddiodd y trydydd.

Dechreuodd y gorila efelychu'r bachgen. O'r tu mewn i'r caets, gosododd ei llaw ar y bariau. Bellach roedd cledrau eu dwylo'n cyffwrdd.

Gwenodd Eric, a gwenodd Greta yn ôl. Chwarddodd wrth

edrych ar ei gwên wirion, a chwarddodd Greta yn ôl.

'Ha! Ha!'

'ʜᴡ-HW! ʜᴡ-HW!"

Yna tynnodd y bachgen ei dafod arni.

Ac fe dynnodd y gorila ei thafod arno ef!

Clywyd sŵn chwerthin o'r dorf.

'HA! HA! HA!'

Pan glywodd Eric y dorf, cynhyrfodd a chamu'n ôl.

**'Cer 'mlan, achan!'** awgrymodd rhywun.

**'Paid stopo nawr!'** meddai un arall.

**'Mae hyn yn werth y pris mynediad!'** meddai'r trydydd.

Anadlodd y bachgen yn ddwfn a cheisio anwybyddu'r dieithriaid. Gan fagu ei holl hyder, camodd unwaith yn rhagor at y caets. Gwenodd Greta arno, a'i llygaid yn pefrio. Gwenodd Eric yn ôl.

Roedd gwên y gorila yn heintus.

Heddiw roedd y bachgen yn benderfynol o fynd gam ymhellach. Felly aeth Eric ati i wneud rhywbeth oedd bob amser yn gwneud iddo chwerthin. Gwnaeth sŵn rhechu gyda'i wefusau.

*'PFF T!'*

Clywyd twt-twtian a sibrydion anghymeradwyol ymysg rhai o'r oedolion cul, parchus.

'TWT!'

'TWT!'

'TWT!'

Yn bur amlwg, doedden nhw ddim yn rhy hoff o'r hiwmor plentynnaidd.

Ond roedd y gorila wrth ei bodd. Ar y cychwyn, edrychodd yr epa yn ddryslyd. Yna crychodd ei gwefusau, ond doedd dim sŵn i'w glywed. Ceisiodd y bachgen ei hannog i dreio eto. Crychodd ei wefusau, gwthiodd ei dafod ymlaen, a chwythodd.

'*PFFFFT!*'

'TWT!'

'TWT!'

'TWT!'

Syllodd y gorila yn ofalus ar Eric cyn ceisio'i efelychu. Unwaith eto, crychodd ei gwefusau cyn gwthio ei thafod ymhellach ymlaen. Y tro hwn, fel Pencampwraig Sŵn Rhechu'r Byd, llwyddodd Greta i wneud y sŵn hiraf ac uchaf a glywodd dynolryw erioed.

'*PFFFFFFFFFFFFFFFFFFFT!*'

'LLWYDDIANT!'

Chwarddodd y bachgen lond ei fol, er bod ei wyneb wedi ei orchuddio gan boer gorila.

'HA! HA! HA!'

Dechreuodd y dorf anniddig chwerthin hefyd.

'HO! HO! HO!'

'Da iawn ti, grwt!'

## 'Mae'r hogyn yn deall anifeiliaid!'

'Dylai'r ddau gael cyfres ar S4C!'

Gan deimlo mor dal â *Thŵr Marcwis, meddyliodd Eric beth arall allai wneud i'w ddiddanu. A oedd hi'n bosib canu cân wrth wneud sŵn rhechu? Dim ond un ffordd oedd i weld a oedd hynny'n bosib.

Doedd y bachgen ddim yn gwybod llawer o ganeuon. Un yr oedd o'n ei chanu'n aml yng ngwasanaeth boreol yn yr ysgol – un a ganodd, fel mae'n digwydd, y bore hwnnw – oedd 'Calon Lân'.

Felly, gan geisio cofio'r dôn, dechreuodd **recheuo cytgan y gân.

'*PFFT! PFFT–PFFT! PFFT! PFFT! PFFT! PFFT PFFT!*'

Oedodd Eric gan obeithio y byddai'r gorila yn dechrau cyd-ganu.

Gwyrodd y gorila ei phen ac edrych ar Eric fel pe bai o'i gof.

Heb falio dim, parhaodd Eric i recheuo. Ailchwythodd.

'*PFFT! PFFT–PFFT! PFFT! PFFT! PFFT! PFFT! PFFT!*'

Gwyrodd Greta ei phen y ffordd arall. Yna gwelwyd gwên

---

*Adeiladwyd Tŵr Marcwis yn 1817 ger Llanfairpwll, Ynys Môn, i nodi cyfraniad Henry William Paget, Marcwis Môn, ym Mrwydr Waterloo.

**Yng Ngeiriadur yr Academi (sy'n cael ei alw'n Geiriadur Bruce, ar ôl un o'r golygyddion, Bruce Griffiths) does dim ffasiwn air â 'rhecheuo'. Ond mae'n air da!

ddireidus yn ei llygaid, wrth iddi grebachu ei gwefusau a gwthio'i thafod ymlaen.

'*PFFFFFFFFFFFFFFFFFFFFFFF FFFFFFFT!*'

Clywyd sŵn rhechu hir arall, ac unwaith yn rhagor gorchuddiwyd wyneb y bachgen gan boer gorila.

'YCH-A-FI! Pob lwc wrth geisio glanhau hwnna!' chwarddodd rhywun o'r dorf.

**'Byddi di'n dysgu hon shwt i whare'r delyn nesaf!'**

'Neu ganu deuawd 'da Bryn Terfel!'

'HA! HA! HA!'

Gwelodd y bachgen fod y dorf yn dechrau cerdded i ffwrdd, ond teimlai ei bod hi'n werth rhoi un tro arall arni.

'*PFFT! PFFT-PFFT! PFFT!PFFT! PFFT PFFT! PFFT!*'

A dyna pryd digwyddodd rhywbeth rhyfeddol. Ymunodd Greta yn y gân!

'*PFFT! PFFT-PFFT! PFFT! PFFT PFFT! PFFT! PFFT!*'

Roedd y bachgen bach a'r gorila anferth yn rhecheuo i dôn 'CALON LÂN'!

Edrychodd Eric ym myw llygaid Greta gan nodio'i ben er mwyn iddi gadw rhythm. Roedd o'n bur saff nad oedd hi'n gyfarwydd â'r gân. Pam fyddai hi? Ond roedd hi'n dysgu'n gyflym iawn.

'*PFFT! PFFT–PFFT! PFFT! PFFT! PFFT! PFFT! PFFT!*'

Yn fuan iawn, dechreuodd y rheini oedd wedi cerdded i ffwrdd ruthro'n ôl i glywed mwy o'r perfformiad. Ymunodd mwy a mwy nes bod torf anferth wedi ymhél o amgylch y caets. Doedd Eric ddim yn ymwybodol o'r dorf am ei fod yn roi ei holl sylw ar ddysgu'r dôn. Gan ganolbwyntio'n llwyr ar Greta, llwyddodd y ddau i gyrraedd diwedd y cytgan a tharo un sŵn rhech uchel!

'PFFFFFFFFFFFFF T!'

Yn ddi-oed, dechreuodd y dorf gymeradwyo'n wyllt.

**'MWY! MWY!'**

**'MELYS MOES MWY!'**

**'RHECHEUWCH GÂN ARALL I NI!'**

Trodd y bachgen i wynebu'r bobl. O ganlyniad i'r holl sylw a ffwdan, roedd ei wyneb yr un lliw â brest robin goch.

'Wel ... yyy ...'

Yna clywodd lais yn galw yng nghefn y dorf. Llais blin a chas. Llais cyfarwydd iawn ... yn gweiddi ei enw.

# 'ERIC!'

# POER NAIN

'ERIC!' gwaeddodd y llais, am yr eildro.

Gwridodd y bachgen, a'i wyneb yn ymdebygu i domato wedi cael lliw haul.

Edrychodd y dorf o gwmpas i weld pwy oedd yr un gyda llais fel taran.

'Pnawn da, Nain,' atebodd y bachgen, yn ofnus.

'Paid ti â "pnawn da, Nain" i, hogyn! Ti mewn trwbwl, 'ngwas i! Ddeudish i wrthat ti am ddod adref ar d'unwaith o'r ysgol, ond wnest ti? O, naddo! Roedd yn rhaid i ti ddod i fan hyn, i'r sw, eto, on'd oedd?'

Doedd dim ateb i hynny.

Roedd Eric mewn **PICL**.

Gwthiodd yr hen wraig y dorf o'i ffordd gyda'i thrwmped clust.

# BISH!

'AW!'

# BASH!

'WFF!'

# BOSH!

'AAA!'

'Drycha mewn difri arnat ti, hogyn,' meddai, wrth weld bod ei hŵyr wedi ei orchuddio gan boer gorila. 'Mae dy wyneb di fel nyth malwen!'

Yna, fe wnaeth yr hen wraig rywbeth mae plant trwy'r byd yn ei gasáu. Poerodd ar ei *hances boced cyn ei rhwbio'n wyllt dros wyneb Eric.

Bellach roedd Eric wedi ei orchuddio â phoer Nain yn hytrach na phoer gorila. Doedd y bachgen ddim yn siŵr p'un oedd y gwaethaf!

*Mae sawl gair Cymraeg am hances boced. Yn ne Cymru, defnyddir 'macyn', 'hansier' neu 'necloth', a 'ffunen' yn y gogledd. Yn Sir Fôn, maen nhw'n dweud 'ffunen boced'.

Ac fel pe bai hynny ddim yn ddigon o gosb, gafaelodd Nain yn un o'i glustiau mawr.

'TI'N DOD EFO FI!' gorchmynnodd. 'Synnwn i ddim mai syniad dy Wncwl Sid oedd hyn! Mae'r dyn yna wastod yn rhoi syniadau gwirion yn dy ben di!'

'Doedd o'm byd i'w wneud ag Wncwl Sid,' dywedodd Eric, â'i drwyn yn tyfu bron cymaint â'i glustiau.

'Be ddeudist ti?' gorchmynnodd yr hen wraig, gan osod y trwmped clust ar ei chlust.

## 'DOEDD O'M BYD I'W WNEUD AG WNCWL SID!'

Syllodd Nain ar y bachgen. 'Asid?! Pa asid?!' meddai, dan gyfarth. 'Dwi'n amau bydd mwy o fomio ar ôl iddi dywyllu heno, sef ...' meddai, gan edrych i fyny, '... unrhyw funud!'

Gydag un llaw yn rhydd, haciodd Nain ei ffordd trwy'r dorf gyda'i thrwmped clust fel pe bai hi'n hacio trwy jyngl gyda thwca.

## BISH!

'OWTSH!'

## BASH!

'AAA!'

## BOSH!

'O, NA! DIM ETO!'

O glywed cymaint o stŵr, daeth mwy o bobl ynghyd; ymwelwyr, gofalwyr ac un dyn oedd yn edrych mor stiff â phrocer, wedi ei wisgo'n drwsiadus mewn côt â chwt a het silc. Ceisiodd wau ei ffordd trwy'r dorf.

'GYFEILLION! GYFEILLION! MWY O FEOLAETH, OS GWELWCH YN DDA!' meddai. Roedd ganddo acen hynod grand, mor grand nes ei fod yn ynganu'r llythyren 'r' fel 'f'. 'Byddwch yn ddistaw, os gwelwch yn dda, Hen Wfaig!'

'BE DDUDSOCH CHI?!' gwaeddodd hithau.

# 'BYDDWCH YN DAWEL!'

'Iawn! Iawn! Sdim angen gweiddi, ddyn!'

'Odych chi bfaif yn fyddar, madam?' gofynnodd y dyn, pan welodd ei thrwmped clust.

'Chwarter wedi pump,' atebodd Nain, gan edrych ar ei wats. 'A phwy ydach chi, beth bynnag?' ychwanegodd, gan roi ei thrwmped clust ar ochr ei phen.

Roedd ei hagwedd tuag ato wedi siomi'r dyn. Siaradodd yn syth i lawr ei thrwmped clust.

'Fi yw Syr Fobin Fwdlyn!'

'Fobyn?!' meddai'r wraig, yn ddirmygus. 'Pa fath o enw yw hwnnw?'

'Mae "Fobyn" yn enw cwbl nofmal i ŵf bonheddig.'

'Dwi'n meddwl mai Robin ydy ei enw o,' sibrydodd Eric,

a'i glust yn dal i fod mewn poen ar ôl i'w nain ei thynnu. 'Fo sy'n gofalu am y sw.'

'Ti'n bef-ffeth iawn, gfwt! Fobin yw f'enw. A fi yw'r Cyfafwyddwr Cyff-fedinol.'

'Cyfafwyddwr Cyff-fedinol? Be ydy cyfafwyddwr cyff-fedinol?'

'Fo ydy'r cyfarwyddwr cyffredinol, Nain,' meddai Eric.

'Sawl gwaith odw i'n gof-ffod gweud wrthoch chi?' gwaeddodd Fwdlyn. 'Cyfafwyddwr Cyff-fedinol!'

'SDIM EISIAU I CHI WEIDDI AR DOP EICH LLAIS, DDYN!' gwaeddodd hithau.

'A nawf, mae'n rhaid i mi ofyn i chi fynd o fy sw i!'

'Eich sw chi?' gofynnodd hi.

'Ie, fy sw i! A hynny af unweth!'

'Peidiwch â phoeni – ni'n mynd!' Brasgamodd y wraig oddi yno. Ac ar bob un o'i chamau, chwythodd Greta sŵn rhechu ...

## *PFFT! PFFT! PFFT!*

... fel pe bai'r hen wraig ar frys i fynd i'r lle chwech.

Chwarddodd y dorf yn uchel.

'HA! HA! HA!'

'Wel, yn wif,' meddai Syr Rwdlyn. 'Pwy ddysgodd fy ngofila i wneud hynna? Ai ti o'dd e, y cfwt bach gyda chlustie mowf?' cyfarthodd, drwyn yn drwyn ag Eric.

'Ie, syr,' cyfaddefodd y bachgen. 'Roeddwn i'n treio codi calon fy ffrind ar ôl y bomio neithiwr. Roedd hi'n siglo'n ôl ac ymlaen ar ei chwrcwd, ac ro'n i'n poeni amdani.'

'Ac felly fe ddysgest ti'r gofila i neud sŵn cnecu?'

'Do, syr,' meddai Eric, yn drist.

'Sw yw'r lle hwn, nage syfcas!' bloeddiodd Rwdlyn.

'Clywch, clywch!' meddai Nain, mor siarp â chyllell bwtsiwr. 'Byddai'n syniad i chi gael gair yng nghlust hen ewythr yr hogyn 'ma. Mae'n gweithio yn y sw – Sidni Rees-Roberts.

'FEES-FOBERTS?'

## 'NACI, DDYN! REES-ROBERTS!'

Roedd Nain wedi gadael y gofalwr sw mewn twmpath o gaca eliffant, a oedd, fel mae'n digwydd, yr hyn oedd o'n sefyll yn ei ganol yn barod. Er hynny, gallai glywed clincio, clancio a chlyncio cyfarwydd coesau tun yr hen ŵr yn y pellter.

### CLINC! CLANC! CLYNC!

Pan welodd Sid, ysgydwodd y bachgen ei ben fel pe bai'n ceisio dweud wrth Sid, 'Bagla hi o'ma!' Yn anffodus, nid rhedeg oedd cryfder yr hen ŵr.

'Odych chi'n nabod y cfwt hyn, Fees-Foberts?' mynnodd Rwdlyn.

Ysgydwodd Eric ei ben.

'Nac'dw,' dywedodd y dyn, â'i drwyn yn tyfu fel chwyn yn y glaw.

## 'HWN YDY DY OR-NAI, SIDNI!'

meddai Nain. 'Roeddwn i'n gwybod dy fod di'n dwp, ond ddim mor dwp â hynny!'

'O, yndw, dwi'n ei nabod felly,' meddai Sid.

'Odych, neu nad odych?' pwysleisiodd Rwdlyn.

'Tipyn o'r ddau. Na, doeddwn i ddim yn ei nabod cyn ei eni, ond ydw, dwi yn ei nabod ar ôl iddo gael ei eni.'

'Rwy'n dweud a dweud wrth fy ŵyr, drosodd a throsodd, bod rhyfel ymlaen! Dyw hi ddim yn saff yma. Rhaid iddo ddod adref o'r ysgol yn syth,' dechreuodd Nain. 'Ond, o, na! Mae gan Sidni Rees-Roberts gynlluniau eraill! Mae o eisiau i'r bachgen fod yn ofalwr yn y sw, yn union fel fo'i hun! Yn carthu caca trwy'r dydd! Synnwn i damed ei fod o'n sleifio'r bachgen i mewn i'r sw heb dalu'r un geiniog goch!'

Edrychodd Rwdlyn yn flin. 'Yf un geiniog? Yf un geiniog? Ody hyn yn wif?'

Edrychodd Sid ar Eric. Ysgydwodd y bachgen ei ben eto, ond roedd yr hen ŵr yn gwybod ei bod hi'n rhy hwyr, a bod y gath o'r cwd.

'Ydy. Mae o'n wif. Yyy ... yn wir. Mae Eric wrth ei fodd gydag anifeiliaid, chi'n gweld, a ... '

'Sidni Fees-Foberts, ewch i fy swyddfa. A chi'ch dou, mas o'r sw y funed hon!'

'BE DDEUDSOCH CHI?' gwaeddodd Nain, gan osod y trwmped clust dros ei chlust.

# 'MAS! NAWR!'

'SDIM EISIAU CODI'CH LLAIS, DDYN! Peidiwch â phoeni! 'Dan ni'n mynd oddi 'ma ar ein hunion! A faswn i ddim yn dod yn ôl i'r twll tin byd yma 'sach chi'n talu i mi!'

meddai Nain, yn flin fel cacwn, cyn gafael yn Eric gerfydd ei glust fawr. Byddai ei thynnu fel hyn yn ei gwneud hyd yn oed yn fwy!

'Aw!' meddai Eric wrth iddo gael ei lusgo i ffwrdd. Ciledrychodd ar Sid, ac yna ar Greta. Eisteddai'r gorila yn ei chaets, yn dyst i'r holl ddigwyddiad. Er nad oedd hi'n siarad Cymraeg nac unrhyw iaith arall (heblaw Gorila-eg ac Epa-eg) roedd hi'n amlwg wedi deall y rhan fwyaf o'r sgwrs.

Roedd y bachgen – a hithau – yn drist.

Rhoddodd y gorila ei llaw ar y caets. Doedd hi ddim eisiau i'w ffrind adael.

'HW-HWW!' gwaeddodd ar ei ôl, gan geisio rhyw fath o godi llaw. Cododd Eric ei law yn ôl, cyn iddo gael ei dynnu

    ymaith

      gerfydd

        ei glust.

'AW!'

PENNOD | 6 |

## MAM A DAD

'SYTH I DY WELY!' cyhoeddodd Nain wrth ymyl bwrdd y gegin yn ei thŷ teras bach, gan blygu dros Eric fel cwmwl du. 'Wyt ti'n fy nghlywed i? SYTH I'R GWELY!'

Roedd hi'n amhosib *peidio* â'i chlywed. Roedd ganddi lais digon uchel i ddeffro'r meirw. 'Syth i dy wely, a hynny heb de!'

'Ond—!'

'SDIM "OND" AMDANI! TI WEDI BOD YN HOGYN DRWG!'

Cododd Eric o'r gadair simsan cyn stompio i fyny'r grisiau.

**STOMP!**

**STOMP!**

**STOMP!**

Arweiniai'r drws cyntaf i ystafell fechan, dywyll a llaith. Roedd hi'n llawn o hen nialwch Nain, ond hon oedd ystafell wely Eric. Gorweddodd ar y gwely, yn teimlo'n drist iawn, heb hyd yn oed drafferthu i dynnu ei wisg ysgol. Caeodd ei lygaid. Gan afael yn dynn yn y gobenyddion, dychmygodd ei fod yn cael cwtsh deuluol.

**CWTSHOL.**

Bu farw ei dad chwe mis ynghynt, yn ystod yr haf hwnnw yn Dunkirk. Roedd ei dad yn un o'r miloedd o filwyr Prydain ar draws Ffrainc oedd yn ffoi oddi wrth y Natsïaid. Tref ar arfordir gogleddol Ffrainc yw Dunkirk, ac o'r fan honno yr oedd milwyr yn cael eu cludo adref. Ond lladdwyd nifer fawr ohonyn nhw wrth iddyn nhw geisio ffoi.

Gan gynnwys y milwr cyffredin, Preifat Idwal Pritchard.

Plymer oedd ei dad – dyna sut wnaeth ei dad a'i fam gyfarfod am y tro cyntaf. Galwodd draw i'w thŷ i ddadflocio'r tŷ bach yng ngwaelod yr ardd. Pan gychwynnodd y rhyfel yn 1939, ymunodd Dad â'r fyddin. Roedd yn benderfynol o geisio cadw gwledydd Prydain yn ddiogel rhag y Natsïaid. Ond yn anffodus, doedd ei ryfel ddim yn un hir. Ar ôl goroesi nifer o frwydrau ffyrnig yn Ffrainc, daeth wyneb yn wyneb â thrasiedi yn Dunkirk. Cafodd y llong oedd yn ei gludo adref, *HMS GRAFTON*, ei saethu gan dorpido o long danfor y Natsïaid.

Cafodd bywyd ei fam ei chwalu'n deilchion pan dderbyniodd y telegram. Roedd hi wedi colli gŵr a dyn da. Bu'n llefain am wythnosau. Ofnai Eric y byddai hi'n boddi yn ei dagrau, yn union fel yr oedd nifer o filwyr wedi boddi yn Dunkirk. Profiad erchyll oedd gweld ei fam mor drist. A fyddai bywyd yn normal byth eto? Yn rhyfedd iawn, roedd rhai pethau i'w gwneud o hyd, fel bwyta brecwast, glanhau dannedd neu gwblhau gwaith cartref. Ar ôl colli ei gŵr, roedd Mam yn fwy penderfynol fyth i gyfrannu mewn rhyw fodd at sicrhau buddugoliaeth. Bu'n gweithio mewn ffatri, yn gwnïo parasiwtiau i beilotiaid Spitfire. Ond gwaetha'r modd, roedd bywyd Eric yn mynd i brofi trasiedi am yr eildro pan ddinistriwyd y ffatri gan fom y Natsïaid yn ystod sifft nos.

## BU FARW PAWB YN Y FFATRI.

Un funud yr oedd Mam yno, a'r funud nesaf roedd hi wedi mynd. Yn union fel y digwyddodd gyda'i dad, cafodd Eric ddim hyd yn oed cyfle i ffarwelio. Doedd dim yn teimlo'n real i'r bachgen bellach. Teimlai ei fod mewn breuddwyd, neu yn hytrach hunllef, fel pe bai wedi ei gaethiwo dan ddŵr, yn galw am gymorth ond neb yn ei glywed.

Bellach, yn blentyn amddifad, penderfynwyd ar frys y byddai Eric yn mynd i fyw at ei nain. Y broblem fawr oedd bod Nain ddim yn dda iawn am drin plant.

I fyny yn ei ystafell fechan yn ei thŷ, nythodd Eric rhwng y ddau obennydd ar ei wely. Dychmygodd mai'r gobenyddion oedd ei fam a'i dad. Roedd y ddau obennydd yn oer a llaith. Ond caeodd ei lygaid. Efallai, dim ond efallai, pe bai'n canolbwyntio'n galed, byddai'n darganfod ei hun yng nghanol **CWTSHOL.**

Ond daeth ei freuddwyd i ben pan agorwyd y drws led y pen.

## *SWISH!*

'Dwi wedi dod â brechdan ddripin i ti,' cyhoeddodd Nain.

Doedd Eric ddim yn ei disgwyl, a sythodd i fyny'n frysiog ar y gwely, gan wthio'r gobenyddion i'r ochr. Byddai wedi teimlo'n wirion pe bai'r hen wraig wedi ei weld yn anwesu dau obennydd.

'O, diolch, Nain,' meddai'n siriol. Roedd wrth ei fodd â brechdan ddripin. Dripin oedd y saim oedd i'w gael ar gig wedi ei goginio, ac roedd o'n flasus iawn gyda bara. Gyda'r hen wraig yn eistedd ger ei ymyl, llowciodd y bwyd fel pe bai heb fwyta ers blynyddoedd.

'Mae'n ddrwg gen i am godi fy llais, Eric,' meddai. 'Mae'r rhyfel hwn yn un anodd. Dwi wedi colli mab; a ti wedi colli tad. Ac, wrth gwrs, colli dy fam hefyd. Allwn i ddim dioddef dy golli di hefyd.'

'Dwi'n deall, Nain,' meddai'r bachgen dan dagu, ei geg yn llawn o fwyd. Wrth iddo siarad, poerodd friwsion bara dros y llawr. Chwarddodd y ddau.

## 'Ha! Ha!'

Doedd y ddau ddim yn chwerthin llawer gyda'i gilydd.

'Gei di fwyta'r briwsion yna i frecwast bore fory!' meddai'r hen wraig.

Nid oedd Eric yn siŵr iawn a oedd hi o ddifrif ai peidio.

'Nawr, ar ôl i ti orffen dy de, dwi eisiau i ti fynd i gysgu'n syth. Chawson ni fawr o gwsg dan ddaear neithiwr.'

Agorodd y bachgen ei geg yn flinedig. Roedd Nain yn llygad ei lle.

'Ac mae'n rhaid i ti fod yn effro ac yn llawn egni ar gyfer yr ysgol bore fory!'

Nodiodd Eric yn ysgafn. Doedd o ddim yn gyfarwydd iawn â bod yn effro ac yn llawn egni yn yr ysgol.

'Nos da, Nain.'

'Pla o chwain?!'

## 'NACI! "NOS DA" DDEUDISH I!'

'Sdim eisiau gweiddi, hogyn!'

'Nos da, Nain.'

'Nos da, Eric.'

Nid oedd yr hen wraig yn hoffi cwtsho a chusanu. Yn hytrach, roedd yn well ganddi ei daro'n ysgafn ar ei ben gyda'i llaw.

## TAP! TAP!

Yna, cododd ar ei thraed a gadawodd yr ystafell, gan gau'r drws yn glep ar ei hôl.

# *CLEP!*

Camodd Eric at y ffenest fechan a syllodd i fyny i'r awyr. Roedd hi'n dywyll ac yn ddistaw y tu allan. Aeth ias oer i lawr ei gefn.

A fyddai'r Natsïaid yn bomio eto heno?

Cafodd Llundain ei bomio'n aml yn y nos. Rhoddwyd enw arbennig ar hynny. Cyfeirwyd ato yn y papurau newydd fel y *Blits*, sef y gair am 'fellt' yn Almaeneg. Cynllun Adolf Hitler oedd gorfodi Prydain i ildio i'r Natsïaid.

Wrth i Eric edrych ar y barrug ar ddoeau Llundain, dechreuodd feddwl am Greta. Roedd awyrennau'r Natsïaid yn siŵr o fomio heno. Ac roedd y gorila wedi ei chynhyrfu gan fomiau'r noson cynt. Yn ei galon, roedd Eric yn hiraethu ar ei hôl. Byddai bod wrth ei hochr y noson honno'n gwneud iddi deimlo'n fwy diogel.

Anadlodd y bachgen yn ddwfn, cyn magu asgwrn cefn. Agorodd y ffenest.

## SWISH!

Wedyn, gan gofio sut yr oedd Greta'n llithro'n ddidrafferth i lawr rhaff, llithrodd yntau i lawr y biben ddŵr. Yna, rhedodd trwy **strydoedd tywyll a gwag Llundain.**

PENNOD | 7 |

# CACA PENGWINIAID

*CYFRINACHOL*

Roedd **SW LLUNDAIN** wedi ei lleoli ym Mharc Regent, un o'r lleoliadau prydferthaf yn y ddinas. Nid oedd y parc ar agor yn y nos, ac felly bu rhaid i Eric ddringo dros y rheiliau. Cyn gynted ag yr oedd o y tu mewn, crwydrodd o amgylch ffens allanol y sw am sbel er mwyn ceisio dod o hyd i ffordd i mewn. O'i flaen, gwelodd goeden fawr yn y parc, â'i changhennau'n hongian yn llipa dros y ffens i'r sw. Gan ddychmygu sut y byddai Greta'n ei dringo, aeth i fyny'r boncyff gan ddefnyddio'i ddwylo a'i draed, yn union fel gorila. O foncyff y goeden, llithrodd y bachgen ar hyd un o'r canghennau ar ei ben ôl. Ond, wrth iddo lithro'n bellach ar hyd y boncyff, teneuodd y gangen a digwyddodd yr hyn oedd yn anochel.

## CRAC!

Torrodd y gangen!

Hedfanodd Eric trwy'r awyr.

# WHIIIIII!

# 'AAA!'
# SBLASH!

Roedd dan ddŵr.

Nid yn unig hynny, synhwyrai fod dwsinau o greaduriaid yn nofio o'i gwmpas.

A oedd wedi disgyn i bwll o biranas?

A oedd am gael ei fwyta'n fyw?

Ceisiodd Eric nofio i'r wyneb i gael anadliad o aer. WHIW!

Na, roedd y rhain yn llawer mwy na phiranas. Ac yn llawer mwy cyfeillgar.

**PENGWINIAID** o'n nhw!

*GWAWCH!*

*GWAWCH!*

*GWAWCH!*

Roedd y bachgen wedi cwympo i'r **pwll pengwiniaid!**

Fe'i hadeiladwyd yn ddiweddar fel rhan o'r parc dŵr, gyda llithrau a ffynnon. Perffaith i bengwin. Nid mor berffaith i fachgen.

Chwaraeodd yr adar llithrig o amgylch Eric, gan ei bigo. Gorweddodd un ar ei ben.

'Cer o'ma!' meddai'n addfwyn, cyn rhoi'r pengwin yn ôl yn y dŵr. Nofiodd Eric i ochr y pwll cyn dringo i fyny'r sglefren. Ond roedd hi'n wlyb a llithrodd yn ôl i'r pwll unwaith eto.

# SGIDLDADL!

## SBLASH!

### GWAWCH! GWAWCH! GWAWCH!

Y tro hwn, nofiodd Eric i ymyl y pwll, a chlywodd sŵn cyfarwydd.

## CLINC! CLANC! CLYNC!

Sid oedd yno.

'Be ti'n wneud yn fan'na?' gwaeddodd yr hen ŵr arno.

'Nofio!' atebodd Eric, gan geisio ysgafnu'r sefyllfa.

Ochneidiodd Sid ac ysgydwodd ei ben. 'Aros ble'r wyt ti!'

## CLINC! CLANC! CLYNC!

Bu tawelwch am eiliad cyn i'r hen ŵr ddychwelyd gyda rhwyd â charn hir. Hon oedd o'n ei defnyddio i bysgota am gaca pengwiniaid.

'Dal d'afael yn hon!'

Gafaelodd Eric yn y rhwyd, a thynnodd Sid y bachgen allan o'r dŵr.

'Ti'n wlyb hyd at dy groen!' meddai'r hen ddyn.

'Dyna sy'n tueddu i ddigwydd pan dach chi'n nofio mewn dŵr,' atebodd Eric.

'Be ti'n neud yn y sw adeg yma o'r nos? Mae hi wedi cau ers oriau!'

'Poeni am Greta ydw i. Roedd hi'n edrych yn ofnus iawn heddiw.'

'Oedd, mi'r oedd hi, ond mi ddyliat fod yn cysgu'n sownd yn dy wely, Eric bach!'

'A chitha hefyd!'

Oedodd yr hen ŵr. 'Dwi'n gwybod, ond roeddwn i'n amau y byddai mwy o fomio heno. 'Dan ni wedi dioddef hynny bob nos ers wythnosau. Fan'ma ydy fy lle i, gyda'r anifeiliaid.'

'A finna!' pwysleisiodd y bachgen.

Edrychodd Sid i fyny i'r awyr. 'Mae hi'n dawel i fyny fan'cw yn y cymylau nawr. Dyliat fynd adref.'

Yna, fel pe bai'r cyfan wedi ei ragweld, clywyd sŵn y seiren cyrch awyr.

'Siaradais yn rhy fuan,' meddai'r hen ŵr. 'Tyrd! '

Cydiodd Sid yn llaw Eric a'i arwain trwy'r sw.

## CLINC! CLANC! CLYNC!

Er bod y sw yn y tywyllwch o achos y blacowt, roedd hi'n fwy swnllyd nag erioed. Roedd sŵn y seiren wedi deffro pob anifail.

RHUO!

HWWWT!

HISS!

WHYP!

IELP!

HONC!

'Ai ni yw'r unig rai yma?' gofynnodd Eric, gan afael yn dynn yn llaw ei hen ewythr.

'Na, mi fydd Crinc, y gofalwr nos yma. Neu 'Corporal Crinc' fel mae'n mynnu cael ei alw. Rhaid i ni gadw golwg amdano. Fo yw'r unig un sydd i fod yn y sw ar ôl iddi dywyllu.'

Gallai Eric glywed sŵn mwmian. Yna sŵn rwmblan. Ac yn olaf, sŵn grŵn awyrennau'r Natsïaid uwch eu pennau, yn mynd heibio yn un ehediad clòs wrth iddyn nhw hedfan yn fygythiol trwy'r awyr.

Yna, chwibanodd y bom cyntaf trwy'r awyr.

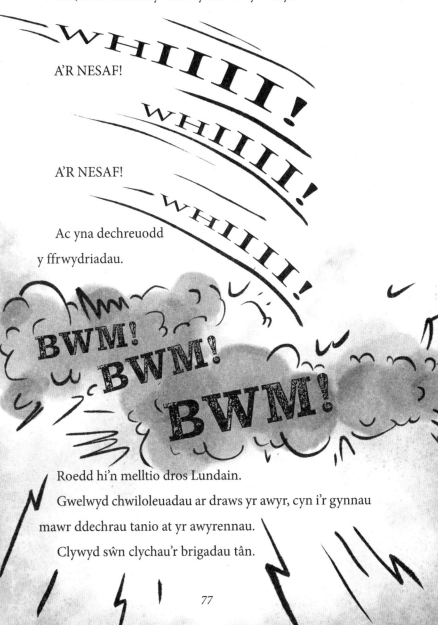

**WHIIII!**

A'R NESAF!

**WHIIII!**

A'R NESAF!

**WHIIII!**

Ac yna dechreuodd y ffrwydriadau.

**BWM! BWM! BWM!**

Roedd hi'n melltio dros Lundain.

Gwelwyd chwiloleuadau ar draws yr awyr, cyn i'r gynnau mawr ddechrau tanio at yr awyrennau.

Clywyd sŵn clychau'r brigadau tân.

**DING! DING! DING!**

Clywodd Eric bobl yn sgrechian a gweiddi.

'AAA!'

'HELP!'

'RHEDWCH!'

Cyflymodd curiad ei galon.

Y sŵn.

Y goleuadau.

Y llanast.

**BWM!**

Ffrwydrodd bom arall, hyd yn oed yn nes na'r
un diwethaf.

# BWM!

Ac un arall.

# BWM!

Ac un arall.

Cododd yr eliffantod eu trynciau a gweiddi.

## 'HWWW!'

Cododd y camelod eu traed ôl a gwneud synau cwynfanllyd.

## 'WY-HW!'

Neidiodd y llewod o un graig i'r llall a rhuo.

## RHUUUUO!

# BWM!

Ond daeth y sŵn tristaf o gaets y gorila.

Rhoddodd Greta ei dwylo dros ei chlustiau er mwyn ceisio atal sŵn y bomiau.

Bob tro yr oedd bom yn disgyn, rhoddai waedd ... 'HWW-III!'

... CYN SIGLO O'R NAILL OCHR I'R LLALL.

Tynnodd y bachgen yn rhydd o ofal yr hen ŵr a thaflu ei hun ar y caets.

'HW-III!'

'Greta!' gwaeddodd y bachgen, ond gwrthododd y gorila agor ei llygaid.

'Greta!'

**BWM!**

'RESINS!' gwaeddodd Eric.

'Be ddeudist ti?' gofynnodd Sid, yn syn. O'r holl eiriau yng Ngeiriadur yr Academi, meddyliodd Sid mai hwn oedd yr un mwyaf annhebygol i ddod o enau'r bachgen.

'Resins! Rheini yw ei hoff fwyd! Ar ôl bananas, wrth gwrs, ond mae'n amhosib cael gafael ar fananas y dyddiau hyn. Byddai llond llaw o resins yn ei thawelu.'

'Ti'n llygad dy le!' cytunodd Sid. 'Da iawn chdi! Mi wnei di ofalwr sw ardderchog ryw ddiwrnod!'

Gwenodd y bachgen fel selsigen wedi ei hollti.

'Rhyw ddiwrnod, efallai, ond o ble ga i resins adeg hyn o'r nos?'

'Yn y bar byrbryd efallai!'

**BWM!**

'Ond does gen i ddim arian!'

'Fydd dim angen arian! Mae o wedi cau!'

'Wel, os ydy o wedi cau, sut ydw i am fynd i mewn?'

'Bydd rhaid i ti dorri mewn!'

Llyncodd Eric ei boer. Nid oedd erioed wedi torri mewn i unman, erioed, ac roedd wedi gobeithio mynd trwy ei fywyd heb orfod gwneud hynny.

'Dringa trwy'r ffenest!' gwaeddodd Sid, yn uwch na'r sŵn o'i gwmpas. 'Gafaela mewn resins a rhed!'

PENNOD | **8** |

# PARLYSU GAN OFN

Disgynnodd bomiau'r Natsïaid yn nes ac yn nes i'r sw.

BWM! BWM! **BWM!**

Gan ei fod wedi ymweld â'r sw gymaint o weithiau, roedd Eric yn gyfarwydd iawn â'r lle. Mewn chwinciad chwannen, cyrhaeddodd y bar byrbwyd, dringodd i ben bin lludw ac agorodd ffenest fach ar yr ochr. Wedyn, gwthiodd ei hun i mewn cyn ymbalfalu yn y tywyllwch a dod o hyd i fag mawr o resins. Gwrthododd fwyta rhai ei hun, er bod hynny'n demtasiwn. Yna, gan ddefnyddio cadair fel step, dringodd yn ôl i fyny a llithro trwy'r ffenest fach, cyn neidio i lawr ar y bin lludw.

# CLANG!

Ciledrychodd Eric ar y bag resins. Roedd rhwyg ynddo. Rhaid ei fod wedi cyffwrdd â'r bachyn oedd ar ffrâm y ffenest. Gyda'r bomiau'n dal i lanio o'i gwmpas, ceisiodd y bachgen wneud ei orau glas i gadw'r resins yn y bag wrth iddo redeg i gyfeiriad caets y gorila.

**BWM! BWM! BWM!**

'Dwi wedi cael y resins, Wncwl Sid!' gwaeddodd, wedi colli'i wynt ar ôl rhedeg yn gynt na ***Guto Nyth Brân**.

Roedd y gorila yn dal i siglo yn ôl ac ymlaen gyda'i dwylo blewog dros ei chlustiau, ac yn edrych yn drist a chwynfanllyd.

'HW-HW!'

'Wyt ti wedi bod yn eu bwyta nhw?' gofynnodd Sid, gan sylwi bod y bag yn ysgafn.

'Nac'dw, wir i chi! Rhwygodd y bag a chollais rywfaint ar y ffordd.'

'O, ie?! A f'enw i ydy Siôn Corn!'

**'Dwi'n dweud y gwir wrthoch chi!'**

Trodd yr hen ŵr ei sylw at y gorila. 'Nawr, nawr, Greta! Tyrd yn dy flaen, 'ngeneth i! Mae gan dy ffrind resins blasus i ti!'

---

*\*Cafodd Guto Nyth Brân ei eni ger Porth a'i enw iawn oedd Griffin Morgan (1700–1737). Roedd o'n rhedwr chwedlonol, yn gynt nag ysgyfarnog ac yn gallu rhedeg saith milltir cyn i degell ferwi. Bu farw ar ôl ennill ras ddeuddeg milltir rhwng Casnewydd a Bedwas. Mae cerflun ohono yn Aberpennar.*

Tynnodd Eric un o'r resins o'r bag a'i wthio trwy'r bariau haearn.

**BWM! BWM! BWM!**

Hwn oedd y bomio agosaf eto. Yn uwch na'r gweddill. Gallent deimlo grym y ffrwydrad. Rhaid bod y bom wedi glanio ym Mharc Regent. Chwistrellwyd pridd dros bobman, gan bledu'r gorila.

PLEDU! PLEDU! PLEDU!

Cafodd Greta druan ei dychryn yn ofnadwy. Sgrechiodd a sgrechiodd a sgrechiodd ...

'IIII! IIII! IIII!'

... cyn iddi neidio'n wyllt allan o'i chaets.

'**NAAA!**' gwaeddodd y bachgen ar dop ei lais, wedi ei ddychryn i'r byw gan ymddygiad yr anifail.

Yn hytrach na derbyn y resin fel yr oedd wedi ei obeithio, trawodd y gorila ei phen yn galed yn erbyn y caets gan dorri'r wifren.

P**I**NG! P**I**NG! P**I**NG!

'Paid! Paid!' erfyniodd Eric.

Edrychai Sid mor ofidus â'r bachgen. Nid oedd yr hen ŵr wedi gweld y gorila'n ymddwyn fel hyn o'r blaen.

'Dim ond storm erchyll ydy hi, Greta!' meddai'r gofalwr sw, gyda'i drwyn yn tyfu mor hir â roced.

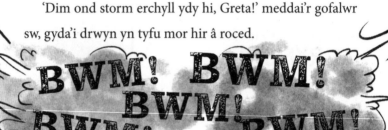

**BWM! BWM! BWM! BWM! BWM!**

P**I**NG! P**I**NG! P**I**NG!

'IIII!'

Y tro hwn, neidiodd Greta i ganol y caets a gafael yn y rhaff oedd ynghlwm wrth y bariau metel uwch ei phen, cyn ei thynnu gyda'i holl nerth.

'Be mae hi'n wneud?' gwaeddodd Eric.

'Mae hi'n treio mynd allan!' atebodd Sid.

Tynnodd y gorila y rhaff mor galed nes rhwygo to'r caets yn rhacs jibidêrs.

TWONC!

Disgynnodd y to i'r llawr.

**CRYNSH!**

Glaniodd ar ongl, gan greu esgynfa. Rhedodd Greta i fyny'r llwybr newydd, ei thraed anferth yn curo'n ei erbyn.

CLONC!

CLONC!

CLONC!

Syllodd Eric a Sid yn gymysgedd o ryfeddod ac arswyd wrth weld y gorila yn sefyll ar ben ei chaets. Amlinellwyd ei chorff yn erbyn y lleuad lawn wrth iddi guro'i brest a rhoi gwaedd o berfeddion ei bod.

# BWWWM!

Gallai Eric a Sid deimlo gwres y bom. Rhaid ei fod wedi glanio reit yng nghanol y sw. Yn yr ardal bicnic, aeth coeden fawr ar dân.

## FFLAMAU!

Gallai'r gwres tanbaid godi rhywun oddi ar ei draed.

Credai Eric ei fod am gael ei losgi'n fyw.

Goleuwyd y sw yn goch ac oren a melyn wrth i'r mwg du dywyllu'r awyr.

Neidiodd Greta i lawr o ben y caets a glanio'n galed ar y llawr.

## THWMP!

Parlyswyd Eric gan ofn wrth i'r anifail anferth ffit-ffatio tuag ato. Edrychodd y gorila arno, a gwelodd Eric dristwch mawr ym myw ei llygaid.

'Paid â gweiddi!' sibrydodd Sid. 'A phaid â gwneud symudiadau sydyn!'

Nodiodd y bachgen yn araf.

'Os newn ni gadw'n llonydd a thawel, dylian ni fod yn iawn ... '

Un ffaith bwysig i'w chofio yw y gall gorila rwygo braich dyn i ffwrdd. Gwyddai Eric hynny'n rhy dda.

Ond roedd Greta yn ffrind iddo. Bu bob amser berthynas agos rhwng y ddau, er bod bariau'r caets wedi eu cadw ar wahân.

Tan nawr.

Bellach, roedd y ddau drwyn wrth drwyn, fel dau esgimo'n cyfarch ei gilydd. Gallai hyd yn oed deimlo gwres ei hanal ar ei wyneb.

Teimlai Eric gymysgedd o lawenydd ac ofn ar yr un pryd. Ond roedd y llawenydd yn fwy na'r ofn, a gwenodd y bachgen.

Hoffai Greta efelychu Eric, a gwenodd yn ôl, gan ddangos ei dannedd, yn enwedig y ddau ddant anferth o bobtu ei cheg.

Wrth i Sid wylio'r cyfan a sibrwd, 'Bydd yn eneth dda nawr, Greta,' crychodd y gorila ei gwefusau i roi cusan i'r bachgen. Yn y gorffennol, gwyliodd Eric nifer o ffilmiau lle'r oedd pobl yn lapswchan. Sylwodd fod llawer o oedolion yn cau ei llygaid wrth gusanu. Ac felly caeodd ei lygaid.

**PFFFT!**

Ond nid cusan gafodd o, ond yn hytrach sŵn rhechu!

# 'PFFFT!'

Sŵn rhech wlyb, anferth. Am yr eildro'r diwrnod hwnnw, gorchuddiwyd wyneb Eric gan boer gorila. Ond doedd affliw o ddim ots ganddo.

'HA! HA! HA!' chwarddodd y bachgen, cyn i'r gorila ymuno yn yr hwyl.

# 'HW! HW! HW!'

'Be wna i gyda chi'ch dau, y penbyliaid gwirion!' meddai Sid, dan chwerthin. 'Nawr, tyrd yn dy flaen, Greta, beth am dy roi di'n ôl yn dy gaets.'

Gafaelodd y gŵr yn llaw y gorila.

'Dwed nos da, Eric,' meddai.

'Nos da, Eric,' meddai'r bachgen. 'Howld on, Defi John! Fi YW Eric!'

'Dwed nos da wrth Greta dwi'n feddwl, y mwnci mul!'

'Nos da, Greta!'

'Dyna welliant,' atebodd Sid, gan edrych i fyny i'r awyr.

Unwaith eto, roedd awyrennau'r Luftwaffe i'w clywed yn y pellter. 'Tyrd, 'ngeneth i!'

'Gadewch i mi eich helpu!' meddai'r bachgen, gan gydio yn llaw arall Greta.

Yna, clywyd ergyd o wn.

**BANG!**

Sïodd bwled dros eu pennau.

'IIII!' sgrechiodd Greta.

Gollyngodd y gorila eu dwylo, a chwympodd y ddau i'r llawr.

DWFF! DWFF!

'HW!'

'AAA!' gwaeddodd y ddau, wrth i Greta ddianc i'r tywyllwch.

# THWMP!

## THWMP!

### THWMP!

# CRINC

Daeth y bomio i ben am y nos, ond roedd yr anifeiliaid bellach yn cael eu dychryn gan synau ergydion gwn.

# 'RHUUUUO!'

*'HWWWT!'*

'GRRRRR!'

*'WHYP! WHYP!'*

'NEEEEE!'

'Be dach chi'n feddwl dach chi'n wneud?' bloeddiodd Sid. Doedd Eric erioed wedi gweld yr hen ŵr mor flin.

Roedd o'n gweiddi ar ryw stwcyn byr yn y pellter. Rhuthrodd hwnnw at y ddau.

'CRINC!' gwaeddodd Sid.

'Corporal Crinc i ti, gw' boi!'

Corporal Crinc oedd y gofalwr nos
yn **SW LLUNDAIN**. Cafodd ei
wneud yn gorporal yn ystod y Rhyfel
Byd Cyntaf a pharhaodd i ddefnyddio'r
teitl. Golygai ei fod ychydig yn uwch
nag is-gorporal, ond ychydig yn is na
rhingyll. Gorchest, wrth gwrs, ond pa
fath o ddyn fyddai'n atgoffa pawb o'i
statws gan gwaith y dydd, a hynny am
weddill ei fywyd?!

Dyn fel Crinc.

Gwaith y corporal oedd sicrhau
bod yr anifeiliaid ddim yn
dianc o'u caetsys yn ystod y
nos. Ers i'r Blits gychwyn,
roedd hi'n bosib
iawn y byddai un
o'r bomiau'n glanio
yn y sw a dinistrio'r
caetsys a'r tiroedd caeedig
o'u hamgylch.

Yna, byddai'n bosib iawn ...

... gweld hipopotamws yn cerdded i lawr Stryd Rhydychen yn siopa am fargen ...

'HWWWT!'

... neu deigr yn neidio ar ben bws deulawr ...

**'GrRRR!'**

... neu rhinoseros gwyllt gwallgof yn rhedeg at ddrws Rhif 10, Stryd Downing, ac yn cnocio ar ddrws y Prif Weinidog ei hun!

# CNOC! CNOC!

Pan gychwynnodd ymgyrch fomio'r Natsïaid, roedd prif lawfeddyg y sw, Miss Aflan, wedi difa pob neidr wenwynig a phry copyn. Roedd posibilrwydd cryf y gallai'r creaduriaid hyn fynd i mewn i dai Llundeinwyr a'u lladd, yn union fel y bomiau.

Dychmygwch eich bod yn eistedd ar sedd y tŷ bach a pry copyn blewog, anferth yn eich pigo yn eich pen ôl.

# 'AWTSH!'

Neu eich bod yn gorwedd yn eich gwely yn y nos, a neidr yn sleifio'n araf i fyny eich coes.

## 'AAAA!'

Cafodd Crinc orchymyn i saethu pob anifail peryglus a ddihangai yn ystod y nos. Ac roedd gorila, heb os, yn y categori hwnnw. Gwyddai Sid ac Eric na fyddai Greta yn niweidio pry. Wel, efallai doedd hynny ddim yn hollol gywir. Pe bai Greta'n darganfod chwannen yn ei ffwr, byddai'n ei dal ac yn ei bwyta. Ond roedd gan y gorila hon fwy o ddiddordeb mewn gwneud synau rhechfeydd na gwneud niwed i neb.

'Wy'n … 〝〝〝… 〝〝〝 …' meddai Corporal Crinc, ar ôl cyrraedd y ddau. Roedd gwynt yr hen filwr mor fyr â'i goesau.

''Wel, dweud dy ddweud, ddyn!' mynnodd Sid.

'Mae … 'da fi … 〝〝〝… 〝〝〝…' meddai Crinc, yn poeri siarad.

'Be ydy 'yyy'?' gofynnodd Eric.

'Dwi'n amau ei fod o'n treio cael ei wynt ato!' meddai Sid.

'Mae … 〝〝〝… 'da fi … **bigyn yn f'ochr,**' meddai, gyda'i law ar ei stumog.

'O! Bw-hw!' meddai Sid. 'Allech chi fod wedi'n lladd ni!'

'O'n i'n anelu am y mwnci!'

'Nid mwnci yw gorila – ond epa!' protestiodd y bachgen.

'Mwnci! Gorila! Epa! Yr un peth y'n nhw i gyd!' atebodd Crinc, yn siarp.

'**Epa** ydy hi!' ailbwysleisiodd Eric. 'A does ganddoch chi ddim hawl i saethu Greta. Mae hi'n ffrind i mi!'

'Wy wedi cael gorchymyn!' cyhoeddodd Crinc.

Ac yna cododd clicied ei wn.

CLIC!

'Rhowch y gwn yna i lawr, y twmffat twp!' gwaeddodd Sid, gan wthio trwyn y gwn i lawr.

'Wna i iwso'n reiffl fel wy moyn! Fi yw'r arwr rhyfel, nage chi, Preifet Sidney Rees-Roberts! Ffaeloch chi odde diwrnod ar faes y gad!'

Gwyrodd Sid ei ben mewn cywilydd. Roedd y dyn yn llygad ei le. A'i goesau tun oedd ei stori.

Nesaf, trodd Crinc ei sylw at y bachgen.

'A ti?! So ti hyd yn oed i fod yma! Crwt yn y sw genol nos! Torri pob rheol!'

'Fy mai i ydy hynny, Crinc!' meddai Sid. 'Mae o'n aelod o'r teulu.'

'CORPORAL Crinc! Aros di tan bydd Syr Robin Rwdlyn yn clywed am hyn! Nawr mas o'r ffordd! Rhaid i mi fynd i hela mwnci gwyllt!'

Gwthiodd y ddau o'r ffordd a martsio i'r un cyfeiriad â'r gorila.

Edrychodd Eric ar Sid gyda deigryn yn ei lygaid. 'Tydi o ddim am ei saethu hi go iawn, ydy o?'

'Mae o'n mynd i dreio!' meddai Sid.

## 'Felly mae'n rhaid i ni ei stopio!'

gwaeddodd Eric.

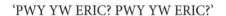

PENNOD |10|

# TRIC HUD SÂL

Mae'n anodd dod o hyd i gorila ar ffo ym mherfeddion nos. Roedd y bomio wedi deffro pob un anifail yn y sw. Ac er bod awyrennau'r Natsïaid wedi dychwelyd i'r Almaen, nid gwaith hawdd oedd llonyddu'r anifeiliaid.

Roedd y parotiaid yn ailadrodd.

'PWY YW ERIC? PWY YW ERIC?'

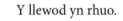

Y llewod yn rhuo.

**'RHUUUO!'**

Yr eliffantod yn hw-hwio.

**'HW HW!'**

O ganlyniad, trwy glustfeinio'n unig, roedd hi'n anodd gwybod ble'n **union** yn y sw oedd Greta.

Ond cafodd Eric syniad!

PING!

Cyn gynted ag yr oedd Crinc wedi diflannu i'r pellter, cydiodd Eric yn llaw Sid.

'FFORDD HYN!'

'PWYLL!' meddai Sid, yn cloncian cerdded.

'Ddrwg gen i, anghofiais am eich coesau,' meddai'r bachgen.

'Mi fyddaf i hefyd, tan 'mod i'n dechrau rhydu!'

### CLINC! CLANC! CLYNC!

Ychydig funudau ynghynt, torrodd Eric i mewn i far byrbwyd y sw a dwyn resins i Greta. Wrth iddo ddringo trwy ffenest fach y bar, rhwygodd y bag resins. Dychrynwyd y gorila gan sŵn ergydion gwn, ond petai hi wedi dilyn ei thrwyn mae'n bosib y byddai wedi dod o hyd i olion y danteithion melys ar y llawr. Dilynodd Eric a Sid ôl traed y bachgen, ond doedd dim golwg o'r resins yn unman, hyd yn oed yng ngolau tortsh Sid. Efallai fod y colomennod wedi eu bwyta?

Neu efallai ... EFALLAI ... creadur llawer MWY?

Rhuthrodd y ddau i'r bar byrbryd, heibio'r fflamingos, y swricatiaid a'r moch gwyllt. Roedd y ffenest fach yr aeth Eric drwyddi bellach yn chwifio yn y gwynt.

# THWAC! THWAC! THWAC!

'Wyt ti'n meddwl ei bod hi mewn yn fan'na ... ?' gofynnodd Sid.

'Ssh!' sibrydodd y bachgen, cyn nodio'i ben.

Aeth y ddau ar flaenau eu traed at y ffenest. Yn wir i chi, dyna lle'r oedd y gorila, yn eistedd ar ei phen ôl yng nghanol twmpath o fwyd. Roedd bagiau a phapurau losin ym mhobman. Roedd Greta'n yfed pop pefriog bob yn ail â chnoi fferins jeli oedd wedi eu chwalu ar y llawr.

**'BYYYRP!'** meddai'r gorila, wrth dorri gwynt.

Sŵn fel taran. Cafodd hyd yn oed Greta sioc. Roedd hi'n bur amlwg nad oedd y gorila wedi yfed pop pefriog o'r blaen.

'HA! HA!' Chwarddodd y ddau wrth y ffenest. Yn uchel.

Cododd Greta ei phen, wedi dychryn.

'YYYY?!' gofynnodd i'w hunan.

'Shwsh, Greta! Dim ond ni sydd yma!' sibrydodd Eric.

Rhedodd at y drws.

'Wedi cloi,' meddai.

'A does gen i ddim allwedd,' atebodd Sid. 'Sut 'dan ni am ei rhoi'n ôl yn ei chaets cyn i Crinc ei gweld hi?'

'Bydd rhaid i ni ddringo trwy'r ffenest!'

'YN F'OED I?!' tagodd Sid, a'i lygaid fel lleuadau llawn.

'Helpa i chi. Rhowch eich troed i mi ac mi goda i chi i fyny.'

Ochneidiodd yr hen ŵr a mwmblan rhyw air wrtho'i hun.

Doedd y bachgen ddim yn deall beth ddywedodd, ond swniai fel un o'r geiriau drwg hynny yr oedd oedolion yn eu dweud weithiau – y rheini doedd plant ddim i fod i'w dweud.

Cwpanodd Eric ei ddwylo i ffurfio rhywbeth tebyg i grud cyn ystumio wrth Sid i osod ei droed ynddo. Dyma'r oedd cowbois yn ei wneud mewn ffilmiau pan oeddan nhw'n neidio ar gefn ceffyl, ac edrychai'n hawdd. Ond nid oedd Eric, na Sid, yn ddau gowboi cryf. Ac nid oedd coesau tun yr hen ŵr yn gymorth. Felly ar ôl cychwyn simsan, diwedd y gân oedd bod Sid wedi syrthio trwy'r ffenest fach agored, a'i drowsus wedi bachu ar y bachyn.

**WHYSH!**

Fel tric hud, tric hud SÂL, cafodd trowsus a thrôns yr hen ŵr eu tynnu'n ôl wrth iddo lithro i lawr.

'AAA! FY MHEN ÔL I!' gwaeddodd, wrth iddo lanio'n un twmpath blêr ar y llawr. Yr eiliad honno, dylai Eric fod wedi edrych arno'n ofidus, ddwys, ond methodd. Yn hytrach, dechreuodd chwerthin lond ei fol.

'HA! HA! HA!'

Nawr, mae chwerthin yn heintus. Un ai hynny neu mae gorilas yn hoff o weld penolau crychlyd, oherwydd dechreuodd Greta chwerthin llond ei bol blewog hefyd.

'HI! HI! HI!'

Os nad ydych wedi gweld gorila'n chwerthin, mae hi'n olygfa werth chweil!

Maen nhw'n siglo'u penolau, yn dangos eu dannedd ac yn taro'u traed yn drwm ar lawr.

**THYMP! THYMP! THYMP!**

'HI! HI! HI!'

'HELPA FI!' gwaeddodd Sid, yn dal ar lawr.

Dadfachodd y bachgen trowsus yr hen ŵr, a dringo

drwy'r ffenest. Rhoddodd gymorth iddo godi ar ei draed ...

**CLINC! CLANC! CLYNC!**

... cyn i'r ddau nesáu'n araf at y gorila.

**'BYYYYRP!'** meddai hi eto.

Aeth yr arogl yn syth i ffroenau Eric.

'PW!' cwynodd. 'Mae oglau ofnadwy ar wynt gorilas!'

'Aros di tan iti arogli yr hyn sy'n dod allan o'r pen arall!' meddai'r hen ŵr. 'Mae hynny'n drewi'n waeth na ffwlbart mewn cwt ieir.'

'HA! HA!' chwarddodd Eric. Roedd unrhyw sôn am rechan a rhechfeydd yn ei oglais. 'Felly sut 'dan ni am gael Greta'n ôl i'w chaets?'

'Mm,' pensynnodd Sid, gan gnoi cil. Yn llyncu ac yn llowcio, edrychai'r gorila mor hapus â phlentyn mewn pwll o fwd.

**'BYYYYRP!'**

Roedd arogl yr ail doriad gwynt yn waeth na'r cyntaf, yn ddigon i dynnu papur oddi ar wal.

'Mae gen i syniad arall!' meddai'r bachgen. 'Os wnaeth Greta ddilyn yr ôl resins i fan yma, efallai y gwneith hi ei ddilyn yr holl ffordd yn ôl!'

'BING!'

Gwenodd y bachgen yn falch, cyn edrych o gwmpas y

bar byrbwyd am fwy o fagiau resins. Yn anffodus, roedd Greta wedi malurio'r cwbl heblaw un. Gafaelodd Eric yn y bag oedd ar ôl a'i ysgwyd o flaen wyneb y gorila.

'GREEEEE-TA!' meddai, mewn llais canu plentynnaidd, fel yr un mae plant yn ei ddefnyddio wrth gyfarch anifeiliaid a babanod. 'DRYCHA! RESINS! IYMI- IYYYYYMI!'

'Gad i mi weld a alla i agor y drws yma!' meddai Sid. Nid oedd yn awyddus i'r byd a'i bobl weld ei ben ôl eto. Gwelodd y gŵr yr allwedd ar y silff a datglodd y drws.

CLIC!

'DWI WEDI 'I WNEUD O!' cyhoeddodd Sid, gan droi ei gefn ar Eric a Greta.

'RESINS!' galwodd y bachgen. 'Resins blasus, blasus!'

Ar hynny, taflodd lond llaw o resins o flaen y gorila.

Yn union fel y proffwydodd Eric, safodd Greta ar ei thraed, cyn ffit-ffatio tuag at y danteithion, eu codi fesul un a'u bwyta.

'CNOI! CNOI! CNOI! MM! MM! MMMM!'

Gwenodd Eric. Roedd ei gynllun yn gweithio'n well na'r disgwyl! Gwasgarodd fwy o resins yr holl ffordd at y drws. Yno, saliwtiodd Sid yn falch, yn barod i'w agor, fel porthor mewn gwesty pum seren.

'Y ffordd hyn, madam!' meddai'n siriol, gan agor y drws.

Ond nid oedd y ddau wedi rhagweld bod rhywun yn sefyll yr ochr arall i'r drws ... sef CRINC!

Gosododd yr hen filwr ei fys ar glicied ei wn, yn barod i saethu ...

# BANG!

CYFRINACHOL

'Naaaaa!' sgrechiodd Eric, gan neidio rhwng Greta a'r reiffl. Wrth wneud hynny, cnociodd y gwn o ddwylo Crinc.

## BANG!

Clywyd ergyd. Aeth y fwled yn syth trwy do'r bar byrbryd.

## SIOT!

'HW! HW!' gwaeddodd y gorila.

Wedi dychryn i'w sodlau blewog, rhuthrodd Greta i gyfeiriad Crinc.

Aeth eu pennau'n glatsh yn erbyn ei gilydd.

## DONC!

Cwympodd y ddau i'r llawr, yn anymwybodol.

'Beth ar y ddaear o't ti'n feddwl ti'n wneud, hogyn?' gwaeddodd Sid.

'Treio achub Greta!' protestiodd y bachgen.

'Allet fod wedi cael dy ladd! Dy **Ladd!**'

'Ddrwg gen i.'

'A nawr 'dan ni yng nghanol tomen o gaca!'

Edrychodd Eric ar y ddau yn gorwedd ar y llawr. 'Dach chi'n meddwl eu bod nhw'n iawn?' gofynnodd.

'Greta ynte Crinc?' gofynnodd Sid.

'Wel,' oedodd y bachgen, 'Greta, siŵr iawn!'

'Ty'd! Well i ni sortio'r ddau!'

A dyna wnaethon nhw. Daethant o hyd i ferfa, un a ddefnyddiwyd i symud caca o gwmpas y sw.

'**MERCHED** gynta!' cyhoeddodd Sid, a gydag ymdrech fawr codwyd Greta i'r ferfa. Aethpwyd â hi'n ôl i'w chaets, y lle mwyaf diogel i'r anifail, er bod y to wedi cael ei ddifrodi.

Yn gyntaf, aeth Eric a Sid ati i ddatod y rhaff, cyn ei chlymu i ben y to. Nesaf, gan ddefnyddio canghennau o'r goeden gyfagos fel pwli, codwyd top y caets yn ôl i'w safle. Yna, i'w atal rhag cwympo yn ôl i'r llawr, fe'i rhoddwyd yn sownd o gwmpas boncyff coeden. Ac er mwyn cuddio'r ddifrod, taflwyd gwair a brigau o

gwmpas top y caets fel ei bod hi'n amhosib gweld ble'r
oedd y to wedi ei rwygo.

Yn olaf, aethpwyd â Greta'n ôl i'w chaets, ei chodi'n ofalus
o'r ferfa a'i gosod i lawr ar wely o wellt.

Chwyrnodd y gorila.

# 'ZZZ! ZZZZ! ZZZZZ!'

'Mae hi'n edrych yn hapus pan mae hi'n cysgu,' meddai
Eric.

'Beth am fynd o'ma cyn iddi ddeffro,' awgrymodd Sid. 'Cafodd glec reit hegar ar ei phen! Efallai bydd hi mewn hwyliau drwg pan ddeffrith hi!'

'Tydi Greta byth mewn hwyliau drwg.'

'Na, ond byddwn yn fwy diogel y tu allan i'r caets na'r tu mewn! Tyrd!'

Rhoddodd y bachgen gusan nos da i'w ffrind ar ei thalcen, yn union fel yr un yr oedd ei fam a'i dad yn ei rhoi iddo.

## 'Cysga'n dawel!'

Erbyn iddyn nhw fynd allan o'r caets, roedd hi'n dechrau gwawrio. Ac yng ngoleuni'r haul cynnar, gallai Eric a Sid weld mwg trwchus, du fel blanced dros Lundain. Rhaid mai hon oedd y noson fomio waethaf ers i'r rhyfel gychwyn. Noson ar ôl noson, adeilad ar ôl adeilad, roedd Llundain wedi ei gwastatáu. Os nad oedd ffrwydradau'r bomiau yn lladd a dinistrio, yna byddai'r tanau'n llosgi ac yn difetha.

Bellach, tomenni o rwbel oedd llawer o adeiladau Llundain. Wrth edrych i fyny i'r awyr, yn ddu gan fwg, teimlodd Eric ei fod o'n lwcus i fod yn fyw. Er mai yn ei wely yn nhŷ ei nain oedd Eric i fod, efallai mai'r sw oedd y lle mwyaf diogel, wedi'r cwbl.

Roedd yn rhaid i Eric a Sid weithredu, a hynny ar unwaith. Cyn hir, byddai gweithwyr y sw yn cyrraedd. Byddan nhw'n holi cwestiynau, fel pam oedd y gofalwr nos ar ei hyd ar y llawr.

Pan gyrhaeddon nhw'n ôl yn y bar byrbryd i ofalu am Crinc, doedd dim golwg o'r dyn na'i reiffl.

'Mae o wedi diflannu!' meddai Eric!

'O, na wy ddim!' meddai Crinc, fel pe bai mewn pantomeim, cyn camu o'r cysgodion.

**'Chi'ch dou mewn iyffach o gaca mwnci!'**

# MEWN CACA MWNCI

CYFRINACHOL

Ar ôl cael eu cloi yn y sied am oriau, cafodd y ddau eu hebrwng i swyddfa cyfarwyddwr y sw. Ystafell o banelau derw oedd hi, wedi ei haddurno â pheintiadau olew a phenddelwau cyn-gyfarwyddwyr y sw. Roedd rhestr drwgweithredoedd Sid ac Eric yn hir. Wrth i Syr Robin Rwdlyn eu rhestru fesul un, yr unig beth oedd yn poeni'r bachgen oedd y ffaith ei fod eisiau pi-pi.

'Tofi i mewn i fy sw yn ystod y nos. Dod â phlentyn i fy sw heb ganiatâd. Ymosod af aelod o'f staff. Gadael i anifail pefyglus gfwydfo tfwy'r sw yn y nos. Ac yn olaf, tofi i mewn i'r baf byfbwyd a dwyn fesins!'

Bu rhaid i Eric gilwenu wrth wrando ar Syr Rwdlyn yn ceisio, ac yn methu, ynganu'r llythyren 'r'.

'Yr haefllugfwydd!' gwaeddodd Rwdlyn. 'Ti'n haeddu cael dy gosbi. A pham wyt ti'n gwynto o afogl pengwin?'

Roedd dillad Eric dal yn llaith. 'Syrthiais i'r pwll pengwiniaid.'

'Cwympo i'r pwll pengwiniaid?! Wel, 'na beth twp i'w wneud! Allet ti fod wedi boddi, w! Mae hyn yn digalonni fhywun! Ody, wir! A ble mae dy fam a dy dad i ofalu amdanat?'

Gwyrodd y bachgen ei ben. Doedd y sefyllfa ddim yn ddoniol bellach. 'Bu farw'r ddau yn y rhyfel, syr.'

Ymdawelodd y gŵr. 'O. Mae'n ddfwg iawn, iawn gen i glywed.'

'Diolch , syr.'

'Ond bobol mawf! Dyw hon ddim yn sefyllfa dda. Plentyn amddifad neu beido, dyma'r ail dfo i ti fod mewn tfwbwl yn ystod y bedef awf ar hugain diwethaf!'

'Ddrwg gen i, syr!'

'Mmm, ond nage ti yn unig yw'r bai am hynny. Ti wedi cael dy afwain ar gyfeiliofn gan y gŵf hwn.'

Pwyntiodd ei fys i gyfeiriad Sid. Nawr, tro yr hen ŵr oedd gwyro'i ben mewn cywilydd.

'Ddrwg gen i, syf ... yy ... syr.'

'Dyw gweud "mae'n ddfwg gen i" ddim yn ddigon. Chi wedi bod yn ofalwf yn y sw hon yn hifach na neb arall A chi wedi bod yn gwbl anghyfifol, a nage unweth ond dwyweth! Sda chi, chwaith, ddim hawl i fod yn y sw yn y nos!'

'Yr unig beth o'n i'n treio'i wneud oedd gofalu am yr anifeiliaid yn ystod y bomio!'

'Nage'ch gwaith chi yw neud hynny, Fees-Foberts. Gwaith Cfinc— '

'Corporal Crinc, os gwelwch yn dda, syr,' cywirodd y corporal, a eisteddai yn y gornel gyda golwg hunanfodlon arno.

Edrychodd Rwdlyn i'r awyr. 'Mae COFPORAL Cfinc yn fan hyn yn gwybod beth i'w wneud pan mae anifeiliaid yn dianc yng nghanol nos. A chi wedi ei fwystfo rhag gwneud ei waith. Dychmygwch beth fyddai'n digwydd pe bai gofila yn rhedeg yn wyllt trwy stfydoedd Llundain!'

Dychmygodd Eric wahanol sefyllfaoedd.

GRETA YN DARLLEN PAPUR NEWYDD YM MHARC HYDE

GRETA'N DRINGO I FYNY COLOFN NELSON

GRETA YN SIGLO AR FYSEDD CLOC BIG BEN

GRETA'N CODI LLAW AR RINIOG RHIF 10, STRYD DOWNING, FEL PE BAI HI'N BRIF WEINIDOG

GRETA'N SEFYLL AR BEN CROMEN EGLWYS GADEIRIOL SANT PAWL

GRETA'N GYRRU TACSI

GRETA'N BWYDO'R COLOMENNOD AR SGWÂR TRAFALGAR

GRETA'N DOSBARTHU TOCYNNAU AR Y TIWB

GRETA'N YFED TE MEWN GWESTY CRAND

GRETA'N CHWARAE CROQUET YNG NGERDDI PALAS BUCKINGHAM

Gwenodd y bachgen wrtho'i hun. Roedd gorila yn rhedeg yn wyllt trwy Lundain yn swnio'n hwyl!

'**Byddai'n anhfefn llwyf!**' dywedodd Fwdlyn. 'Mae'r gofila yn befygl mawf i'r cyhoedd!'

'Dwi'n ei nabod hi'n well na neb arall! Anifail cariadus yw Greta! Gorila cwbl ddiniwed!'

'Gall dy ofila diniwed dynnu dy faich di bant!' gwaeddodd Rwdlyn.

'Dim os ydach chi'n ei chadw hyd braich,' meddai Sid, gyda'i dafod yn sownd yn ei foch.

'Ody hynna i fod yn ddoniol?' mynnodd Rwdlyn.

'Dim ond treio ysgafnu'r sgwrs, syr,'

'Wel, peidiwch! Dyw hyn ddim yn fater doniol. Mae'r gofila wedi dinistfio caets! Sdim lle iddi yn fy sw i! A dwyt ti, gfwt, ddim yn gwybod dim oll am anifeiliaid!'

Cafodd Eric ei frifo gan y geiriau hyn. Efallai nad oedd o'n arbenigwr oedd yn gwybod **pob** ffaith amdanyn nhw, ond roedd ganddo berthynas glòs ag anifeiliaid. Yn enwedig ei gariad, Greta.

'Cfinc! Cef i nôl Miss Aflan, y llawfeddyg. Geith hi ddifa'f anifail!'

'Ar unwaith, syr!' atebodd Crinc, gyda gwên hunanfodlon, cyn gadael swyddfa Rwdlyn.

'**NAAAAAA!**' sgrechiodd Eric.

# MISS AFLAN

## CYFRINACHOL

'Na, na, na, dwi'n erfyn arnoch chi!' meddai Eric. 'Allwch chi ddim lladd Greta! Hi yw fy ffrind gorau yn y byd!'

Dechreuodd y bachgen lefain y glaw.

'Fi yw fheolwr y sw, nage ti! Mae'n fhaid difa'f anifail!' bloeddiodd Rwdlyn.

Edrychodd ar ei wats boced a oedd yn nythu yn ei wasgod. 'Dylet ti fod yn yr ysgol cyn hif, gfwt! Nawf, cef adfef. Wy moyn cael gaif 'da dy hen ewythf.'

Llyncodd Eric ei boer yn galed.

**LLWNC!**

Gallai ragweld yr hyn oedd ar fin digwydd.

'Be dach chi'n mynd i'w wneud iddo?' gofynnodd y bachgen, gan sychu ei ddagrau gyda'i lawes wlyb.

'So hynny'n fusnes i ti. Nawf cef o fan hyn ar unwaith. A'r tfo hyn, paid dod yn ôl. Sa i byth, BYTH, ishe dy weld di yn y sw eto! Wy wedi dy fybuddio di!'

'Alla i ddim gadael i chi frifo Greta! Chewch chi ddim!'

Yr eiliad honno, brasgamodd dynes dal, gydag ysgwyddau fel cefn drws, ac yn gwisgo côt wen wedi crychu, i mewn i'r ystafell. Yn cerdded gam y tu ôl iddi, edrychai Crinc mor fychan â morgrugyn ar gefn eliffant. Gwisgai fonocl dros un o'i llygaid, y ddwy yn edrych mor ddu â bol buwch. Roedd ei gwallt wedi britho, yn flêr fel nyth brân. Pan grechwenai'n fampiraidd, gwelwyd rhes o ddannedd mor ddu â cherrig beddau. Yn ei llaw, daliai chwistrell gyda hylif piws, od ynddi.

'A! Bofe da, Miss Aflan!' meddai Rwdlyn , yn siriol.

Chwyrnodd Miss Aflan. **'GRRR!'**

Aeth ias oer i lawr cefn Eric.

'Gyda thristwch mawf, mae gen i ofn bydd fhaid imi ofyn i chi ddifa'f gofila!' cyhoeddodd Rwdlyn.

'**GRRR! GRRR! GRRR!**' atebodd y wraig aflan.

'Beth wedodd hi?' gofynnodd Rwdlyn, yn ddryslyd.

'Gadewch i mi gyfieithu, syr!' meddai Crinc. 'Wy wedi dysgu siarad **Grr-leg** ar gwrs **Grrwlpan.** Mae hi'n dweud, "**Bydd hynny'n bleser pur, Syr Rwdlyn!**"'

'Bendigedig!' atebodd Rwdlyn er, wrth edrych ar ei wyneb, nid oedd yn berffaith siŵr mai hynny ddywedodd hi. 'Diolch!'

Syllodd y milfeddyg ar y chwistrell, gyda phleser a chasineb i'w gweld yn ei llygaid. Trodd ar ei sodlau a cherdded i gyfeiriad y drws.

'NID NAWF!' gorchmynnodd Rwdlyn. 'Bydd rhaid ei difa hi heno, ar ôl i'r sw gau. So ni moyn i'r cyhoedd weld beth ni'n wneud. Galle hynny rhoi loes i'r plant.'

Doedd Miss Aflan ddim yn rhy hapus gyda'r penderfyniad, ac ysgydwodd ei phen a chwyrnodd. '**GRR! GRR! GRRRRR!**'

'Beth wedodd hi?' gofynnodd Rwdlyn.

'Mae Miss Aflan yn dweud, 'Ond wy'n hoffi rhoi loes i blant, syr!" cyfieithodd Crinc.

'Wy'n ymwybodol iawn o hynny, Miss Aflan, ond dyna yw fy ngofchymyn! Ond cyn gynted ag y bydd y sw wedi cau, cewch ddifa'f gofila!'

'NA!' gwaeddodd Eric. 'Dwi'n erfyn arnoch chi! NA!' Suddodd ar ei liniau, a'i ddagrau'n llosgi ei lygaid. 'Peidiwch â gwneud hynny! Allwch chi ddim lladd Greta! Hi yw'r anifail mwyaf caredig ac addfwyn yn y sw! Pe bai hi'n gallu siarad Cymraeg, dwi'n gwybod y byddai hi'n addo peidio dianc o'i chaets BYTH eto!'

'Alla i ddim gwfando mwy ar dy ddwli di!' cyhoeddodd Rwdlyn. 'Wy moyn ti mas o fy sw i am BYTH, gfwt!'

'OND – OND – OND –'

'NAWF!' cyfarthodd.

Nodiodd Sid wrth Eric, gan awgrymu y byddai'n well iddo fynd. Gwyrodd y bachgen ei ben. Ni allai oddef edrych ar Rwdlyn, Crinc na'r wraig hunllefus, Miss Aflan. Cerddodd yn araf o'r ystafell, wedi colli'r frwydr, a chaeodd y drws ar ei ôl. Er syndod iddo, roedd y coridor yn wag. Penderfynodd din-droi yno, cyn gosod ei glust yn erbyn y twll clo.

'Sidni Fees-Foberts!' cyhoeddodd Rwdlyn yn grand, ei geg yn llawn o datw poeth. 'Sdim swydd i ti'n y sw hon fhagof!'

'Ond, syr ... ' erfyniodd yr hen ŵr. 'Dwi wedi rhoi fy holl fywyd a f'enaid i'r sw!'

'Sdim "ond" amdani!'

'All neb ofalu am yr anifeiliaid cystal â fi!'

'Os mai gadael i'r anifeiliaid ddianc o'r sw tfa bo' plentyn ar hyd y lle yw eich syniad chi o "ofalu am anifeliaid", yna dylech chi ddim bod ar gyfyl y sw byth eto!'

'SYR?'

'Cfinc, ewch â'r dyn hwn mas o 'ngolwg i ar unwaith!'

'Gyda phleser, syr!' chwyrnodd Crinc. 'Miss Aflan, gwelaf chi ar ôl i'r sw gau.'

**'GRR! GRRRR! GRRRRRRR! GRRRRRRRR! GRRRRRRRRR! GRR! GRRRRRRRRRRRRRR!'**

'Beth wedodd hi?' gofynnodd Rwdlyn.

'Iawn!' cyfieithodd Crinc.

Clywodd y bachgen sŵn cloncian coes Sid yn nesáu at y drws.

CLINC! CLANC! CLYNC!

Rhedodd Eric i lawr y coridor a chuddio rownd y gornel. O'r fan honno, yn drist iawn, gwelodd Sid yn cael ei hebrwng o'r adeilad gan Crinc.

Gyda neb o gwmpas, aeth Eric ar flaenau'i draed i weld ei ffrind. Ai dyma fyddai'r tro olaf iddo ei gweld? Roedd hi'n dal yn gynnar, a'r sw ar gau i ymwelwyr. Wrth i'r niwl godi, daeth o hyd i'w chaets.

Roedd y gorila'n aflonydd.

'Greta!' sibrydodd y bachgen. 'GRETA!'

Pan glywodd lais ei ffrind, sythodd y gorila. Yn wellt o'i chorun i'w sawdl blewog, roedd golwg gwirion arni. Gwenodd pan welodd hi'r bachgen, yn anymwybodol o'r hyn oedd yn mynd i ddigwydd iddi.

'HWW!' meddai'r gorila.

'Sssh!' sibrydodd y bachgen, gan osod ei fys ar ei wefus. Nid oedd eisiau i Crinc ei weld.

Gosododd y gorila ei bys ar ei gwefus hefyd. Gwenodd y bachgen.

'Dwi'n dy garu di, Greta. Wir i ti,' meddai'r bachgen.

Gwyrodd y gorila ei phen, fel pe bai'n ceisio'i ddeall.

Gwnaeth Eric yr un peth eto. Ond meimiodd y tro hwn. Cyffyrddodd ei galon, cyn rhoi ei law ar y caets.

Er syndod iddo, efelychodd y gorila. Rhoddodd ei llaw ar ei chalon, cyn cyffwrdd â llaw Eric ar ochr arall y bar haearn.

Wrth i gledrau eu dwylo gyffwrdd, dechreuodd dagrau gronni yn llygaid y bachgen.

'Nid ffarwél yw hyn. Byth. Dwi am ffeindio rhyw ffordd o ddatrys y broblem. Dwi'n addo i ti. Dwi am ddatrys popeth.'

Aeth i'w boced a dod o hyd i'r resin olaf a'i wthio trwy'r bariau.

Cymerodd y gorila y resin, ysgwyd ei phen a'i roi'n ôl i'r bachgen. Agorodd y bachgen ei geg a rhoddodd y resin ar ei dafod.

Cnôdd, a gwenodd. Gwenodd Greta hefyd.

Yna daeth gofid i wyneb y gorila, a theimlodd y bachgen law gadarn yn cydio yn ei ysgwydd.

## 'TI! MAS!'

Trodd y bachgen. Crinc oedd yno.

Heb yngan gair arall, cafodd y bachgen ei hebrwng o'r caets i gyfeiriad yr allanfa. Trodd Eric i edrych ar Greta, gan osod ei law ar ei galon fel ag o'r blaen.

Gwnaeth Greta yr un peth.

Ai hwn fyddai'r **tro olaf** iddo weld y gorila?

## Y tro OLAF?!

# PENNOD | 14 |
# TRWMPED CLUST

Hyrddiwyd Eric allan trwy fynedfa'r sw gan Corporal Crinc fel pe bai'n sach o sbwriel.

HWMFF!

'A PHAID DOD 'NÔL!' gwaeddodd Crinc, wrth i'r bachgen godi ar ei draed.

Ni ddywedodd Eric air o'i ben. Rhedodd adref. Byddai ei nain yn codi o'i gwely unrhyw funud, ac yn poeni amdano pe bai hi'n gweld bod ei wely'n wag.

Ond wrth i'r bachgen droi rownd cornel ei stryd, sylwodd ar rywbeth od iawn. Mor od, credai ar y dechrau ei fod o'n breuddwydio, neu'n cael HUNLLEF! Nid oedd y tŷ a rannai gyda'i nain yno!

Lle bu rhes o dai teras, bellach yr oedd bwlch a thân yn mudlosgi. Roedd y to wedi dymchwel, yn ogystal â'r rhan fwyaf o'r llawr isaf. Ar y llawr roedd briciau, teils a dodrefn.

Ai'r hen fath tun oedd hwnna? Ynteu'r gadair freichiau? Ynteu'r seld?

Roedd y cwbl â'i wyneb i waered a phopeth wedi ei dduo gan y tân.

Gwelodd fod brigâd dân yno, ond roedd y diffoddwyr tân wrthi'n cadw eu pibelli dŵr. Doedd dim mwy y gellid ei wneud. Safai torf o bobl gerllaw yn syllu'n gegrwth. Roedd rhai yn cysuro'i gilydd, eraill yn crio, ac ambell un yn mwmian geiriau trist.

'Druan o'r hen Mrs Pritchard.'

'Wedi byw yma ers hanner can mlynedd. Doedd hi ddim yn haeddu hyn.'

'Bydde hi ddim yn gwybod llawer am y peth! **BWM!** Bydde dim syniad 'da hi beth fwrodd hi!'

'Dwi'n beio Mr Hitler! Hoffwn roi dwrn iawn iddo fo a thorri ei ên … a'i drwyn … a'i ddwy goes!'

'Trueni dros y crwt bach 'sda fi!'

'O, ia! Yr hogyn! Newydd ddod yma i fyw oedd o!'

'Ie! Yn gwmws! Ei hŵyr, Eric.'

'Faint oedd ei oed? Deg? Un ar ddeg?'

'Creadur bach. Ei fywyd i gyd o'i flaen!'

'Roedd o wedi colli ei fam a'i dad hefyd, fy ngwas gwyn i!'

'Maen nhw i gyd gyda'i gilydd yn y nefoedd nawr.'

Ni sylweddolodd Eric mai amdano fo yr oedden nhw'n siarad nes iddo agosáu atyn nhw. Yna, cafodd y bachgen y teimlad mwyaf od. Credai ei fod yn ei angladd ei hun. Rhaid eu bod nhw'n meddwl ei fod wedi ei gladdu dan y rwbel gyda'i nain druan – a byddai hynny'n wir pe bai heb sleifio o'i wely a mynd i roi cymorth i Sid yn y sw.

Gwelodd drwmped clust Nain yng nghanol y rwbel.

*Fel popeth arall, roedd wedi ei falu'n rhacs jibidêrs.*

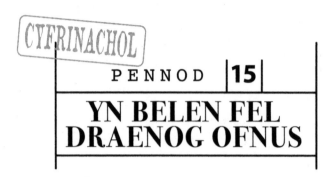

P E N N O D |15|

# YN BELEN FEL DRAENOG OFNUS

Teimlodd Eric yn sâl fel ci. Dylai fod wedi bod adref gyda Nain. Pe byddai yno, efallai y byddai wedi gallu ei hachub. Roedd hi'n fyddar fel post. Mae'n amlwg doedd hi ddim wedi clywed y seiren cyrch awyr. Dechreuodd wylo'n hidl. Bellach roedd wedi colli nid yn unig ei fam a'i dad ond hefyd ei nain yn y rhyfel erchyll. Llefodd gymaint nes denu sylw'r dorf.

'Fo ydy o!'

'Eric!'

**'Gwyrth!'**

'Diolch i'r drefn!'

'Mae wedi cael ei ACHUB!' gwaeddodd y dorf.

Cafodd ei amgylchynu gan y bobl cyn cael ei gofleidio a'i godi'n uchel i'r awyr, fel pe bai'n gapten tîm rygbi Cymru ar ôl ennill y Gamp Lawn. Gan ei fod yn fachgen swil, doedd Eric ddim yn rhy hoff o gael sylw.

'Mae'r cenau bach yn fyw!'

'Mae'r bachgen wedi goroesi!'

**'DIOLCH I DDUW!'**

'Rhaid iti ddod i fyw ataf i!'

'Na, fi!'

'Geith yr hogyn ddod i fyw ataf i! Mae gen i gath! Mae o'n hoff iawn o anifeiliaid!' meddai hen ŵr.

'Mae'n eu caru nhw! Mae gen i gwningen! Rydan ni'n mynd i'w bwyta i swper heno, ond mi geith ei mwytho tan hynny!' meddai dynes dal.

'Ceith fyw efo fi'n y siop ddanteithion!' awgrymodd gŵr llond ei groen. 'Ond bydd rhaid i mi ddweud wrtho beth yw'r bargeinion gyntaf!'

Ceisiodd y bachgen wenu. Roedd yr oedolion yn gwneud eu gorau glas i fod yn garedig. Ond yr unig beth yr oedd Eric eisiau ei wneud oedd troi'n belen fel draenog ofnus, a chael llonydd oddi wrth bawb a phopeth.

Toc, daeth dau heddwas atyn nhw.

'Esgusodwch fi,' meddai un ohonyn nhw, yn awdurdodol. 'Ond bydd rhaid i'r bachgen ddod gyda ni i'r orsaf. Ni fydd yn penderfynu ble fydd ei gartref newydd.'

Gollyngwyd Eric i'r llawr yn araf.

'Yn y tŷ hwn oeddat ti'n byw, fachgen?' gofynnodd yr heddwas.

Nodiodd Eric, gan geisio sychu ei ddagrau.

'Beth yw dy enw di?'

'Yyy ... Eric. Eric Pritchard.'

Estynnodd yr heddwas ei law iddo. 'Tyrd efo ni, Eric Pritchard. **Edrychwn ni ar dy ôl di!'**

'Paid ti â phoeni,' ychwanegodd yr ail heddwas. 'Ddown ni o hyd i gartref da i ti.'

'Gwell iti adael Llundain,' meddai'r cyntaf. 'Dyw'r ddinas fawr ddim yn saff i un bach fel ti. Mae digonedd o deuluoedd yng nghefn gwlad fyddai'n barod i ofalu amdanat ti. Dwi'n sicr iawn o hynny!'

Nid oedd Eric yn dymuno cael ei yrru i ffwrdd i fyw gyda phobl ddieithr. Roedd yn rhaid iddo ddianc ac achub Greta. Ni ddywedodd y bachgen yr un gair o'i ben. Ond wrth iddyn nhw fynd rownd y gornel, ymryddhaodd o'u gafael

a rhedeg nerth

ei draed ...

PENNOD | 16 |

# STOPIWCH Y BACHGEN!

Chwythodd un o'r heddweision ei chwiban ...

**TWWT-TWWT!**

... tra oedd y llall yn gweiddi, 'STOPIWCH Y BACHGEN!'

Rhedodd Eric i lawr y ffordd gyda'r heddweision yn ei ddilyn. Ymddangosodd Llundeinwyr o'r twneli tanddaearol a'r llochesau bomio. Syllodd y bobl ar y difrod ofnadwy a achoswyd gan y bomio y noson cynt.

Aeth nifer ati i chwilio am oroeswyr yn y rwbel.

Galwodd pobl enwau eu teuluoedd a'u ffrindiau.

'TAID! TAID!'

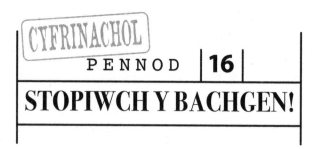

Plygodd eraill ar eu gliniau a dechrau crio wrth sylweddoli bod eu holl eiddo wedi ei ddinistrio.

Ond edrychodd y rhan fwyaf o'u cwmpas pan glywson nhw sŵn

chwiban heddwas a'r geiriau, 'STOPIWCH Y BACHGEN!'

Pam oedd angen ei stopio?

Roedd hwn yn gyfnod anodd iawn, a bu llawer o ladrata o dai wedi eu bomio, ac o gyrff y meirw. Ai lleidr oedd y bachgen?

Yn fuan, ymunodd nifer o bobl yn yr helfa.

'STOPIWCH Y BACHGEN!' gwaeddodd mwy a mwy ohonyn nhw.

Roedd ofn ar Eric. Yr unig beth y gallai ei wneud oedd rhedeg fel petai rhywun wedi rhoi mwstard poeth ar ei ben ôl, a cheisio osgoi degau o freichiau oedd yn ceisio cael gafael ynddo.

'DALIWCH O!'

'STOPIWCH O!'

'EITH O DDIM YN BELL!'

Chwib arall gan yr heddwas.

**TWWT-TWWT!!**

Toc, roedd hi fel pe bai holl drigolion Llundain am ei waed.

Ond unwaith yn rhagor, daliodd Eric i redeg yn gynt na *Louis Rees-Zammit.

*Mae Louis Rees-Zammit yn asgellwr chwim i dîm rygbi Cymru a'r Llewod*

Roedd wedi llwyr ymlâdd ar ôl bod ar ei draed y rhan fwyaf o'r noson cynt, ond rhywffordd neu'i gilydd doedd dim stop ar ei goesau bach.

Dechreuodd redeg ar draws y ffyrdd, ac ochrgamu rhwng bysiau a cheir yn union fel *Shane Williams.

O'i flaen, dros afon Tafwys, safai Pont Llundain. Erbyn hyn, roedd yr heddlu a'r dorf yn achub y blaen arno. Yna, gwelodd Eric dri heddwas ar gefn beiciau yn pedlo'n syth i'w gyfeiriad. Neidiodd y tri oddi ar eu beiciau …

H E L Ô !   H E L Ô !   H E L Ô !

… gan rwystro'r bachgen rhag mynd heibio.

Ac os na allai ddianc o'r heddlu, roedd Eric **MEWN HELBUL MAWR!** Ffoi oedd yr unig ateb. Ond nid oedd unlle i ddianc.

Gafaelodd y bachgen yn un o reiliau addurnedig y bont ac edrychodd ar draws afon Tafwys.

Gwelodd hen gwch camlas yn piffian mynd dan y bont, gyda nifer o focsys cardbord ar ei bwrdd.

Daeth y dorf flin, swnllyd yn nes ac yn nes.

Dringodd Eric i ben y rheiliau.

*Cyn-asgellwr tîm rygbi Cymru oedd Shane Williams, un a oedd yn arbenigwr ar ochrgamu heibio ei wrthwynebwyr.

Stopiodd y dorf, gan ffurfio hanner cylch o'i amgylch.

## 'PAID Â GWNEUD DIM BYD TWP, FACHGEN!'

gwaeddodd yr heddwas cyntaf.

Roedd gan Eric eiliadau yn unig i wneud penderfyniad. Unrhyw funud nawr, byddai'r cwch camlas wedi mynd heibio.

Sgwn i a oedd hi'n bosib ... ?

Caeodd Eric ei lygaid yn dynn. Unwaith eto, dychmygodd sut y byddai Greta'n neidio o'r naill le i'r llall. Felly, gyda'i holl egni a dewrder, neidiodd Eric.

# wHIIII!

'NAAA!' gwaeddodd rhywun.

Ond roedd hi'n rhy hwyr.

Hedfanodd Eric trwy'r awyr ...

## PENNOD | 17 |

# CYFRINACH SID

*CYFRINACHOL*

## PLONC!

Glaniodd Eric ar y bocsys cardbord ar fwrdd y cwch camlas. Ar Bont Llundain, clywyd sŵn chwibanau.

### TWWT-TWWT!

A lleisiau'n gweiddi.

### 'STOPIWCH Y CWCH!'

### 'NEIDIWCH I MEWN I'R DŴR A'I ARESTIO!'

# 'PEIDIWCH Â GADAEL IDDO DDIANC!'

Ond boddwyd eu lleisiau gan sŵn injan y cwch camlas wrth iddo hwylio i lawr afon Tafwys.

### TSHWG! TSHWG! TSHWG!

Ymhen dim, roedd y bont, a'r bobl arni, o'r golwg yn y pellter.

Gorweddodd Eric ar un o'r bocsys, wedi llwyr ymlâdd ar ôl noson ddramatig.

Roedd Nain wedi ei adael am byth. Ni allai adael i'r un peth ddigwydd i Greta. Roedd ganddo ychydig oriau i'w hachub.

Yn fuan, sylwodd Eric fod y cwch yn arafu wrth iddo nesáu at y porthladd. Cuddiodd yn y bwlch rhwng y bocsys, cyn neidio i'r lan wrth i'r cwch gyrraedd y doc. Yn y porthladd, roedd y docwyr yn rhy brysur i sylwi ar y teithiwr cudd.

Sylweddolodd Eric ei fod bellach mewn ardal anghyfarwydd o Lundain, ymhell o'i filltir sgwâr.

Roedd yn rhaid i'r bachgen ddod o hyd i Wncwl Sid. Gyda chymorth yr hen ŵr, credai y gallai achub Greta.

Ymhen dim, gwelodd Eric yr orsaf danddaearol agosaf. Heb yr un geiniog goch yn ei boced, bu rhaid iddo neidio dros y bariau. Pan waeddodd yr archwiliwr tocynnau

'HOI! TYRD YN ÔL I FAN HYN!'

... neidiodd y bachgen ar reiliau'r grisiau a llithrodd i lawr i'r gwaelod.

WHYSH!

Gwibiodd heibio'r Llundeinwyr wrth iddyn nhw droedio i fyny'r grisiau gyda'u plancedi, gobenyddion, ac ati, ar ôl treulio'r nos ar y platfform. Neidiodd Eric ar y trên cyntaf oedd yn teithio ar draws y ddinas.

Yn rhyfedd iawn, er bod Eric wedi nabod Wncwl Sid ers blynyddoedd, nid oedd wedi bod yn ei gartref. Nid oedd neb wedi bod yno. Roedd hynny'n destun sbort yn y teulu. Nid oedd neb yn mynd i dŷ Wncwl Sid; roedd o'n dod i'ch tŷ chi. O ganlyniad, dychmygodd y bachgen fod gan Wncwl Sid rywbeth i'w guddio.

A oedd ei dŷ yn rhyfeddol o **fychan?** Neu'n **fudr,** fel tŷ mul? Neu a oedd o'n casáu pobl yn defnyddio'i le **chwech?**

Roedd y bachgen ar fin cael atebion i'w gwestiynau.

Er nad oedd wedi ymweld â'r tŷ erioed, gallai gofio cyfeiriad yr hen ŵr am ei fod wedi ysgrifennu nifer o gardiau Nadolig a phen-blwydd iddo. Ar ôl astudio'r map yn y cerbyd trên, daeth o hyd i'r orsaf gywir, sef Comin Clapham, a neidiodd i ffwrdd.

Gan smicio'i lygaid yn yr heulwen lachar, gwelodd Eric fod tŷ Sid yn agos i'r orsaf. Yn yr awyr, gwelodd nifer o falwnau amddiffyn yn hongian yn y gwynt. Clymwyd y balwnau anferth hyn i'r ddaear ym mhobman ledled y ddinas. Eu pwrpas oedd atal awyrennau'r gelyn, ond o edrych ar y difrod a wnaethpwyd y noson cynt, nid oedden nhw yn gwneud fawr o wahaniaeth.

Roedd Sid yn byw mewn tŷ teras cul iawn, fel y rhan fwyaf o'r tai teras ar y stryd.

Y tu allan i'r tŷ oedd hynny.

Y tu mewn iddo, roedd pethau'n wahanol.

Cnociodd Eric ar yr hen ddrws blêr.

**CNOC! CNOC!**

'Dwi ddim adref!' meddai'r llais o ochr arall i'r drws. Sid

oedd yno, a doedd dim dwywaith ei fod gartref!

Cnociodd Eric yr eildro.

## CNOC! CNOC!

'Dwi allan!'

'Na, dach chi mewn!' galwodd y bachgen.

'Ydw, mi ydw i!'

'Wncwl Sid! Fi sydd yma – Eric!'

Tawelwch. Saib.

Yna, clywyd sŵn traed yn cloncian ar hyd y llawr.

## CLINC! CLANC! CLYNC!

Agorwyd y blwch llythyrau.

## CLIC!

'Beth wyt ti'n dda yn fan'ma?' sibrydodd Sid trwy'r blwch llythyrau.

'Dwi wedi dod i'ch gweld chi.'

'Fydda i ddim yn croesawu ymwelwyr. Byth!'

Clywyd sŵn canu corn yn y cefndir.

# HONC!

'Beth oedd hwnna?' gofynnodd Eric.

'Beth oedd be?' atebodd Sid, gan esgus nad oedd wedi clywed y sŵn.

'Y sŵn yna!'

'Glywes i ddim byd!'

# HONC! HONC!

'Dyna fo eto!

'O, hwnna!'

## 'IA! HWNNA!'

'Dim ond fy mhen ôl i'n gwneud sŵn! Bwytais eirin sych i frecwast.'

'Dwi'n gwybod sut sŵn mae'ch pen ôl chi'n ei wneud weithiau, ac nid sŵn fel'na ydy o!'

'Ddrwg gen i, Eric. Ond ti wedi galw ar adeg anodd.'

'Ond sgen i nunlle arall i fynd iddo!'

'Paid â siarad trwy dy het! Beth am dŷ dy nain?'

'Mae hi wedi'n gadael ni.'

Yr eiliad nesaf, clywodd Eric y bollt yn dadfolltio a'r clo'n datgloi.

# *BOLLT!*
# *CLIC!*

Agorodd y drws, a safodd Sid o'i flaen gyda breichiau agored. Camodd y bachgen ato, a chofleidiodd y ddau. Gafaelodd y ddau yn ei gilydd yn dynn.

## Nid oedd angen geiriau.

# HONC! HONC! HONC!

Cydymdeimlodd yr hen ŵr. 'Mae'n wir, WIR ddrwg gen i,' meddai, gan sychu deigryn o'i lygad.

'Diolch,' dywedodd Eric. 'Chalwyd y tŷ gan fom yn ystod y nos.'

'Graduras. Dwi'n cyfaddef nad oeddan ni'n cytuno ar bob dim bob amser, ond fe wnaeth ei gorau glas i ofalu amdanat.'

'Dwi'n gwybod. Treiodd ei gorau glas.'

'Roedd hi'n dy garu di, ond heb fawr o glem sut i wneud hynny.'

'Dwi'n gwybod.'

'Doedd hi ddim yn haeddu gadael yr hen ddaear 'ma fel hyn.'

'Does neb yn haeddu hynny,' cytunodd y bachgen.

'Yn fyddar fel post! Doedd ganddi ddim gobaith caneri.'

'Fi yw'r bai am hyn i gyd,' meddai Eric. 'Dyliwn i fod

wedi bod yno, yn gymorth ac yn gwmni iddi!'

'Rhaid i ti beidio â siarad fel'na! Nid dy fai di ydy'r dam rhyfel 'ma!'

'Dyliwn fod wedi bod yno i'w deffro pan ganodd y seiren cyrch awyr.'

'Pe baet yno, byddet ti wedi cael dy ladd hefyd.'

Llyncodd y bachgen ei boer.

**LLWNC!**

Roedd yr hen ŵr yn llygad ei le.

'Ar ôl colli Nain, does gen i neb ar ôl,' meddai'r bachgen, yn wylo'n ysgafn.

'Mae gen ti fi!' meddai'r hen ŵr. 'Bydda i yma i ti bob amser.'

Cofleidiodd y ddau ei gilydd yn dynnach.

'Diolch, Wncwl Sid.'

# HONC! HONC! HONC!

'Dyna'r sŵn yna eto!' meddai Eric.

'Tyrd i mewn, tyrd i mewn.'

Cyn gynted ag yr oedd y ddau yn y tŷ, o olwg a chlyw pawb, dywedodd Sid, 'Gwranda, rhaid i ti addo peidio â dweud gair wrth neb. Addo?'

'Addo peidio dweud beth wrth bwy?'

'Rhaid iti addo'n gyntaf. Dwi ddim am yngan gair nes bo' ti wedi addo!'

'Dwi'n addo! Cris croes tân poeth!' meddai Eric.

'Tyrd efo fi,' sibrydodd Sid, gan arwain y bachgen i lawr neuadd gul,

'er mwyn i ti gyfarfod

**fy nheulu cudd ... '**

RHAN 2

# CHWYS
# A
# LLAFUR

# LLOND GWLAD O GREADURIAID

CYFRINACHOL

'Teulu cudd?' meddai Eric, yn syn. Am beth oedd yr hen
ŵr yn ei fwydro?

'Shwsh,' sibrydodd Sid, wrth agor y drws cul i'w
gegin.

Yn yr ystafell fechan honno yr oedd llond GWLAD o greaduriaid. Roedd llygaid Eric fel soseri yn ei ben wrth iddo weld:

Parot ungoes yn clwydo ar ben tecell.

**'PWY YW ERIC ? PWY YW ERIC?'**

Cyw eliffant gyda'r trwnc lleiaf erioed.

'HWW!'

Morlo dall yn nofio yn ôl ac ymlaen mewn bath tun.

'HWA! HWA!'

Crwban anferth yn cropian ar draws y llawr, ei gragen wedi ei gwneud o fasged wiail.

PWYLL PIA HI!

Fflamingo ungoes yn cwympo drosodd yn y gornel.

*CWYMP!*

Crocodeil diddanedd yn ei heglu hi dan y bwrdd.

**CROC!**

Ac yn olaf, babŵn gydag un fraich a phen ôl coch yn dringo i fyny silff.

'HWWT! HWWT!'

Syllodd Eric yn gegrwth, yn fud gan syndod.

'Dyma pam alla i ddim gwahodd neb i de,' cyhoeddodd Sid.

'Oes ganddyn nhw enwau?' gofynnodd y bachgen, yn eiddgar.

'Wrth gwrs bod ganddyn nhw enwau! Eric, gad i mi eu cyflwyno.'

Gwenodd y bachgen fel giât, gan edrych ymlaen i glywed beth oedd eu henwau.

'Dyma PYMTHEGYDWSIN, y parot. Cei ysgwyd ei hadain. Ond bydd yn ofalus, dim ond un sydd ganddi!'

Estynnodd Eric ei law a gafael yn yr adain.

'Sut wyt ti?'

'Sut wyt i? Sut wyt ti?' ailadroddodd y parot. 'Sut wyt ti?'

'Mae'n gallu siarad!' meddai'r bachgen.

'Yndi. Mae hi'n siarad pymtheg y dwsin!'

PYMTHEG Y DWSIN! PYMTHEG Y DWSIN!' meddai'r parot.

'Mae hi'n siarad fel melin bupur,' meddai Sid. 'Ac yn hoff iawn o ailadrodd pob dim rwyt ti'n ddweud wrthi, felly tydi ei sgwrs ddim bob amser yn ddiddorol iawn!'

'Ddiddorol iawn! Ddiddorol iawn!'

'Dwi ei hoffi'n fawr,' meddai Eric.

'A finnau. Hi oedd yr anifail cyntaf gefais i, felly, mae hi'n dipyn o ffefryn.'

## 'Ffefryn! Ffefryn!'

'Dyna ddigon!' meddai Sid, gan gosi'r parot dan ei gên. 'A dyma *Smwt!' ychwanegodd, gan ysgwyd llaw â thrwnc anarferol o fyr y cyw eliffant.

'Ydy Smwt am dyfu o gwbl?'

'Yndi. Dwi'n ofni y bydd o'n bwyta cymaint nes fy ngwneud i'n fethdalwr ryw ddiwrnod, heb do uwch ei ben. Dyma ti, cym yr afal hwn,' meddai Sid, gan bwyntio at y silff.

Wrth iddo gydio yn yr afal, bu bron i'r bachgen faglu ar draws y crocodeil.

'Mae trwnc Smwt yn rhy fyr iddo allu bwydo'i hun. Felly mae'n rhaid ei fwydo â llaw. Gei di wneud, os wyt ti'n dymuno.'

Cynigiodd Eric yr afal i'r eliffant ifanc a'i osod yn ei geg.

# SGLAFFIO!

*SMWT oedd ei enw am fod ganddo drwyn smwt, o'i gymharu â'r eliffantod eraill.

'Mi fydd yn ffrind i ti am byth nawr!' meddai Sid.

Trawodd y bachgen yr eliffant yn ysgafn ar ei ochr cyn rhoi cwtsh iddo. 'Gobeithio bod hynny'n wir. Dwi'n ei hoffi'n fawr.'

'Paid â gwneud y gweddill yn eiddigeddus!' dywedodd Sid. 'Tyrd! Mae gen ti lawer mwy o ffrindiau i'w cyfarfod!'

Fesul un, cyflwynodd Sid yr anifeiliaid oedd yn yr ystafell. 'Dyma *BARTI y morlo!'

# SBLISH! SBLASH!

'Mae hi mor ddall â'r nos. Wel, yn fwy dall, a dweud y gwir, oherwydd mae gan honno sêr a lleuad, felly mae'n rhaid i ni roi gofal da iddi.'

'Edrycha i ar ei hôl hi,' meddai Eric, gan gribo'i fysedd trwy ffwr esmwyth yr anifail. Er nad oedd hi'n gallu ei weld, gallai'r anifail ei deimlo. Gwenodd y morlo.

### 'HONC!'

Yna daeth crwban i'r fei, yn cario basged wiail ar ei gefn.

'Beth ddigwyddodd i'w gragen?' gofynnodd Eric.

'Cafodd ei malu'n ddarnau mân pan gafodd **PECHOD ei gludo ar gwch yr holl ffordd o Ynysoedd y Galapagos. Y dyddiau hyn, fy masged ddillad yw ei gragen!'

Sylwodd Eric fod y fasged wedi ei chlymu dan y crwban

---

*Enwyd Barti ar ôl Bartimeus, y dyn dall a gafodd ei wella, a chael ei olwg yn ôl, gan Iesu Grist.
**Cafodd yr enw hwn am ei fod yn hen fel pechod.

gyda llinyn. Cyffyrddodd â'r anifail yn dyner ar ei ben. 'Creadur bach.'

'Mae Pechod yn iach fel cneuen. Bydd hwn fyw ymhell ar ein holau ni. Mae rhai crwbanod yn byw nes eu bod dros gant oed!'

*CWYMP!*

Cwympodd y fflamingo drosodd unwaith yn rhagor!

'Pam mae'r fflamingo'n cwympo drosodd trwy'r adeg?' gofynnodd Eric. 'Roeddwn i'n meddwl eu bod nhw'n gallu sefyll ar un goes!'

'Maen nhw!' atebodd Sid, gan godi'r anifail. 'Ond maen nhw'n defnyddio'r goes arall i gadw balans. Felly, os wyt ti'n cael dy eni gydag un goes, fel PINCI, ti'n siŵr o gwympo drosodd.'

*CWYMP!*

'Ti'n gweld?! Mae hi'n waeth na meddwyn!'

Estynnodd Eric ei law a mwythodd ei hochr wrth iddi orwedd ar y llawr. 'Mae ei phlu'n esmwyth,' meddai.

'Yndi! Yn berffaith i lanhau llwch yn y tŷ!'

'I lanhau llwch?!'

'Bydda i'n defnyddio'i choes fel polyn, yn ei chodi i fyny ac yn dystio'r cypyrddau!'

Lledwenodd Sid.

## 'DACH CHI DDIM O DDIFRI!'

'Ha! Ha! Cellwair ydw i, siŵr! Faswn i byth yn gwneud unrhyw beth i roi poen i Pinci,' meddai Sid, gan ei gosod yn erbyn y wal. 'Efallai bod angen baglau arni er mwyn iddi allu symud o gwmpas.'

'Syniad da, Eric! Neu rai tun fel sydd gen i. Dwi wedi treio creu rhai gwahanol i Pinci – coes osod wedi ei gwneud o ymbarél, olwyn beic ar harnais, pob math o wahanol bethau – ond does dim wedi gweithio hyd yma. Mae'r un peth yn wir am CELT.'

Trodd Eric ei sylw at y crocodeil diddannedd. 'Mae angen dannedd gosod arno,' meddai.

'Cytuno, ond mae'n amhosib dod o hyd i rai sy'n addas i geg crocodeil.'

'O leia fedar o ddim eich bwyta chi.'

'Na, ond tedi bêr diniwed ydy o go iawn. 'Ynte, Celt?'

Ar hynny, trodd y crocodeil ar ei gefn.

Wrth iddo wneud hynny, chwipiodd ei gynffon gan daro Pinci'r fflamingo i'r llawr unwaith yn rhagor.

## *CWYMP!*

'Mae Celt yn hoffi cael cosi ei fol,' meddai Sid. 'Rho gynnig arni.'

Ufuddhaodd y bachgen. Ac er mawr lawenydd iddo, roedd y crocodeil yn mwynhau'r profiad ac yn edrych fel pe bai'n chwerthin, gan glecian ei enau gyda'i gilydd drosodd a throsodd. **CLEC! CLEC! CLEC!**

'Be ddwedais i wrthat ti?' meddai Sid. 'Ac yn olaf, dacw TINDRWM. Tindrwm y babŵn!'

'Dwi'n credu mai hwnna yw'r pen ôl mwyaf dwi wedi ei weld erioed!' meddai'r bachgen, wrth iddo astudio'r lwmp mawr crwn, coch ar ben coesau'r babŵn.

'Dyna ddigon! Does dim angen dweud dim mwy! Mae Tindwm braidd yn groendenau ynglŷn â'i phen ôl. A tydi bywyd ddim yn rhwydd gydag un fraich yn unig.'

Wrth iddo ei bwydo â darn o grystyn, tynnodd y babŵn ei hun i fyny ac eistedd ar ysgwyddau'r gŵr. Golygai hyn fod pen ôl y babwn reit yn wyneb Eric. Nawr, dwn i ddim os ydych chi wedi profi pen ôl babŵn yn eich wyneb, ond, credwch chi fi, mae tin babŵn yn drewi'n waeth na chesail camel. Mae'r rhain yn drewi fel cwt mochyn hefyd:

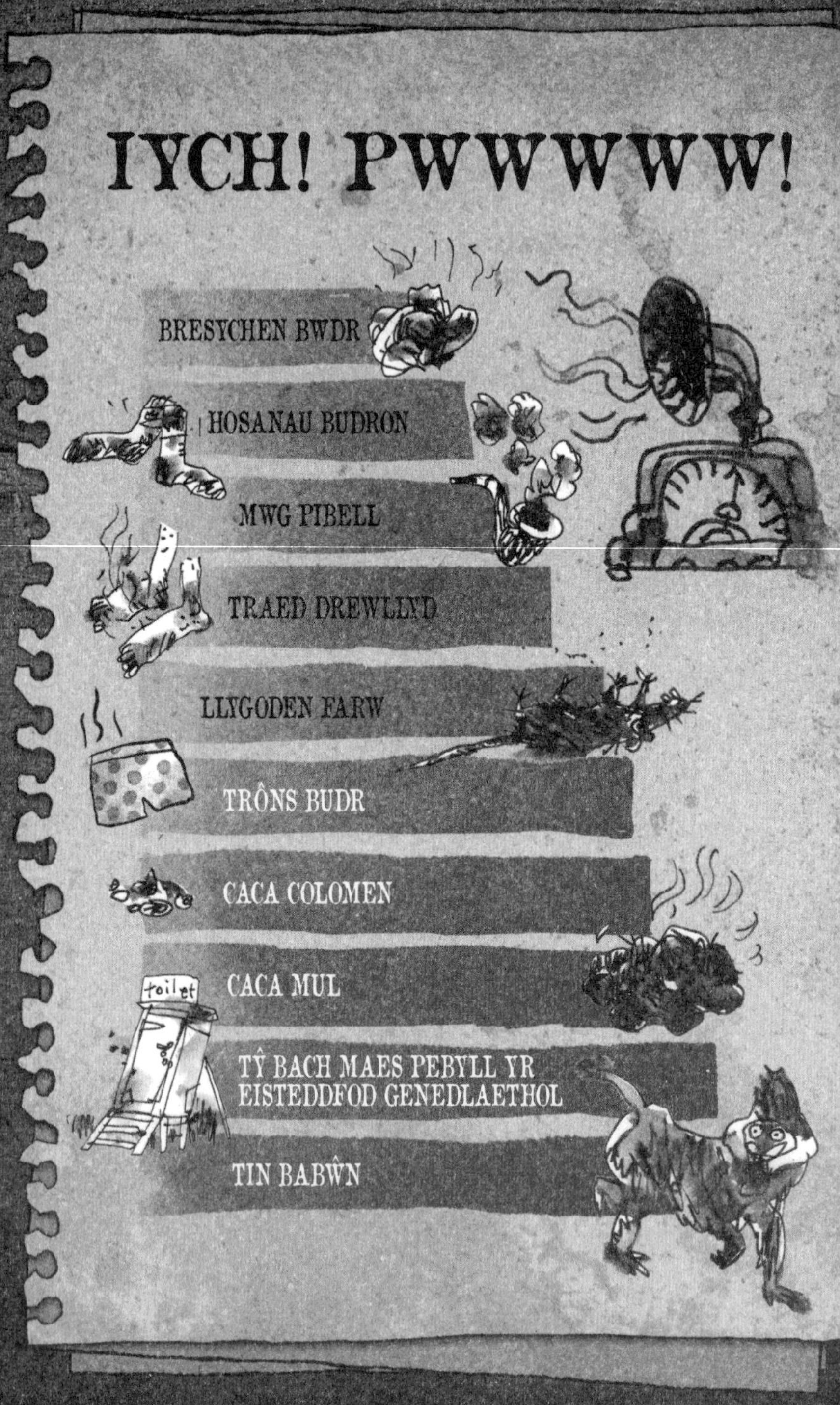

# IYCH! PWWWWW!

BRESYCHEN BWDR

HOSANAU BUDRON

MWG PIBELL

TRAED DREWLLYD

LLYGODEN FARW

TRÔNS BUDR

CACA COLOMEN

CACA MUL

TŶ BACH MAES PEBYLL YR
EISTEDDFOD GENEDLAETHOL

TIN BABŴN

Cydiodd Eric yn y peg dillad pren ar y bwrdd a'i osod ar ei drwyn.

'Dyna welliant!' meddai yn y llais rhyfedd hwnnw sydd i'w glywed pan mae rhywun yn pinsio'ch trwyn.

'Dyna od!' chwarddodd Sid, gan gydio mewn peg dillad arall a'i osod ar ei drwyn. 'Dwi'n swnio'n wirion nawr hefyd!'

Rhaid bod hyn wedi ennyn diddordeb Tindrwm oherwydd gafaelodd hithau mewn peg dillad a'i osod ar ei thrwyn!

'**HONC! HONC!**' honciodd, gan daro nodyn uchel, yn amlwg yn mwynhau ei hun.

Chwarddodd y tri yn uchel.

'HA! HA! HA!'

'Felly,' meddai'r bachgen, 'o ble daeth yr anifeiliaid?'

'O ... yy ... mi wnes i eu 'benthyg' gan y sw.'

'Eu benthyg?'

'Wel, dwyn, a bod yn onest.'

'Pam?'

'Mae rhywbeth bach yn 'bod' ar bob un ohonyn nhw. I mi, dyna sy'n eu gwneud yn wahanol, yn unigryw. Doedd neb yn meddwl y bydden nhw'n goroesi, ac felly roedden nhw am gael eu difa.'

Gwelwodd wyneb Eric.

'Dach chi ddim yn dweud ... '

'Ydw, dwi'n dweud! Byddai Miss Aflan wedi cael ei galw i roi **chwistrelliad marwol** iddyn nhw.'

'A dyna mae hi'n bwriadu ei wneud i Greta! Rhaid i ni ei hatal, Wncwl Sid!'

Edrychodd yr hen ŵr ar y cloc ar y wal. 'Mae hi'n un ar ddeg o'r gloch. Mae'r sw yn cau am bump. Mae hynny'n golygu bod amser yn brin.'

Yna, clywyd sŵn ger y ffenest.

## TAP! TAP! TAP!

'O, na!' sibrydodd Eric, gan wyro ei ben.

'Mae'r heddlu wedi cyrraedd!'

PENNOD | 20 |

# CHWARAE CUDDIO

'Mae'r heddlu ar dy ôl di?'

'Yndyn,' atebodd Eric. Ar ôl i Nain farw, roeddan nhw eisiau fy hel o'r tŷ a 'ngyrru i fyw gyda theulu dieithr, ac felly penderfynais redeg i ffwrdd.'

'Ti o ddifri?'

'Yndw. Mae'n rhaid i mi guddio,' meddai'r bachgen, gan heglu ar draws yr ystafell ac agor drws cwpwrdd. 'Peidiwch â dweud wrthyn nhw 'mod i'n fan'ma!' meddai, gan eistedd rhwng y potiau a'r sosbenni.

# CLYNC!

## TAP! TAP! TAP!

'O, er mwyn y nefoedd,' cwynodd Sid, gan fynd i ateb y drws. Dwi'n gwybod yn iawn pwy sy'n rhoi tair cnoc ysgafn ar y ffenest gefn, ac nid yr heddlu ydyn nhw! Ei henw ydy – '

'Besi!' meddai'r ddynes, gan dorri ar ei draws.

Edrychodd Eric trwy'r crac yn nrws y cwpwrdd wrth i wraig hoffus, yn gwisgo côt feddyg, ruthro i'r ystafell. Rhoddodd gwtsh anferth i Sid, gan ei godi oddi ar ei draed.

'WFF!'

Heidiodd yr anifeiliaid o'i hamgylch, yn hynod falch o'i gweld.

'HONC! HONC! HONC!'

'CROC! CROC! CROC!'

'BESI! BESI!' ailadroddodd Pymthegydwsin y parot.

'Rho fi lawr, Besi!' protestiodd Sid, gan guddio gwên swil a ddatguddiai ei wir deimladau tuag ati. 'Rhag ofn i fy nwy goes osod ddisgyn i ffwrdd!'

'Swnio'n syniad da i mi, Sidni bach!' atebodd hithau, gan wenu. Roedd gan Besi lais swynol, atyniadol. Dim ond rhywun llawn bywyd a hwyl a chariad oedd gyda llais fel hwnnw. 'Byddet ti ddim yn gallu dianc oddi wrtha i mor hawdd wedyn!'

'Rho fi lawr, Besi! Er mwyn y nefoedd!' ailadroddodd, a'i lygaid yn pefrio.

Gollyngodd y wraig ei gafael ynddo.

CWYMP!

'Yr hen Jeremeia!' cwynodd yn ysgafn.

Dros ysgwydd yr hen ŵr, sylwodd ar Eric yn sbecian trwy ddrws y cwpwrdd.

'Sidni, cariad?'

'Ia?'

'Wyt ti'n gwybod bod plentyn bach yn cuddio yn dy gwpwrdd?'

'Yndw!' meddai Sid, gan gamu draw ac agor drws y cwpwrdd. 'Dyma fy or-nai, Eric! Tyrd allan, wir!'

Gwthiodd y bachgen heibio'r potiau a'r sosbenni a dringodd allan o'i guddfan.

**GWRIDO!** Cododd ar ei draed, cyn estyn i siglo llaw, gan feddwl mai dyna oedd oedolion yn ei wneud. Roedd gan y wraig syniad gwahanol. Yn union fel y digwyddodd i Sid, cododd y bachgen oddi ar ei draed a'i gofleidio'n dynn.

'Tyrd at dy fodryb Besi!' meddai'n gariadus.

Er bod y ddynes hon yn ddieithryn, teimlad braf oedd cael cwtsh ganddi. Roedd hi'n gynnes ac esmwyth ac yn ogleuo o bersawr, tri pheth sydd yn creu cofleidiad da. Roedd ei chwtsh bron cystal ag un ei fam a'i dad. Bron, ond nid cystal.

'Gollwng y bachgen nawr, Besi,' chwarddodd Sid.

'Dwi'n mwynhau. Sdim ots gen i o gwbl!' meddai Eric.

Dawnsiodd Besi o gwmpas yr ystafell gyda'r bachgen, gan ofalu nad oedd hi'n baglu ar draws yr anifeiliaid, cyn ei osod i eistedd ar y llawr.

'Besi yw fy nghymydoges –' dechreuodd Sid. Ond cyn iddo yngan gair arall, torrodd Besi ar ei draws.

'Fi yw cymdoges Sid. Dwi'n byw drws nesaf. Yn ffodus iawn, cafodd y ffens sy'n gwahanu ein gerddi cefn ei llosgi'n ulw yn ystod cyrch fomio, sy'n golygu 'mod i'n medru mynd a dod fel dwi eisiau. Allai pethau ddim bod yn fwy perffaith!'

Tynnodd Sid ystumiau. Doedd o ddim yn llwyr gytuno â hynny.

'O! Ti'n ddyn drwg, ac eto mae rhywbeth reit hoffus amdanot ti!'

'Mae Besi'n dod draw i – ' dechreuodd Sid, unwaith yn rhagor.

'Bydda i'n galw draw i fwydo'r anifeiliaid pan mae Sid yn gweithio.' Yn ddryslyd, edrychodd y wraig ar ei watsh. 'A sôn am waith, dwyt ti ddim i fod yn y sw?'

'Yndw, a nac'dw,' atebodd Sid.

'Yndw a nac'dw? Does dim "yndw" a "nac'dw". Dim ond "yndw" neu "nac'dw!" ' meddai'r wraig, yn bryfoclyd.

'Yndw, dwi fod yno nawr. Ond nac'dw, achos dwi wedi colli fy swydd. Cael y sac!'

**'CAEL Y SAC!'** ailadroddodd y wraig, yn theatraidd. Nodiodd ei ben unwaith yn rhagor.

**'CAEL Y SAC? CAEL DY GARDIAU? CAEL YR HWI? COLLI DY WAITH? CAEL Y SAC?!'** gofynnodd yn anghrediniol.

**'IA! CAEL Y SAC! CAEL FY NGHARDIAU! CAEL YR HWI! COLLI FY NGWAITH! CAEL Y SAC!'**

Bu eiliad o saib.

# 'CAEL Y SAC? CAEL Y SAC?'

ailddywedodd, fel Pymthegydwsin y parot.

## 'IA! PA RAN O'R FRAWDDEG WYT TI DDIM YN EI DEALL?'

'Ond, Sidni, ti wedi bod yn gweithio yn y sw ers cyn oes yr arth a'r blaidd! Ti wedi aberthu dy fywyd i'r lle yna! Ti wedi rhoi dy holl egni a d'amser a dy chwys a dy waed a dy holl enaid i'r sw! Pam fydden nhw'n meiddio rhoi'r hwi i ti?'

Edrychodd Sid ar Eric am ateb.

'Wel, mae hi'n stori hir,' meddai'r bachgen.

'Www, dwi wrth fy modd yn clywed stori hir!' meddai Besi, gan eistedd i lawr wrth y bwrdd bwyd, a rhywffordd mwytho pob anifail ar yr un pryd. 'Peidiwch â phoeni, gewch chi fwyd gen i mewn munud.'

'Roeddan ni'n poeni am Greta,' meddai Eric.

'Y gorila?'

'Ia. Greta'r gorila. Mae'r bomio wedi codi ofn arni. Dihangodd o'i chaets, cyn i Crinc –'

'Pwy?'

'Gofalwr nos y sw,' eglurodd Sid, wrth i'r parot neidio ar ei ysgwydd.

'Roedd o'n mynd i saethu Greta, a ... wel ... mi wnaethon ni ... '

'IA! CER YMLAEN! Mae hyn yn well na mynd i'r pictiwrs!' meddai'n llawn cyffro.

'Wel, bu rhaid i ni ddwyn ei reiffl oddi wrtho, a chafodd ei gnocio ar lawr!'

'WOW! AM DDRAMA!' meddai'r wraig, ei llygaid fel lleuadau llawn.

'Ac mi aethon ni'n dau i helynt **mawr!**'

'Doeddwn i ddim i fod yn y sw yng nghanol nos,' meddai Sid. 'Yn sicr ddim gydag Eric. A nawr mae cyfarwyddwr cyffredinol y sw wedi penderfynu difa Greta am ei bod wedi dianc o'i chaets.'

'EI DIFA?!'

'IA! Dywedodd ei bod hi'n beryglus!' atebodd y bachgen. 'Ond tydi hi ddim yn beryglus. Mae hi'n addfwyn iawn. Dwi'n gwybod hynny achos hi yw fy ffrind gorau!'

'O, diar,' dechreuodd Besi. 'O diar, o diar. O diar, o diar, o diar ... '

Edrychodd Eric ar Sid. A oedd hi'n mynd i roi'r gorau i ddweud 'o diar'?

'O diar, o diar, o diar mi! Be dach chi'n mynd i'w wneud nawr?' gofynnodd.

'Wel, Besi, mae'r ateb yn syml!' meddai Eric.

# 'Mae'n rhaid i ni ei hachub!'

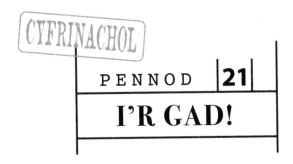

PENNOD |21|

# I'R GAD!

'Sut 'dan ni'n mynd i achub Greta?' gofynnodd Sid. 'Does gan yr un ohonan ni hawl i fynd yn ôl i'r sw, ac maen nhw'n bwriadu ei difa hi ddiwedd dydd heddiw. Mewn ychydig oriau!'

'Bydd fy Sidni a fy Eric bach yn siŵr o feddwl am rywbeth! Mae gen i ffydd ynddoch chi. Ac wrth i chi'ch dau feddwl mor galed nes bod stêm yn dod o'ch clustiau mawr, dwi'n mynd i fwydo fy nghariadon a rhoi brecwast iddyn nhw.'

Rhaid bod BRECWAST yn air a oedd yn fêl i glustiau'r anifeiliaid, wrth i bob un ruthro tuag ati.

'WWWWW!' meddai'r wraig, yn gyffrous, wrth eu gweld yn heidio tuag ati.

Chwifiodd Pymthegydwsin ei hadain gan hedfan rownd a rownd mewn cylchoedd.

'ROWND! ROWND!'

Llithrodd Barti o'i bath tun a glanio fel crempog wlyb ar lawr y gegin.

## HONC!

Rhedoodd Smwt yr eliffant tuag ati, a'i drwnc yn siglo fel pendil cloc mawr.

## HWW!

Neidiodd Pinci'r fflamingo ar ben cragen wiail Pechod y crwban, gan arafu'r ddau ac achosi iddyn nhw stopio yn eu hunfan.

## BOINC! BOINC! BOINC!

Chwipiodd Celt y crocodeil ei gynffon gan gnocio Pinci oddi ar ei throed.

## DONC!

Neidiodd Tindrwm y babŵn ar y wraig â'i holl nerth nes ei bwrw i'r llawr fel sgitlen.

## 'AWTSH!'

## SGITL!

Syrthiodd Besi druan ar ei phen ôl.

'WHOOO!'

## 'AWTSH!'

Ymhen chwinciad chwannen, roedd yr anifeiliaid drosti fel pla, yn llyfu ei hwyneb gyda'u tafodau.

## LLYFU! LLYFU! LLYFU!

'HELP!' gwaeddodd

'Dowch nawr, cariads!' gorchmynnodd Sid, gan eu tynnu oddi arni fesul un. 'Dyna ddigon o ffwlbri!'

Yna, codwyd y wraig i'w thraed gan Sid ac Eric.

'Www, diolch yn fawr i chi, wŷr bonheddig,' meddai Besi, yn falch o'u sylw. Twtiodd ei dillad cyn cyhoeddi, 'Nawr mi wna i —'

'Paid â dweud y gair!' gwaeddodd Sid.

'B-R-E-C-W-A-S-T!' sillafodd y wraig. Gwyddai fod yr anifeiliaid yn beniog ond roedd hi'n saff nad oedden nhw'n gallu sillafu.

173

Yna, aeth allan trwy'r drws ac i'r ardd.

'Sut ydan ni am fynd ati i achub Greta?' gofynnodd Eric.

'Does gen i ddim syniad, Eric. Dim mwy o syniad na thwrch daear am yr haul. Mae'n edrych yn bur amhosib.'

## 'Does dim yn amhosib!'

'Ac os lwyddwn i'w hachub, ble yn y byd 'dan ni am ei chadw?' atebodd Sid, gan dynnu ei bwysau oddi ar ei goesau gosod a phwyso ar fwrdd y gegin.

'Yn fan hyn, wrth gwrs!' meddai'r bachgen.

'O, taw, wir!' meddai Sid, â'i wyneb yn troi'n welw. 'Dyna fyddai ei diwedd hi! Gorila anferth yn dod i fyw i fan hyn!'

'Geith hi gysgu yn fy stafell i!' meddai Eric.

'O, ie! Anghofies i! Rwyt ti'n dod yma i fyw hefyd! Gyda llaw, pan ti'n dweud "fy stafell i", does dim stafell! Yr unig beth sydd ar gael yw un stafell wely fechan ar ben y grisiau.'

'Os felly, alla i gysgu yn fan'cw,' ymresymodd y bachgen, gan bwyntio trwy'r ffenest at yr adeilad bach brics ar waelod yr ardd.

'Y lle chwech yw hwnna!'

'Sdim ots gen i. Bydd yn gyfleus iawn pan fyddaf eisiau codi i bi-pi yng nghanol nos!'

'Eric, wyt wedi treio cysgu ar dy draed erioed?'

Meddyliodd y bachgen am eiliad. A dim ond am eiliad

achos roedd o'n berffaith sicr mai 'na' oedd yr ateb. 'Na, dwi'm yn meddwl.'

'Wel, tydi o ddim yn brofiad cyfforddus!'

Yna, cafodd y bachgen chwip o syniad. 'Dyna yw'r ateb! Dyna yw'r ateb!'

'Pa ateb?'

'Galla i gysgu yn fan'ma gyda Greta a'r anifeiliaid eraill, ac mi gewch chi symud i fyw at Besi drws nesaf!'

Tro Sid oedd hi nawr i wrido, â'i wyneb mor goch â thomato gyda lliw haul. 'Wel, dwn i ddim am hynny!'

'Mae hi'n hoff iawn ohonoch chi, a dach chi'n hoff iawn ohoni hithau.'

'Wel ... wel ... pwyll pia hi ... '

Yr eilad honno, clywyd galwad o ddrws nesaf:

'BRECWAST!'

Agorodd Sid y drws cefn. Yn syth bin, rhuthrodd y saith anifail i'r ardd i gael eu bwydo.

'Mae'n rhaid i chi fy helpu i achub Greta,' erfyniodd y bachgen.

'Dwi eisiau dy helpu di! Dwi'n ei charu hi hefyd! Ond does gen i ddim clem sut i'w hachub.'

'Os na newch chi fy helpu, dwi'n mynd i'w hachub ar ben fy hun!'

'Dim ffiars o beryg!' meddai'r hen ŵr. 'Alla i ddim gadael iti fynd i'r sw ar ôl iddi dywyllu. Gallai Crinc dy saethu di'n gelain!'

'Felly, odych chi am fy helpu?'

Ochneidiodd yr hen ŵr. 'Yn wyneb her a pherygl, does neb gwell na Phreifat Sid Rees-Roberts!' meddai, gan saliwtio.

'DIOLCH!' meddai'r bachgen.

'Down o hyd i stafell i'r gorila. Ond Greta fydd yr olaf i gael ei thrin fel hyn. Alla i ddim dygymod â mwy o anifeiliaid. Mae hi fel Arch Noa yma!'

'Dim ond Greta, dwi'n addo!'

'Falch o glywed! Nawr, fel pob ymgyrch filwrol,

**mae'n rhaid i ni ...**

# gael cynllun!'

P E N N O D **22**

# Y CYNLLUN

Doedd dim amser i'w wastraffu. Erbyn hyn, roedd hi'n ganol bore, ac er bod Eric i fod yn yr ysgol roedd ganddo rywbeth rheitiach i'w wneud nag algebra. Achub ei ffrind rhag cael ei lladd.

'Mae angen ffugenw ar bob ymgyrch filwrol,' dechreuodd yr hen ŵr. \*LLOYD GEORGE yw'r un dwi'n ei gofio o'r Rhyfel Byd Cyntaf. Be allwn ni alw ein hymgyrch ni?'

'Meddyliodd Eric am ennyd. **'Bananas!'**

'Be ddudist ti?!'

## 'Y FFUGENW. BANANAS!'

Ni chafodd yr hen ŵr ei argyhoeddi, ond doedd ganddo ddim syniad gwell. 'Wel, mae Greta'n hoff iawn o fananas.'

'Ac mae'r hyn 'dan ni'n ceisio'i wneud yn hollol **BANANAS!'**

*Cafodd David Lloyd George ei fagu ym mhentref Llanystumdwy, ger Cricieth, a fo oedd Prif Weinidog Prydain yn ystod ail hanner y Rhyfel Byd Cyntaf. Fo yw'r unig Gymro Cymraeg i fod yn Brif Weinidog Prydain.

'Ti'n llygad dy le! Be am fynd ati i greu cynllun!'

Yn gyntaf, gorchmynnodd Sid i'r bachgen nôl papur a phensiliau o'r drôr. Yna, dechreuodd y ddau fraslunio map mawr o'r sw o'r cof. Rhwng y ddau ohonyn nhw, fe allen nhw gofio pob llwybr a llociau'r anifeiliaid. Yna, pinio'r map i'r wal. Nawr fe allen nhw weld pob mynediad i mewn ac allan o'r sw, ac, wrth gwrs, lleoliad caets y gorila. Wrth i'r anifeiliaid ddychwelyd i'r gegin fesul un, wedi cael llond eu

boliau, defnyddiodd Sid ac Eric y map i feddwl am nifer o ffyrdd gwahanol i achub Greta, gyda phob cynnig yn fwy anturus na'r olaf.

### MAE'R DDAU'N ESGUS BOD YN GORILAS.

Wedyn, maen nhw'n torri i mewn i gaets Greta. Maen nhw'n aros yno tan i'r sw gau, cyn datgelu eu hunain i Greta a dianc o'r sw. Ond roedd un gwendid yn y cynllun. Byddai rhywun yn siŵr o sylwi bod tri gorila yn y caets, nid un.

### MEDDIANNU LLONG RYFEL Y LLYNGES FRENHINOL ar afon Tafwys a

hwylio i fyny'r gamlas sydd ger y sw. Maen nhw'n chwythu twll yn y ffens gyda thorpido ac yn dwyn Greta. Yna, maen nhw'n dianc ar hyd y rhwydwaith o gamlesi sydd ar hyd a lled Llundain. Gallai hwnnw fod y cynllun perffaith heblaw am un ffaith bwysig: doedd ganddyn nhw ddim llong danfor.

**3** **TYLLU TWNNEL** yr holl ffordd o ardd gefn Sid i gaets Greta. Yna, smyglo'r gorila i lawr y twnnel ac allan o'r sw. Ond roedd milltiroedd rhwng tŷ Sid a **SW LLUNDAIN**, a byddai'r gwaith o dwnelu yn cymryd nifer o flynyddoedd. Yn drist iawn, doedd ganddyn nhw ddim blynyddoedd o amser. Dim ond ychydig oriau.

**4** **ESGUS BOD YN FRENIN A BRENHINES** ar ymweliad brenhinol â'r sw. Cyn gynted ag y bydden nhw i mewn, gallen nhw honni eu bod eisiau cadw Greta fel cofrodd o'u hymweliad. Ysywaeth, doedd dim gobaith y byddai'r ddau'n gallu edrych fel dau aelod o'r teulu brenhinol, dim ots pa mor dda oedd eu hymdrech.

SID AC ERIC

BRENIN SIÔR YR AIL A'R FRENHINES ELISABETH

## 5 MAEN NHW'N ADEILADU AWYREN BAPUR ANFERTH cyn

lansio eu hunain o ben cromen Eglwys Gadeiriol Sant Pawl, yr adeilad uchaf yn Llundain. O'r fan honno, maen nhw'n hedfan dros gaets Greta, ei chipio i'r awyr, a'i dwyn. Y broblem oedd eu bod wedi defnyddio'r holl bapur i ddarlunio map o'r sw.

## 6 MAEN NHW'N CREU GORILA

FFUG ac yn ei smyglo i'r sw. Ar ôl mynd i mewn, a neb yn gwylio, maen nhw'n cyfnewid y gorila ffug am Greta, cyn dianc. Ond roedd un broblem. Doedd ganddyn nhw ddim gorila ffug. A chan fod y ddau'n gwbl ddi-glem ym maes celf a chrefft, doedd ganddyn nhw ddim obadeia sut i greu gorila ffug.

## **7** **MAEN NHW'N SMYGLO EU HUNAIN I MEWN I'R SW** mewn

sachau bwyd. Cyn gynted ag y byddan nhw yn y sw, maen nhw'n torri allan o'r sachau, dod o hyd i Greta a rhedeg nerth eu traed. Gwendid mawr y cynllun hwn oedd eu bod nhw'n cael eu bwydo i'r llew. Er bod hynny'n brofiad blasus i'r llew, ni fyddai'n brofiad da i'r ddau ohonyn nhw.

'GRRR!'

## **8** **MAEN NHW'N BENTHYCA IWNIFFORMS** gan Besi ac yn esgus bod

yn feddygon. Maen nhw'n rhuthro i mewn i'r sw gan gario stretsier. Os oes rhywun yn eu stopio, maen nhw'n dweud eu bod wedi cael galwad i roi cymorth i ymwelydd sydd wedi ei daro'n wael, cyn smyglo Greta dan gynfas ar y stretsier a'i rhoi yng nghefn ambiwlans. Un broblem: doedd ganddyn nhw ddim ambiwlans.

## MAEN NHW'N GWNEUD Y POLYN NAID HIRAF YN Y BYD

trwy raffu rhyw ddwsin o ffyn cerdded at ei gilydd. Yna, maen nhw'n neidio â pholyn dros y ffens i'r sw ac, ar ôl glanio'r ochr arall, yn dwyn y gorila o'r caets. Ond penderfynwyd mai syniad gwirion oedd hwn. Gallai'r bachgen dorri ei ddwy goes wrth lanio. Gan fod ganddo ddwy goes osod, doedd hon ddim yn broblem i Sid, ond doedd neidio â pholyn ddim at ei ddant.

## MAEN NHW'N DWYN TANC, ac yn

torri trwy ffens y sw. Yna, chwythu twll yn lloc Greta, ei chipio a'i harwain allan. Pe bai rhywun yn ceisio'u hatal, gallen nhw droi'r gwn mawr atyn nhw a **BWWWWWM!** Un broblem fach, fach. Roedd hyn yn ofnadwy, ofnadwy, ofnadwy, ofnadwy, ofnadwy o BERYGLUS!

Teimlai fel bod oriau wedi mynd heibio, a doedd dim cynllun ar y gweill. Ond wrth syllu'n ddiog trwy'r ffenest, cafodd Eric syniad. Fel y rhan fwyaf o syniadau gorau, roedd o'n un GWALLGOF a GWYCH!

'NICARS NAIN!' gwaeddodd Eric.

'NICARS NAIN?!! Am be wyt ti'n fwydro, hogyn?' gofynnodd Sid.

'Mae o gen i!'

'Mae beth gen ti?'

'Y CYNLLUN!'

Clonciodd Sid i gyfeiriad y ffenest i weld beth oedd yr hogyn yn syllu arno yn yr awyr.

CLINC! CLANC! CLYNC!

'Ti ddim yn awgrymu ein bod yn defnyddio ... ?' dechreuodd yr hen ŵr.

'YNDW!

Balŵn amddiffyn!'

CYFRINACHOL

RHAN 3

DIM
ILDIO

CYFRINACHOL
IAWN

P E N N O D **23**

# BALWNAU

Sylwodd Eric ar y balŵn amddiffyn yn gynharach pan gerddodd allan o'r orsaf danddaearol. Roedd hi'n un o gannoedd oedd yn hedfan uwchben Llundain. O ran siâp, ymdebygai balwnau amddiffyn i awyrlongau. Y gwahaniaeth oedd eu bod wedi eu clymu i'r ddaear, a bod dim criw arnyn nhw. Cysylltwyd hwy i'r wageni ar y ddaear gan rwydi neu geblau. Wrth iddyn nhw siglo i fyny ac i lawr yn yr awyr uwchben Llundain, doedd hi ddim yn rhwydd i awyrennau'r gelyn hedfan dros y ddinas. Byddai'n rhaid i fomwyr ac awyrennau eraill y Natsïaid hedfan yn UCHEL er mwyn osgoi'r balwnau. Ac roedd hynny'n eu gwneud yn dargedau haws i'r gynnau mawr gwrthawyrennol ar y ddaear. Os oedd yr awyrennau'n hedfan yn rhy isel, ni allai'r gynnau mawr droi'n ddigon cyflym i'w saethu. Roedd gan y gynnau well siawns o'u saethu os oedden nhw'n uchel yn yr awyr.

'Reit, dwed dy gynllun wrtha i,' meddai Sid.

''Dan ni'n dwyn,' dechreuodd Eric, 'neu, yn hytrach, BENTHYCA balŵn, ac yn ei hedfan dros y sw. Ar ôl cyrraedd lloc y gorila, 'dan ni'n agor top ei chaets ac yn ei chipio. Wedyn, hedfan i ffwrdd!'

Ystyriodd yr hen ŵr, a'i feddwl mor bell â *Phlwto.

'Wncwl Sid!?' meddai'r bachgen. 'WNCWL SID! Be dach chi'n feddwl o'r syniad?'

'Wel, tydi o ddim y cynllun gwaethaf 'dan ni wedi ei gael,' atebodd, ar ôl meddwl am eiliad.

'Sydd yn golygu mai hwn yw'r un GORAU!'

'Wel ... yndi debyg!' meddai Sid, braidd yn ofidus. 'Ond sut allwn ni fod yn sicr ei fod o'n mynd i weithio?'

'Tydan ni ddim. Heb dreio.'

'Ateb da! Nawr beth am geisio darganfod sut i hedfan balŵn amddiffyn?'

I fyny'r grisiau yn ei ystafell wely, roedd gan Sid gasgliad o lyfrau am y Rhyfel Byd Cyntaf. Rhwng cloriau un llyfr am beirianwaith milwrol, roedd pennod am Zeppelins. Awyrlongau oedd y rhain, a ddefnyddiwyd fel bomwyr ac awyrennau chwilota yn y Rhyfel Byd Cyntaf. Yn wahanol i falŵn amddiffyn, roedd gan y Zeppelin injan, a gondola oddi tani i'r peilot. Y rheswm am hynny oedd ei fod wedi ei gynllunio i hedfan, ac nid i hofran yn ei unfan.

*Planed fechan yw Plwto, y nawfed a'r bellaf o'r haul.

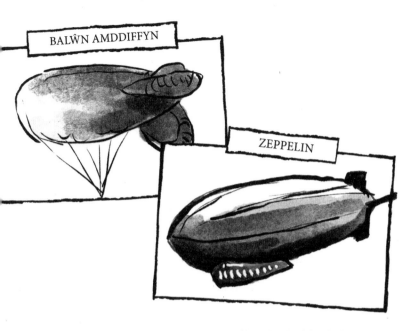

BALŴN AMDDIFFYN

ZEPPELIN

Serch hynny, credai Eric fod rhyw ffordd o hedfan balŵn, efallai trwy ddefnyddio'r wagen ar y llawr, yr un oedd wedi ei chlymu iddi. Y broblem oedd bod amser yn brin. Edrychodd ar y cloc ar wal y gegin. Roedd hi'n un o'r gloch yn y prynhawn. Mewn ychydig oriau, byddai'n machludo. Dywedodd Syr Raymond Rwdlyn, cyfarwyddwr cyffredinol y sw, fod rhaid i Miss Aflan ddifa Greta ar ôl i'r sw gau am y dydd, sef pump o'r gloch. Os oedd y pâr am achub y gorila druan rhag cael chwistrelliad marwol, byddai'n rhaid

## gweithredu'n GYFLYM!

# SAETHU BOMIWR

Ar ôl gadael yr anifeiliaid yng ngofal Besi, tynnodd Eric a Sid y map oddi ar y wal a mynd i chwilota am safle'r balŵn amddiffyn.

Gan gadw'r balŵn o fewn golwg, cerddodd y ddau trwy'r strydoedd a'r gerddi cefn ac ar hyd tir anial. Ar gomin mawr, rhyw filltir o dŷ Sid, safai wagen filwrol gyda balŵn llwyd, anferth yn hedfan uwch ei phen. Clymwyd y balŵn, a ymdebygai i bysgodyn tew, i'r wagen gan geblau.

O edrych yn fwy manwl, sylwodd y ddau fod y wagen yn llawn briciau er mwyn ei chadw rhag codi o'r ddaear.

'**NICARS NAIN!**' meddai'r bachgen.

'Nicars Nain! Nicars Nain! Am be wyt ti'n fwydro eto?' mynnodd Sid.

'Os symudwn ni rai o'r briciau ... '

'Mi godith y balŵn, a mynd â'r wagen efo fo ar yr un pryd!'

# 'Yn HOLLOL!'

'Ond sut ydan ni am ei lywio?'

'Mae gan y wagen lyw!'

'Dwi'n gwybod hynny, twmffat! Ond pwrpas hwnnw yw llywio wagen ar y ddaear, nid llywio balŵn trwy'r awyr.'

'Mmm ...'

Roedd hwn yn amser i grafu pen. Os oedd y Zeppelins angen peiriannau i'w hedfan o'r naill le i'r llall, golygai hynny fod angen un ar y balŵn amddiffyn hefyd. Nid nepell o'r balŵn, gwelodd Eric blant yn chwarae gyda rhywbeth ar y comin. Sylweddolodd o ddim beth ydoedd tan iddo edrych yn fwy manwl.

## 'DRYCHWCH!' gwaeddodd.

Edrychodd Sid â'i lygaid cam. 'Dyw fy llygaid ddim cystal ag o'n nhw.'

'Dowch!' meddai Eric, wrth gydio yn llaw Sid a'i arwain i gyfeiriad y comin.

### CLINC! CLANC! CLYNC!

Roedd awyren fomio y Luftwaffe wedi cael ei saethu i'r llawr yn ystod y nos ac wedi syrthio'n glec ar y comin. Doedd dim golwg o'r criw. Mae'n bur debyg eu bod wedi eu hebrwng oddi yno gan yr heddlu i gael eu cwestiynu. Nawr, roedd yr awyren anferth wedi cael ei meddiannu gan laslanciau lleol, a oedd yn mwynhau eu maes chwarae newydd. Yr hwyl oedd dringo i mewn ac allan o'r awyren, a chwarae gemau rhyfel.

Wrth weld Sid yn nesáu, gwaeddodd un hogyn hy, 'G'leua hi, Taid! 'Dan ni'n cael hwyl yn fan'ma!'

'Ie, cer o 'ma, Tad-cu!' ychwanegodd un arall, ei wyneb yn llawn plorod.

'A hynny ddigon pell! A dos â'r eliffant clustia mawr efo chdi!' gwawdiodd un arall, gan gyfeirio at Eric.

'HA! HA! HA!' cydchwarddodd y plant.

Ni ddywedodd Sid air o'i ben. Yn hytrach, pwysodd ar ysgwydd Eric a thynnu un o'i goesau gosod i ffwrdd.

**CLYNC!**

'Mae gen i awydd gwthio hon i fyny dy din di!' gwaeddodd Sid.

'AAA!' sgrechiodd y tri bachgen powld, cyn rhedeg nerth eu traed ar draws y comin.

'Mae'n gwneud y tric bob tro!' meddai Sid, gan osod ei goes osod yn ôl i'w lle.

**CLANC!**

'Rhaid i mi ddefnyddio'r tric yna fy hun!' meddai Eric, yn ysgafn. 'Trueni nad ydy fy nghoes i'n dod i ffwrdd!'

'Rhaid i mi ofalu peidio â thynnu'r ddwy i ffwrdd, neu mi

fydda i'n fyrrach na mis Chwefror! Ha! Ha!'

'Mae hon yn fwystfil!' meddai Eric, gan edmygu'r awyren.

'Junkers yw hi,' sylwodd Sid. 'Wedi ei chynllunio i ladd a difrodi. Hoffwn ysgwyd llaw y sawl a'i saethodd i'r llawr.'

Wrth i Sid siarad, camodd Eric o gwmpas yr awyren. 'Rhaid bod rhyw ran ohoni y gallwn ei defnyddio,' meddai.

'Be ti'n feddwl?' gofynnodd Sid.

'Ar adegau fel hyn, hoffwn petawn wedi gwrando a dysgu mwy yn y gwersi gwyddoniaeth, ond mae'n rhaid bod rhywbeth allwn ni achub o'r Junkers i'n galluogi ni i hedfan hwnna!' meddai, gan bwyntio at y wagen gyda'r balŵn yn hofran uwch ei phen.

'**TRÔNS TAID!**' meddai'r hen ŵr.

'**NICARS NAIN**' cywirodd y bachgen.

'**TRÔNS TAID! NICARS NAIN! BLWMARS BESI!** Mae hwnna'n syniad da!'

'Diolch!'

'Yn siomedig iawn, wnes innau ddim gwrando llawer yn y gwersi gwyddoniaeth, a dwi wedi anghofio popeth a ddysgais flynyddoedd maith yn ôl. Ond ti'n iawn – rhaid bod rhywbeth y gallwn ei ddefnyddio.'

Torchodd y ddau arwr eu llewys. Fe aethon nhw ati i chwilio a chwalu tu mewn a thu allan i'r awyren, gan geisio dod o hyd i unrhyw beth oedd yn rhydd. Gwelson nhw helmedau a gogls, propelor o un o'r adenydd, tri pharasiwt (heb eu hagor) a hyd yn oed ddarn o raff a allai fod yn ddefnyddiol.

'Beth sydd yn y rhain?' gofynnodd y bachgen, gan bwyntio at silindrau mawr.

Yn uchel, darllenodd Sid y geiriau a oedd wedi eu printio ar y metel: '*Sauerstoff.*'

'Be ydy ystyr hynny?'

'Gair Almaeneg ydy o.'

'O! A finnau'n meddwl mai gair o *Llannerch-y-medd oedd o!' meddai Eric, yn sarhaus. 'Ond beth yw ei ystyr?'

'Does dim ond un ffordd o wybod!' meddai Sid. Ar hynny, trodd y tap ymlaen. Clywyd nwy yn hisian yn gyflym o'r silindr, a bu bron i'r bachgen gael ei chwythu oddi ar ei draed.

## WHYYYSH!

'Whoa! Beth yw hwnna?' gofynnodd Eric. Sniffiodd fel ci mewn parc, ond doedd o ddim yn gallu arogli dim. 'Aer?' tybiodd.

'Ocsigen!' meddai Sid. 'Wrth gwrs! Ocsigen i'r criw, pan o'n nhw'n hedfan yn uchel a'r aer yn brin.'

'Os ydy o'n saethu allan mor bwerus â hynna, efallai y gallwn ei ddefnyddio i yrru'r wagen ymlaen?' ymresymodd Eric.

'Efallai bo' ti'n iawn! Beth am gario cymaint ag y gallwn ni.'

Rhuthrodd y ddau ar draws y comin i gyfeiriad y wagen, gan gario'r trysor wedi ei ddwyn. Fe aethon nhw ati ar unwaith i glymu'r silendrau i ochr y wagen a rhoi'r propelor yn sownd yn y rhwyll flaen. Nid oedd yr un o'r ddau yn sicr iawn a oedd y propelor am fod yn gymorth i hedfan yr

*Pentref ym Môn yw Llannerch-y-medd. Mae'n nodedig am ei gymeriadau lliwgar a dywediadau llafar, cefn gwlad.

awyren, ond mi'r oedd o'n edrych yn grêt!

Rhoddwyd y parasiwtiau yng nghefn y wagen, rhag ofn y byddai eu hangen mewn argyfwng.

Gyda haul y gaeaf rhwng cist a phared, dechreuodd y ddau dynnu'r briciau oddi ar gefn y wagen, y rheini oedd yn ei chadw ar y ddaear. Nid tasg hawdd, oherwydd roedd cannoedd ohonyn nhw, a bu rhaid eu symud fesul un. Pe baen nhw'n dadlwytho'n rhy gyflym, gallai'r wagen godi i'r awyr a hedfan i ebargofiant hebddyn nhw. Ar ôl tynnu rhyw ddau gant o friciau allan, sylwodd Eric fod un o'r olwynion yn codi oddi ar y ddaear.

'Wncwl Sid! Neidiwch i mewn! NAWR!' gorchmynnodd.

Ufuddhaodd yr hen ŵr a thynnodd ei hun i fyny i sedd y gyrrwr mor gyflym ag y gallai.

'Dwi eisiau i chi fod yn wrthbwysedd!' meddai Eric, o gefn y wagen.

Yna, ar ben ei hun, tynnodd y briciau fesul un.

'Mae'r bonet yn codi oddi ar y ddaear!' gwaeddodd Sid, o'r sedd flaen. Erbyn hyn, roedd y wagen gyfan wedi ei chodi, a llithrodd y briciau oddi ar y cefn.

## CLONC! CLYNC!

Heb friciau i'w chadw ar y ddaear,

cododd y wagen

i'r awyr heb Eric!

SWISH!

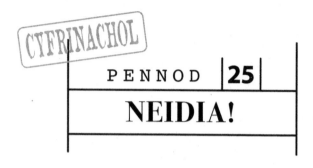

PENNOD | 25 |

# NEIDIA!

'NEIDIA!' gwaeddodd Sid. Ond er ei fod o'n neidiwr da, doedd o ddim yn gallu cyrraedd y wagen a oedd wedi ei chlymu i'r balŵn amddiffyn, a honno bellach yn hedfan i ffwrdd.

'ALLA I DDIM EI CHYRRAEDD HI!' meddai Eric.

'A FEDRA I DDIM CADW RHEOLAETH AR HON!' bloeddiodd yr hen ŵr.

Erbyn hyn, unig obaith y bachgen oedd y goeden dal oedd yn syth o'i flaen. Hedfanodd y wagen trwy'r awyr i'w chyfeiriad. Pe bai Eric yn gallu rhedeg yn ddigon cyflym, efallai, dim ond efallai, y gallai ddringo i ben y goeden a neidio ar y wagen. Caeodd ei lygaid am ennyd.

*Greta*, meddyliodd. *Beth fyddai Greta'n ei wneud?*

Treuliodd y bachgen sawl awr yn y sw yn gwylio'r epa yn rhedeg a neidio a dringo.

Penderfynodd redeg i gyfeiriad y goeden mor gyflym ag y gallai, ac yn union fel Greta, lluchiodd ei hun i'r awyr.

# WHYSH!

Neidiodd Eric ar y goeden.

Trawodd ei ben ar y boncyff.

## DONC!

... a disgynnodd yn ôl i'r ddaear.

## THYD!

'Eric!' gwaeddodd Sid o'r wagen, a oedd yn hedfan yn **uwch** ac yn **uwch** i'r awyr.

Daeth y bachgen o hyd i'w sbectol, cododd ar ei draed a dringodd i fyny'r goeden fel pe bai hi'n ysgol. Ar ôl cyrraedd mor uchel ag y gallai ...

### SBONC!

... neidiodd i ffwrdd a glanio ar fonet y wagen.

## PLONC!

'Eric!' gwaeddodd Sid, o'r tu ôl i'r llyw.

## 'WNCWL SID!'

Nid oedd hi'n eglur iawn sut yr oedd galw enwau ei gilydd yn helpu'r sefyllfa, ond dyna wnaethon nhw, ta beth.

Wrth i'r wagen wyro ymlaen yn ddramatig dan ei phwysau, dechreuodd Eric lithro i lawr y bonet. Cydiodd yn y propelor a oedd wedi ei glymu i'r rhwyll flaen. Roedden nhw wedi amau y byddai hynny'n ddefnyddiol rywsut! Ond roedd y bachen yn llithro i ffwrdd yn araf.

'HELP!' sgrechiodd.

'DAL D'AFAEL!' gwaeddodd Sid.

'Wel, dwi ddim yn debygol o OLLWNG fy ngafael!' meddai Eric, fymryn yn sarhaus.

Aeth pethau o ddrwg i waeth wrth i goesau'r bachgen ddechrau taro'n galed yn erbyn copaon y coed talaf ar y comin.

THWAC! THWAC! THWAC!

'AAA!'

Wrth afael yn llyw'r wagen gydag un law, tynnodd Sid un o'i goesau gosod i ffwrdd ...

POP!

... cyn hongian allan trwy'r ffenest mor bell ag y gallai.

'GAFAEL YN FY NHROED!' gwaeddodd.

'Does gennych chi ddim traed!'

'Mae gen i rai tun, cofia!'

Llithrodd dwylo'r bachgen i lawr y propelor. Gafaelodd

gyda'i fys a'i fawd yn unig. Unrhyw eiliad, roedd Eric ar fin disgyn i'w **farwolaeth.**

Ond wrth iddo golli gafael ...

'AAA!'

... llwyddodd i gydio yn nhroed dun yr hen ŵr!

CLYNC!

Gwasgodd Eric y droed fel pe bai ei fywyd yn y fantol. Ac mi'r oedd ei fywyd yn y fantol.

Gan ddefnyddio'i holl nerth braich, tynnodd Sid y bachgen i mewn i'r wagen.

'Diolch, Wncwl Sid,' meddai Eric, gan syrthio'n swp i'w sedd, wedi colli ei wynt yn lân.

Syllodd yn syth trwy'r ffenest flaen. Roedden nhw'n anelu'n syth am Atomfa Battersea!

'WNCWL SID! DRYCHWCH!'

Trodd yr hen ŵr ei ben.

Gyda'i gilydd, fel côr cydadrodd ar lwyfan yr Eisteddfod Genedlaethol, sgrechiodd y ddau,

'NAAAAA!'

PENNOD |26|

# DILYN YR AFON

'Y tanciau aer!' gwaeddodd Eric.

Pwysodd y bachgen a Sid trwy'r ffenest cyn rhoi'r silindrau i lawr a dadsgriwio eu trwynau.

## WHYSH!

Daeth chwythiad o nwy ohonyn nhw, gan yrru'r wagen yn uwch i'r awyr. Trawodd un o'r olwynion cefn yn erbyn copa un o'r simneiau talaf.

## DINC!

'Nawr, sut ydan ni'n mynd o fan hyn i'r sw?' gofynnodd Eric.

Edrychodd yr hen ŵr i lawr ar Lundain, dinas gyfarwydd iawn iddo ar hyd ei oes. Ond yn awr, o'r awyr, edrychai'n anghyfarwydd. Doedd Sid ddim wedi bod mewn awyren o'r blaen, ond o'i gyfnod byr yn y Rhyfel Byd Cyntaf roedd ganddo ryw fath o syniad sut i ddarllen mapiau.

'Beth am ddilyn yr afon nes cyrraedd Big Ben? Mae Parc

Regent i'r gogledd o'r fan honno. Pan ddown o hyd i'r parc, fydd y sw ddim yn bell.'

'Gwych!' meddai Eric, wrth iddo ddechrau mwynhau ei hun fel cyd-beilot. Efelychodd y bachgen yr hen ŵr gan wisgo'r helmed ledr a'r gogls yr oedden nhw wedi eu cymryd o awyren y Natsïaid a saethwyd i'r llawr. Nawr, wrth iddyn nhw wau eu ffordd ar hyd llwybr afon Tafwys, teimlai'r ddau eu bod yn awyrenwyr go iawn.

## 'BANANAS!'

cyhoeddodd Eric.

'BANANAS!' meddai'r hen ŵr!

Ar ôl rai munudau, credodd Eric eu bod yn mynd yn rhy araf. 'Faint o'r gloch yw hi?'

'Drycha!' atebodd yr hen ŵr, gan bwyntio trwy ffenest fach y wagen. 'Galli di weld dy hun faint o'r gloch yw hi!'

Gwelodd Eric Dŷ'r Cyffredin i fyny'r afon. Yn gwmwl dros yr adeilad, safai Big Ben, a'i wyneb enwog wedi ei oleuo yn y gwyll.

'Hanner awr wedi pedwar!' meddai'r bachgen. Rhaid i ni frysio. Mae'r sw yn cau am bump. Felly, mae ganddon ni hanner awr i achub Greta!'

## 'YMLAEN Â NI! TÂN ARNI!'

Rhoddodd y ddau hanner tro arall i'r falfiau ar y silindrau aer.

### wHYSH!

Cyflymodd y wagen. Edrychodd Eric trwy ei ffenest. Roedd y balŵn amddiffyn yn dal i hofran uwch eu pennau. Am y tro, credai'r ddau eu bod yn hedfan dros Lundain a neb yn eu gweld. Hedfanodd y balŵn yn dawel trwy'r awyr dywyll uwchben y ddinas. Serch hynny, pe bai rhywun yn eu gweld o'r ddaear, gallai dybio mai awyren y gelyn oedd hi.

Y Zeppelin erchyll, efallai!

A phe bai'r seiren cyrch awyr yn canu, byddai'r awyr yn cael ei goleuo gan ddegau o chwiloleuadau. Roedd hi'n bosib iawn i'r gynnau mawr eu saethu i ebargofiant!

### RAT! TAT! RAT!

Palas Buckingham oedd yr adeilad eiconig nesaf ar y ffordd, gyda'i erddi ar y naill ochr, a Pharc Sant James ar y llall. I'r gorllewin, gwelwyd Parc Hyde, gyda'i lyn enwog, y Serpentine. Wrth i Sid ac Eric hedfan dros Marble Arch, gwelson nhw Barc Regent gyda'i erddi hardd ar ffurf cylch anferth.

'DRYCHA!' meddai Sid, gan bwyntio.

''Dan ni ddim yn bell o'r sw!' meddai Eric. 'Dim ond

gobeithio 'dan ni ddim yn rhy hwyr i achub Greta!'

'Dal d'afael, yr hen hogan! Rydan ni ar ein ffordd!'

O'r awyr, gwelson nhw'r ymwelwyr olaf yn gadael y sw, a'r giât yn cael ei chau ar eu holau. Yn y pellter, canodd y cloc bum gwaith.

BONG! BONG! BONG! **BONG! BONG!**

'Mae hi'n bump o'r gloch!' meddai'r bachgen.

''Dan ni bron yna!' atebodd Sid.

Bellach, roedden nhw'n hedfan uwchben y sw. Gan ddefnyddio, unwaith eto, y silindrau oedd wedi eu clymu i ochr y wagen a thrwy edrych ar y map o'r sw, hedfanodd y wagen dros eliffantod, eirth a chamelod. O'u blaenau, safai jiráff, â'i wddf hir yn ymestyn yn uchel i'r awyr.

'GWYRA DY BEN, Y MWNCI MUL!' gwaeddodd Sid, wrth iddyn nhw fynd heibio'i ben.

'Oes mwnci a mul yno hefyd?'

'Nag oes siŵr! Galw'r jiráff yn fwnci mul wnes i!'

'O!' meddai Eric, yn teimlo'n dwp fel slej.

Edrychodd y bachgen ar y map. 'Mae'r jiraffod yn fan hyn, felly dylai caets Greta fod yn ... FAN'CW!' gwaeddodd, gan bwyntio'n syth ymlaen.

'Da iawn, 'machgen i! Byddet yn gwneud milwr penigamp!'

'Beth am fynd i lawr?'

Ar ôl diffodd y nwy, dechreuodd y wagen hedfan i lawr yn araf, ac yn ddistaw. Edrychodd Eric trwy'r ffenest. Er mawr sioc iddo, gwelodd y gorila yn gorwedd ar lawr y lloc. Safai dau ddyn a dynes drosti. Rwdlyn, Crinc ac Aflan!

# 'NA!'

sgrechiodd y bachgen.

''Dan ni'n rhy hwyr!'

# YMOSODIAD

'Na, efallai ein bod mewn pryd!' atebodd Sid. 'Yn gyntaf, byddai'n rhaid iddyn nhw saethu Greta gyda dart a'i rhoi i gysgu, cyn i Aflan roi chwistrelliad marwol iddi!'

Edrychodd Eric i lawr trwy ffenest y wagen. Gwelodd Miss Aflan gyda nodwydd yn ei llaw. Roedd hi'n tapio hylif mewn tiwb, cyn gwyro i lawr i wenwyno'r gorila.

Pwysodd Eric trwy'r ffenest. 'STOPIWCH!'

Edrychodd y tri ar y ddaear i fyny. Fe gawson nhw sioc o weld wagen wedi ei chlymu i falŵn yn hongian uwch eu pennau. Yn ddi-oed, penderfynodd Crinc weithredu.

'AWYREN Y GELYN UWCH EIN PENNAU, SYR!' gwaeddodd. 'MAE HI AR FIN YMOSOD!'

Heb wastraffu'r un eiliad, cododd ei reiffl i'r awyr a saethodd.

## BANG! BANG! BANG!

Aeth y bwledi'n syth trwy'r wagen, gan chwalu'r ffenest flaen yn deilchion.

**GYRBIBION!**

'Crinc!' meddai Sid, yn flin fel cacwn. 'Gwell i ni fynd i lawr, nawr!'

Gosododd y ddau y silindrau ar ongl a throi'r aer ymlaen.

**WHYSH!**

Disgynnodd y wagen yn gyflym.

**BANG! BANG! BANG!**

Clywyd mwy o sŵn tanio, gan godi ofn ar weddill anifeiliaid y sw.

**HWW!** CHWYRNU! SNWFFIAN! **GRRR!** WHYP!

**WHYP!**

Roedd y sŵn fel tân gwyllt.

'Alla i ddim cfedu'r peth!' tagodd Rwdlyn.

'Sidi Fees-Foberts ydy o, a'r dam cfwt 'na!'

'**GRRRR!**' chwyrnodd Aflan.

'Gadewch i mi saethu'r gorila, syr!'

'Cef mlaen, Cfinc!'

'**GRRRR!**' Doedd Aflan ddim yn ddynes hapus iawn.

Cododd Clinc glicied ei wn.

CLIC!

'MWY O AER!' meddai'r bachgen.

Trodd y ddau arwr y silindrau ymlaen i'r eithaf.

WHYSH!

Roedd y wagen yn dod i lawr ar wib. Trawodd yn erbyn to'r caets ...

CLYNC!

... gan achosi iddo droi drosodd.

'NAAA!' gwaeddodd Rwdlyn, wrth i ben y caets daro'r tri ar eu pennau.

DOINC!

211

# DOINC! DOINC!

## 'AWTSH!'

'WFF!'

# 'AWWWW!'

Cnociwyd y tri dihiryn i'r llawr.

## DWFF! DWFF! DWFF!

Yn anymwybodol.

Agorodd y bachgen ei ddrws a neidiodd allan. Cadwodd Sid y wagen i hofran ychydig droedfeddi o'r ddaear. Camodd Eric dros Rwdlyn, Crinc ac Aflan.

'Ddrwg iawn gen i am hynna, gyfeillion!' meddai, cyn mynd at ei ffrind.

Gorweddai Greta yn llonydd ar lawr a'i llygaid ar gau.

'Sut mae'r hen hogan?' galwodd Sid o'r wagen.

'Cysgu dwi'n meddwl ... ond dwi ddim yn siŵr,' atebodd Eric, cyn troi ei sylw at y gorila.

## 'GRETA! GRETA! GRETA! DEFFRA!'

meddai, gan ei hysgwyd.

Ond doedd dim arwydd ei bod yn fyw.

Penliniodd y bachgen a chofleidiodd y gorila yn dynn. 'O, Greta, deffra! 'Dan ni wedi dod yma i d'achub!'

Daliodd Eric ei afael yn y bwystfil mawr blewog, a'i siglo'n araf.

Teimlodd rywbeth yn ei brocio'n ei ochr. Fel y proffwydodd Sid, dart oedd o – yr un a'i gyrrodd i gysgu, cyn iddi fynd i gysgu am byth – ac roedd o'n ei chefn. Gafaelodd y bachgen yn y dart a'i blwcio allan.

## PLWC!

Mae'n debyg bod y sioc o gael tynnu'r dart o'i chorff wedi deffro Greta, oherwydd agorodd ei llygaid yn fawr.

'GRETA!' meddai Eric.

'HIII!' meddai'r gorila cysglyd, braidd yn aneglur, cyn tynnu'r bachgen tuag ati i gael cwtsh.

'Ti'n fyw!

Ti'n fyw!

Ti'n fyw!'

'Dwi'n deall bod angen cwtsh arni,' gwaeddodd Sid o'i wagen. 'Ond ga i dy atgoffa di ein bod ni yma **i'w hachub!**'

'Dwi'n gwybod! Dwi'n gwybod! Dwi'n gwybod!' galwodd Eric. 'Ond dwi'n ei **charu** hi gymaint!'

'Beth am ei rhoi yn y wagen cyn i'r tri acw ddeffro?'

'Dwi'n addo y cei di fwy o gwtshys nes ymlaen, Greta! Dwi'n addo!' meddai Eric, cyn rhyddhau ei hun o'i gafael a chodi ar ei draed. Pwysodd i lawr, gafaelodd yn ei llaw cyn ceisio'i chodi ar ei thraed.

'**HYY!**' meddai'r bachgen, yn tuchan dan straen, ond ni symudodd y gorila yr un fodfedd oddi ar y ddaear. Yn hytrach, agorodd ei cheg yn fawr, yn gysglyd.

## '**III – HYYY!**'

'Wncwl Sid!' galwodd Eric. '**Alla i ddim ei chodi!**'

'Clyma hon o gwmpas ei ffêr!' meddai Sid, gan daflu'r rhaff y daethon nhw o hyd iddi yn y bomar.

Gyda'r cwlwm gorau, clymodd Eric y rhaff o gwmpas ffêr Greta, a oedd yn malio dim am y peth. Yna, dringodd y bachgen yn ôl ar y wagen, a oedd yn dal i hofran wrth ei ymyl, yr un uchder â'i ben.

Gyda phwysau ychwanegol y gorila, roedd y wagen angen chwythiadau enfawr o aer o'r silindrau er mwyn iddi allu codi.

## WHYYYYSH!

Wrth i Greta gael ei chodi i'r awyr, llithrodd ei chorff mawr, trwm ar draws y tri oedd yn gorwedd ar y llawr. Fesul un, deffrodd y tri.

## 'BETH IYFFACH SYDD YN MYND YMLAEN?' meddai Rwdlyn.

'MAE PEN TOST 'DA FI!' ychwanegodd Crinc.

**'GRRRR!'** chwyrnodd Aflan.

Crinc oedd y cyntaf i godi'n araf ar ei draed.

'MAEN NHW'N DWGYD EICH GORILA CHI, SYR!'

'STOPIWCH NHW!' gorchmynnodd Rwdlyn.

**'GRRRRRRRRRRRRR!'**

Wrth i Greta gael ei hysgubo i'r awyr, yn hongian o raff, llwyddodd Crinc i afael mraich y gorila.

## 'WY WEDI DY DDALA DI!'

Wrth iddo gael ei godi i'r awyr, cydiodd Rwdlyn yn ffêr Crinc.

'ALLA I DDIM GADAEL I CHI'CH DOU DDWGYD FY NGOFILA!'

Yn ei thro, cydiodd Aflan yn ffêr Rwdlyn.

**'GRRRRRR!'** chwyrnodd, gyda'r nodwydd yn dal i fod yn ei llaw.

Gyda'i gilydd, cododd y tri i fyny i'r awyr.

### PENNOD 28

# YNG NGHANOL Y CACA

Gyda phwysau tri o bobl eraill yn tynnu'r wagen tua'r ddaear, bu rhaid chwythu mwy o aer o'r silindrau.

**WHYSH!**

'STOPIWCH Y BALŴN!' gwaeddodd Crinc.

'WY MOYN FY NGOFILA YN ÔL!' gwaeddodd Rwdlyn, yn hongian oddi tano.

'**GRRRRRR!**' chwyrnodd Aflan, ar waelod y triawd.

Yn y wagen, trodd Eric at Sid, gyda golwg ofidus ar ei wyneb. 'O, na! Doedd hyn ddim i fod i ddigwydd! Be 'dan ni am wneud nawr?'

Oedodd yr hen ŵr. 'Bydd rhaid i ni gael gwared ohonyn nhw rywsut ... yn rhywle!'

'Dwi'n gwybod am yr union le!' meddai Eric, gan edrych ar y map. 'Syth ymlaen!'

'I ble?'

'Gewch chi weld!'

Gan gofio'r antur a brofodd y noson cynt, pwysodd y bachgen allan o'r wagen a throi'r silindr ocsigen fel eu bod yn mynd i'r cyfeiriad iawn.

Hedfanodd y wagen dros y llewod. Ceisiodd un ohonyn nhw frathu pen-ôl Aflan gyda'i ddannedd miniog.

# 'GRRRRRR!'

**'GRRRRRRR!'** chwyrnodd Aflan.

Roedd y pwll pengwiniaid yn syth o'u blaenau.

Gwenodd Sid. Nawr roedd o'n deall bwriad y bachgen. Ar yr uchder cywir, llywiodd y wagen yn syth tuag at y pwll.

Bu bron i'r gorila daro brig coeden, cyn i Crinc fynd ar ei ben i'w changen.

## 'AWTSH!'

O achos y gwrthdrawiad nerthol, gollyngodd fraich y gorila.

'NAAAA!' gwaeddodd Crinc, wrth iddo fo, Rwdlyn ac Aflan ddisgyn i'r ddaear.

# whYSH!

## 'AAA!'

'WWWW!'

**'GRRRRRRRRRRRRRRR!'**

Glaniodd y tri yn y pwll pengwiniaid gyda thair sblash fythgofiadwy, rhai digon cryf i greu swnami.

**SBLASH!!**   **SBLASH!!!**

'GWAWCH! GWAWCH! GWAWCH!' gwawchiodd y pengwiniaid, yn amlwg wedi eu cyffroi wrth weld nid un, ond tri, ffrind newydd.

Edrychodd Sid ac Eric ar yr olygfa trwy'r ffenest.

'HA! HA!'

'GAD FI FOD!' gwaeddodd Rwdlyn, wrth iddo symud i fyny ac i lawr yn y dŵr. 'NEU FYDDI DI DDIM YN CAEL PYSGOD FOFY!'

'MAE FY REIFFL I'N WLYB!'

**'GRRRRRRRRRRRRRRRR!'**

Wrth i'r wagen hedfan o'r sw, daeth cwmwl o ofid dros wyneb Sid. Trawyd gan ddifrifoldeb yr hyn oedd newydd ddigwydd.

'Sna'm camu'n ôl o hyn!' meddai.

'Dwi'n credu ein bod ni **yng nghanol y caca!**' cytunodd y bachgen.

# DAL PYSGOD

Roedd Greta wrth ei bodd yn siglo ar y rhaff. Wedi deffro'n iawn, gwthiodd ei hun yn ôl ac ymlaen, a theimlo fel ei bod yn hedfan trwy'r awyr.

'WIIIIII!' gwaeddodd.

'Ydy Greta'n iawn?' gofynnodd Sid, yn ofidus.

Edrychodd Eric trwy ffenest y wagen. 'Dwi erioed wedi ei gweld hi'n hapusach!'

'**Ha! Ha!** Mae'n gas gen i ddifetha ei hwyl, ond rwy'n credu y bydd rhaid i ni ei thynnu i mewn i'r wagen.'

Gyda'u holl nerth braich, haliodd y ddau ar y rhaff, ac agor drws ochr y teithiwr. Fel dau bysgotwr yn codi rhwyd o bysgod, tynnwyd Greta i'r wagen a'i glanio ar ben Eric.

'**WFF!** Mae hi mor drwm â phlwm!'

Wrth eistedd ar ei lin, rhoddodd y gorila ei breichiau o amgylch y bachgen, a rhoi cusan fawr iddo ar ei foch.

'*MWWWWA!*'

'Ara' deg, Greta!' protestiodd y bachgen, dan wenu.

'Ti newydd achub *Olwen! Mae ganddi hawl i gusanu ei *Chulhwch! Nawr, tyrd, fy ngeneth i, symud dy ben ôl mawr!'

Gyda chymorth Sid, rhoddwyd Greta i eistedd rhwng y ddau cyn i Eric ddatod y rhaff o'i ffêr. Yn y cyfamser, daeth y gorila o hyd i helmed sbâr a phâr o gogls. Rhag iddi edrych yn wahanol, gwisgodd Greta yr helmed a'r gogls. Nawr, edrychai hithau hefyd fel peilot go iawn.

Wel, un mawr, blewog!

'**NI WEDI LLWYDDO!**' meddai'r bachgen.

---

*Mae hen stori garu Culhwch ac Olwen i'w gweld yn Llyfr Coch Hergest, a ysgrifennwyd tua'r flwyddyn 1400. Ni fyddai gan Eric unrhyw glem am bwy oedd Sid yn sôn!

'Do, ni wedi llwyddo!' cytunodd Sid.

Rhoddodd y ddau gwtsh i'r gorila, wrth i'r wagen hedfan uwchben Parc Regent.

'Sut wyt ti'n teimlo erbyn hyn, 'ngeneth i?' gofynnodd Sid.

Tynnodd y gorila ei thafod allan a gwneud sŵn y rhech hiraf a'r fwyaf swnllyd erioed.

'Mae hi'n teimlo'n well nag erioed!' chwarddodd Eric. 'Ha! Ha!'

Ond daeth y chwerthin i ben pan glywson nhw synau ffrwydron o'u cwmpas.

# BWM! BWM! BWM!

Saethwyd atyn nhw o'r ddaear gan y gynnau gwrthawyrennol.

'Mae'n rhaid eu bod nhw'n meddwl mai awyren y Natsïaid ydan i!' meddai Sid.

# 'NAAAA!'

gwaeddodd y bachgen.

# PENNOD | 30 |

## CREMPOG FLEWOG

nadodd y seiren cyrch awyr.

**BWM! BWM! BWM!**

Taniodd ffrwydron o'u hamgylch ym mhobman gan ysgwyd y wagen fel pe bai hi ar ffigyr-êt yn ffair Pwllheli.

'WAAAAA!' sgrechiodd y gorila, mewn ofn.

Yn y caban, dechreuodd chwifio'i breichiau a chicio'i choesau yn wyllt.

'GRETA! NA!' gwaeddodd Eric, yn ceisio'i hymdawelu. Ond roedd hi'n amlwg bod y ffrwydron yn peri cymaint o ofn iddi hi ag iddo ef.

'FYNY! FYNY! FYNY!' gorchmynnodd Sid, wrth i'r ddau beilot yrru'r wagen yn uwch ac yn uwch i'r awyr.

Ond parhaodd y ffrwydron i danio o'u cwmpas.

**BWM! BWM! BWM!**

Yn sydyn, teimlodd y tri wres tanbaid. Edrychodd Sid

allan trwy'r ffenest ar y balŵn amddiffyn uwch ei ben. Rhaid bod un o'r ffrwydron wedi tanio'n agos atyn nhw, achos roedd fflamau i'w gweld ar ochr y balŵn.

# WHYYYYFF!

'Beth newn ni nawr?' gofynnodd y bachgen, â'i ddwylo wedi eu lapio o amgylch Greta, a rhai Greta o'i gwmpas o.

'Mae'r balŵn yn mynd i ffrwydro unrhyw funud!'

'O, na!'

'Mae hyn yn argyfwng. Bydd rhaid i ni lanio ar frys!'

Yna, clywyd rhuo uchel peiriannau **uwch eu pennau.**

## RHUUUUO!

Edrychodd Eric y tu allan i'r wagen.

Roedd yr awyr uwch eu pennau fel jig-so, wedi ei rhannu'n gannoedd o awyrennau yn hedfan mewn trefn. Ar eu hadenydd cefn, gwelwyd nifer o swasticas. Roedd Sid, Eric a Greta wedi hedfan i mewn i ganol un o'r cyrchoedd bomio mwyaf y rhyfel hyd yn hyn.

'Ydw i'n breuddwydio?'

'Nac wyt, gwaetha'r modd!' meddai Sid.

Dechreuodd awyrennau'r Natsïaid danio'u gynnau a cheisio saethu'r balŵn amddiffyn yn rhacs er mwyn creu llwybr clir i'r awyrennau bomio.

**RAT-TAT-TAT!**

Bellach, ymosodwyd ar y tri nid yn unig o'r ddaear ond hefyd o'r awyr.

**BANG!** BANG! **BANG!**

**RAT-TAT-TAT!**

# BWM! BWM! BWM!

Ymhen dim, saethwyd y balŵn!

A ffrwydrodd!

# CABWM!

Ffrwydrodd fel pelen dân yn yr awyr, gan greu gwres tanbaid a fflach o olau llachar. Disgynnodd y wagen yn gyflym i gyfeiriad y ddaear.

# WHYSH!

'Mae hi ar ben arnon ni!' gwaeddodd Sid, heb ollwng y llyw wrth iddyn nhw blymio i'r ddaear.

'Na, tydi cynllun **BANANAS!** ddim ar ben eto!' atebodd y bachgen. 'Mae gennym barasiwtiau!'

Aeth Eric i gefn y wagen ac estyn tri phecyn cefn, rhai oedd wedi eu cymryd o'r awyren Natsïaidd a saethwyd i lawr.

'Wyt ti wedi parsiwtio o'r blaen?' gofynnodd Sid.

Ysgydwodd y bachgen ei ben. Ac yn ôl y disgwyl, ysgydwodd Greta ei phen hefyd. Wel, nid pob dydd mae rhywun yn gweld gorila yn parasiwtio!

'Na finna!' meddai'r hen ŵr.

'Ond dwi wedi eu gweld nhw'n parasiwtio mewn ffilmiau yn y pictiwrs ar fore Sadwrn!' meddai'r bachgen, gan glymu pecyn cefn ar Greta, ac un arall ar ei gefn ei hun.

'Yr unig beth dach chi'n gorfod wneud yw tynnu'r cortyn hwn!' meddai, gan bwyntio at gortyn yn hongian o'r pecyn cefn.

Wrth i'r ddaear nesáu tuag atyn nhw, agorodd Eric ddrws yr wagen. Daeth chwa cryf o wynt i mewn.

'Rhaid i ni fynd nawr!' crefodd arnyn nhw.

Gan mai gorila oedd hi, doedd gan Greta fawr o awydd neidio. Iddi hi, roedd y tu allan i'r wagen yn edrych yn fwy peryglus na'r tu mewn!

Gafaelodd yn dynn yn y sedd gyda'i dwylo anferth.

'GRETA! NEIDIA! NEIDIA! **NEIDIA!**' gwaeddodd y bachgen.

Ond gwasgodd y gorila fel cranc yn y sedd.

Doedd gan y bachgen ddim dewis! Byddai'n rhaid iddo ei gwthio allan o'r caban!

'Mae'n ddrwg gen i, Greta, ond does gen i ddim dewis!'

Heb ystyried y mater ymhellach, gwthiodd y gorila allan trwy'r drws.

'HW! HW!' meddai, wrth iddi ollwng ei gafael a syrthio allan trwy'r drws.

Disgynnodd y gorila yn gyflym i gyfeiriad y ddaear.

'Y cortyn!' gwaeddodd y bachgen, gan gofio un neges allweddol. 'Fydd hi ddim yn gwbod sut i dynnu'r cortyn!'

Heb oedi eiliad yn fwy, neidiodd Eric allan o'r wagen yn bendramwnwgl, gan hedfan trwy'r awyr mor gyflym ag y gallai.

Uwch ei ben, neidiodd Sid allan a phlyciodd ei gortyn.

P·L·W·C!

# WHYYYSH!

Agorodd y parasiwt, a
dechreuodd ddisgyn yn araf
i'r ddaear.

Oddi tano, gallai Eric weld
Greta gyda'i breichiau led y pen,
ac yn eu chwifio fel aderyn.

**FFLAP!** **FFLAP!**

Does dim angen dweud bod hynny ddim yn gwella'r sefyllfa. Os na fyddai Eric yn cyrraedd Greta yn yr eiliadau nesaf, byddai'r gorila yn ddim mwy na CHREMPOG FLEWOG ar y ddaear.

Er mwyn hedfan trwy'r awyr yn gynt, cadwodd Eric ei freichiau'n dynn i'w gorff, a syrthiodd i'r ddaear yn gynt na'r gorila.

## WHYYYYYSH!

Mewn eiliadau, roedd wedi dal i fyny â hi.

Pan welodd ei ffrind yn hedfan heibio, gafaelodd Greta ynddo.

'HWW!' meddai, gydag ofn yn ei hwyneb. Cydiodd mor dynn yn Eric nes ei fod o'n methu symud ei freichiau.

'GRETA!' gwaeddodd. 'Mae'n rhaid i mi dynnu cortyn dy barasiwt!'

Edrychodd i lawr. Os na fyddai'n tynnu'r cortyn yr eiliad honno, byddai'r ddau ohonyn nhw yn grempogau, BLEWOG neu beidio.

Yna cafodd syniad. Roedd y cortyn ar barasiwt Greta'n chwifio yn ei wyneb. Ymestynnodd Eric ei wddf a brathu'r cortyn, cyn plycio'i ben yn ôl.

PLWC!

## WHYYYYYSH!

Agorodd y parasiwt a gwenodd Greta fel selsigen wedi ei hollti.

'WHIII!' meddai, wrth iddi hedfan yn hamddenol i'r ddaear.

Edrychodd Eric oddi tano. Erbyn hyn, roedd y ddaear yn beryglus o agos.

Yng nghanol yr holl gyffro, anghofiodd dynnu ei gortyn ei hun.

Plyciodd y cortyn ...

*PLWC!*

... ond trychineb y TRYCHINEBAU, daeth y cortyn yn rhydd yn ei law.

SNAP!

'NAAAAAAAAAAAAAAAAAAAAAAAAAAAAAAA!' sgrechiodd Eric.

PENNOD |31|

# Y DIWEDD?

Dwi'n gwybod am beth dach chi'n ei feddwl: does fiw i Eric farw'n gynnar achos dim ond hanner y llyfr dach chi wedi ei ddarllen. Mae llawer mwy o dudalennau ar ôl! Os bydd y bachgen yn trengi, bydd y stori ar ben!

Ac, wrth gwrs, dach chi'n hollol iawn.

Dyw Eric ddim yn barod i fynd i'w fedd.

Efallai ei fod wedi disgyn i'r ddaear heb barasiwt, ond fo yw arwr y llyfr, ac felly mae'n rhaid iddo aros ar dir y byw.

Am nawr.

Ond sut?

## SBLASH!

Glaniodd Eric yn y Serpentine, y llyn anferth ym Mharc Hyde.

'AW!' gwaeddodd y bachgen wrth iddo daro wyneb y dŵr gyda

## *THWAC!*

Teimlodd fe pe bai pob modfedd o'i gorff yn cael ei ddyrnu gan *Joe Calzaghe. Yna plymiodd yn ddwfn i'r dŵr, a oedd mor ddu â brân mewn **pwll glo.**

**BLYB! BLYB! BLYB!**

O'r diwedd, wrth i'w gorff daro'r dŵr, agorodd y parasiwt ar ei gefn. Nawr, yn hytrach nag achub ei fywyd, mae'r parasiwt yn debygol iawn o'i ladd! Roedd pwysau'r parasiwt sidan, yn glymau yn y dŵr, yn ei dynnu i

lawr,
lawr,
lawr

i ddyfnderoedd **duon** y llyn.

*Wedi ei fagu ger Caerffili, Joe Calzaghe oedd pencampwr bocsio'r byd. Cyfeiriwyd ato fel 'Balchder Cymru'. Yn ystod ei yrfa, ni chollodd yr un ornest.

Gan ymladd am ei fywyd, rhwygodd Eric ei hun yn glir o'r parasiwt. A chan wthio'i draed yn erbyn gwaelod y llyn, nofiodd i fyny i wyneb y dŵr.

'AAAA!!!' meddai Eric, allan o wynt yn llwyr. Ni fu erioed yn fwy balch o allu anadlu. Roedd o'n **fyw!**

Ond mis Rhagfyr oedd hi – a'r dŵr mor oer â chaead arch. Os na allai Eric ddod allan o'r llyn, byddai'r oerni yn ei ladd. Os na fyddai'r elyrch, wrth gwrs, yn ei bigo i farwolaeth.

## 'PIGO! PIGO!'

Dyna wnaeth yr adar arswydus, gan ymosod ar y tresbaswr gyda'u pigau.

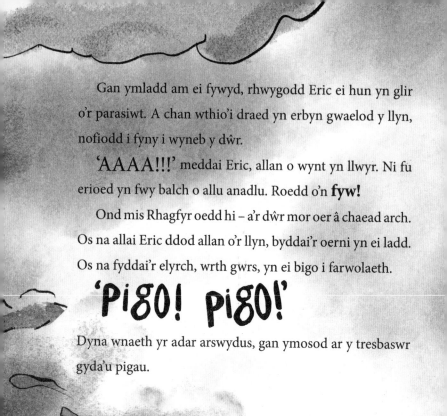

'CEWCH O'MA!' gwaeddodd, gan eu sblashio gyda dŵr. Ciliodd yr elyrch, gan roi eiliad o ryddhad i'r bachgen. Wrth sychu'r dŵr o'i lygaid, sylwodd ar y wagen yn hyrddio tuag ato, a balŵn ar dân yn ei dilyn.

## WHYSH!

Os na fyddai Eric yn symud o'i ffordd, byddai'r wagen yn ei falu'n dipiau mân.

Gyda'i holl nerth, nofiodd y bachgen fel pysgodyn gwyllt trwy'r dŵr ...

## ... SBLASH! SBLASH!

... wrth i'r wagen blymio i ganol y llyn, a'i osgoi o fodfedd!

Wrth i'r cerbyd a'r balŵn suddo, edrychodd y bachgen i fyny. Roedd brwydr enfawr yn yr awyr gyda'r Luftwaffe yn gollwng eu bomiau ar hyd a lled Llundain.

Roedd awyrennau'r Natsïaid yn eu harbed rhag Spitfires Prydain, a oedd yn ceisio saethu'r awyrennau bomio i lawr.

**RAT-TAT-TAT!**

Yn y cyfamser, taniwyd nifer o ffrwydron o'r ddaear.

# BANG! BANG! BANG!

Gollyngwyd bomiau ar y ddaear, a saethwyd awyrennau. Daethon nhw i lawr i'r ddaear fel tân gwyllt.

Yng nghanol yr hunllef, gwelodd Eric ddau gylch gwyn yn yr awyr.

PARASIWTIAU!

Roedd Sid a Greta yn **fyw!**

Nofiodd Eric i lan y llyn gan sblasho'r elyrch ac, erbyn hyn, yr hwyaid a oedd hefyd yn benderfynol o ymosod arno ...

'C<small>WAC</small>! CWAC! C<small>WAC</small>!'

... a gwelodd Greta'n glanio ar y glaswellt o'i flaen.

**'GRETA!'** gwaeddodd, ond doedd y gorila ddim yn gallu ei glywed o achos synau byddarol y ffrwydron o'u cwmpas.

Gyda'r parasiwt yn chwifio y tu ôl iddi, roedd hi'n bur amlwg bod y gorila wedi mwynhau'r profiad o hedfan, wrth iddi neidio'n gyffrous, i fyny ac i lawr, yn ei hunfan. Roedd hi fel pe bai'n ceisio gwthio'i hun yn ôl i fyny i'r awyr.

**'WHYP! WHYP!'** meddai, gan redeg ar draws y parc, yn ceisio llenwi'r parasiwt ag aer er mwyn ei chodi ei hun oddi ar y ddaear.

Yn y cyfamser, glaniodd Sid, yn anffodus iawn, ar ben coeden dal.

**'WFF!'** cwynodd. 'Mae brigyn wedi mynd i fyny fy **mhen ôl!'**

Bron â fferru, ac yn wlyb fel deilen, llusgodd Eric ei gorff o'r llyn a rhuthrodd i gyfeiriad y goeden.

'HELP!' gwaeddodd Sid. 'Os disgynna i, mi dorra i fy nwy goes!'

Am ennyd, oedodd y bachgen ar waelod y goeden.

'Mae'n gas gen i orfod dweud hyn wrthoch chi, ond coesau tun yw'r rheina!'

'O, ia, anghofiais i!' atebodd yr hen ŵr.

'Ond mae'n bosib iddyn nhw gael eu plygu!'

'Allwch chi ddringo i lawr?' gwaeddodd y bachgen.

'Byddai'n well pe baet ti'n gallu dringo i fyny,' gwaeddodd yr hen ŵr.

'Well i mi helpu Greta gyntaf!'

'O, felly mae deall hi! Dwi'n ail nawr i epa!'

**'Dwi ddim eisiau iddi redeg i ffwrdd!'**

'Ia, ia! Dos di i helpu Greta druan! Paid ti â phoeni yr un botwm corn am dy Wncwl Sid bach!' meddai'n sarhaus a hunandosturiol.

Ysgydwodd y bachgen ei ben, cyn rhedeg i gyfeiriad y gorila. Tynnodd sylw elyrch y Serpentine, a oedd wedi ei amgylchynu ac yn hisian yn fygythiol. *'HISSSS!'*

Ar y cychwyn, roedd Greta'n chwareus, ond pan roddodd un o'r elyrch bigiad iddi ar ei thin ...

## PIGIAD! PIGIAD! PIGIAD!

... doedd y gorila ddim yn hapus. Trodd yr epa anferth a chwyrnu ar yr aderyn, gan ddangos ei **DANNEDD.**

# 'HHHHIIIIISSSSS!'

Gwasgarodd yr elyrch yn syth. 'Greta!' meddai Eric, gan daflu ei freichiau o'i chwmpas. 'Diolch i'r drefn dy fod di'n fyw!'

Roedd y gorila yn amlwg yn falch o'i weld, wrth iddi blannu cusan wlyb arall ar ei foch.

'MWWWWA!'

'HA! HA!' chwarddodd y bachgen, wrth i'r ffwr gosi ei wyneb. 'Iawn! Iawn! Dwi'n gwybod beth ti'n trio'i ddweud wrtha i! Ti'n falch o fy ngweld, a dwi'n falch o dy weld di! Ond rhaid i ni achub Wncwl Sid! Wel, dim ond 'Sid' i ti!'

Cymerodd Eric becyn y parasiwt oddi ar ei ffrind. Yna, gafaelodd yn ei llaw a'i harwain at y goeden lle'r oedd Sid yn sownd.

Ffrwydrodd bomiau ar draws Llundain, a gallai Eric deimlo'r anifail yn gafael yn dynnach yn ei law gyda phob

# BWWWWWM!

'Edrycha i ar d'ôl di!' cysurodd y bachgen, wrth i'r brwydro gynddeiriogi uwch eu pennau.

'Tyrd yn dy flaen!' gwaeddodd Sid, o ben y goeden.

'Daliwch eich dŵr!' meddai Eric. 'Dwi'n dod i'ch hachub! Aros di yn fan'ma,' meddai wrth Greta, cyn dechrau dringo i fyny'r goeden.

Wrth reswm, doedd Eric ddim yn gallu siarad Gorila-eg, a doedd y gorila ddim yn gallu siarad Cymraeg.

Dechreuodd Greta ddringo i fyny'r goeden hefyd. A chan mai epa oedd hi, roedd hi'n dda iawn am ddringo, a chyrhaeddodd ben y goeden mewn chwinciad. Er nad oedd hi'n gallu siarad unrhyw iaith (heblaw Gorila-eg, ychydig o Epa-eg a gair neu ddau o Fwnci-eg) pwyntiodd at ei chefn.

'Be mae hi'n dreio'i ddweud?' gofynnodd Sid.

'Credu ei bod hi eisiau i chi neidio ar ei chefn hi,' dyfalodd y bachgen.

Neidiodd yr hen ŵr ar gefn y gorila, ac roedd y ddau ar y

ddaear cyn i rywun ddweud 'Nicars Nain.'

'Wel, mae tro cyntaf i bopeth!' meddai Sid, yn dal i eistedd ar ei chefn. 'Dydw i erioed wedi teithio ar gefn gorila o'r blaen. Sgwn i os wneith hi 'nghario i'r holl ffordd adref?'

Ar hynny, ysgydwodd Greta ei phen a llithrodd yr hen ŵr i'r llawr.

'"Na" yw'r ateb i hynna!' meddai Eric.

Cydiodd y bachgen yn nwylo Sid a Greta.

'Wyt ti wedi bod yn nofio eto?' gofynnodd Sid, gan deimlo llaw wlyb Eric.

'Rhywbeth tebyg i hynny,' atebodd y bachgen. 'Nawr, dewch, beth am ei heglu hi am adref. Dwi bron â ff-ff-fferru!'

Pan sylwodd y gorila fod Eric yn crynu fel deilen, rhoddodd ei braich o'i gwmpas i'w gadw'n gynnes.

'Diolch, Greta.'

Nodiodd a gwenodd yr epa, a chychwynnodd y tri ar y siwrne hir am adref.

Gweddïodd Eric na fyddai neb yn eu stopio a'u holi. Sut allen nhw egluro bod un o'r tri ohonyn nhw yn epa anferth?

PENNOD | 32 |

# WYNEB SURBWCH

Ffrwydrodd bomiau o amgylch y tri wrth iddyn nhw redeg ar hyd strydoedd Llundain.

# CABWWWM!

Hyrddiwyd llwch a sbwriel i'r awyr. Goleuwyd y ddinas gan y tanau melyngoch a gafodd eu cynnau gan y bomiau. Roedd y cartrefi, y siopau, a'r tafarndai i gyd yn wenfflam, gyda'r diffoddwyr tân a'r bobl leol yn ceisio eu diffodd. Llifai mwg du i'r awyr.

Ar noson fel hon, mae'n rhaid bod Llundain yn edrych yn lle od iawn i Greta. Rhoddodd **GWTSH** i Eric, a chafodd **GWTSH** yn ôl gan y bachgen. Cadwodd y tri yn agos i'r adeiladau, yn y cysgodion, o olwg pawb.

'Bron yna!' sibrydodd Sid, ar gornel y stryd lle'r oedd o'n byw.

'SEFWCH BLE'R Y'CH CHI!' meddai llais o'r tu ôl iddyn nhw.

Rhewodd y tri mewn braw.

Trodd Eric i weld pwy oedd yno.

Warden cyrch awyr oedd hi, yn gwisgo het a ymdebygai i bowlen ffrwythau â'i phen i lawr. Doedd rhoi bys yng ngheg y warden ddim yn beth doeth iawn i'w wneud. Roedd ganddi wyneb surbwch, fel pe bai rhywun wedi dwyn ei huwd. Ar y bathodyn swyddogol-yr-olwg ar ei bron, ysgrifennwyd yr enw SIONED SALW.

'Beth y'ch chi'ch tri yn wneud mas ar y strydoedd ar ôl blacowt? Mae'n rhaid eich bod chi wedi clywed y seiren. Chi fod yn y lloches fomio. So ni wedi gweud bod hi'n ddiogel i bobl gerdded ymboutu.'

Gan fod y tri yn fud, rhoddodd ei thortsh ymlaen er mwyn eu harchwilio'n well.

'Bachgen, hen ŵr a ....

# gorila!

Beth chi'n wneud gyda gorila?'

Ciledrychodd Eric a Sid ar ei gilydd.

'Wel?' mynnodd Sioned Salw.

'Nid gorila go iawn ydy o, Mrs Salw,' meddai Eric yn gelwyddog, gan ddarllen ei chyfenw ar ei bathodyn.

'Miss Salw!' cywirodd hithau. 'Wel, mae e'n dishgwl fel gorila i fi!'

'Rhywun wedi ei wisgo fel gorila ydy o,' meddai'r bachgen. 'Rydan ni ar ein ffordd o **barti gwisg ffansi!** Dwi wedi fy ngwisgo fel bachgen bach, gwlyb, a ... yyy...'

'A finnau fel gofalwr sw!' ychwanegodd Sid.

Camodd y warden yn nes er mwyn cael golwg agosach. Fflachiodd golau'r tortsh yn wyneb Greta, gan achosi iddi smicio llygad.

'Mae hi'n siwt gorila **arbennig** o dda!' meddai Sioned.

'O, mae hi'n fodlon talu ffortiwn am siwt gorila!' meddai'r bachgen, a'i drwyn mor hir â phig gylfinir. 'Dim ond y gorau bob tro!'

'Pwy sydd yn folon talu ffortiwn? Mmm? Gwedwch wrtho i, pwy yn **gwmws** sydd dan y mwgwd?'

Camodd yn nes at wyneb y gorila a syllodd i'w llygaid.

'*PFFFT!*'

Daeth sŵn rhech o geg y gorila a gorchuddiwyd wyneb y warden gan boer.

# YCH-A-FI!

'Mae hi'n gwneud hynna weithiau,' meddai Eric. 'Fy modryb yw hi ... yyy... Modryb Dewi!'

'Dewi?!' meddai'r warden, yn wawdlyd. 'Enw da i sant ond enw anghyffredin iawn i fenyw!'

'Mae hi'n fodryb anghyffredin iawn!'

'Wel, os nad oes ots gennych, Mrs ... ddrwg gen i, Miss Salw,' dechreuodd Sid, gydag arlliw o bryder yn ei lais, 'mae'n well i ni fynd adref. Mae fy nhŷ i yn fan'cw,' meddai, gan bwyntio. 'Ac mae awyrennau bomio'r Natsïaidd o gwmpas o hyd, felly mae'n rhaid bod yn ofalus.'

Ar hynny, arweiniodd Sid y ddau arall ar draws y ffordd i gyfeiriad ei dŷ.

'SEFWCH BLE'R Y'CH CHI!' meddai'r llais unwaith eto, dan gyfarth.

Rhewodd y tri fel delwau ar ganol y ffordd.

'Mae dy Fodryb Dewi yn cerdded yn gwmws fel mwnci hefyd!'

'Yn dechnegol, nid mwncïod yw gorilas – epaod ydyn nhw,' cywirodd Eric, yn mynnu cael ffeithiau'n gywir. 'Ond, ydy, mae hi'n hoff iawn o gadw cymeriad pan mae hi'n mynd i bartïon gwisg ffansi! Hwyl i chi!'

Brasgamodd y warden at y tri. 'SO CHI'N MYND I UNMAN NES BO' FI WEDI GWELD PWY SYDD YN Y SIWT GORILA!'

Gosododd ei llaw ar ben yr anifail, ond yn ôl ei hymateb, doedd Greta ddim yn rhy hoff o'r cyffyrddiad.

'Be dach chi'n wneud?' gofynnodd Eric.

'Wy'n mynd i dynnu'r mwgwd!' meddai Ms Salw, gan dynnu'r blew ar ben y gorila.

'Swn i ddim yn gwneud hynna pe bawn i'n chi!' meddai Sid.

'Pam?'

'Mae Modryb Dewi yn hoffi cadw mewn cymeriad trwy gydol yr amser!' eglurodd y bachgen.

'Glywes i erioed shwt ddwli!' meddai Sioned Salw. A phlyciodd wallt y gorila.

'AAAHWWI!' sgrechiodd Greta, mewn poen.

'STOPIWCH!' erfyniodd Eric..

'Mae'r mwgwd yn gwrthod dod bant!' meddai'r warden, gan dynnu'n galetach ar flew yr anifail.

'AAAHWW!'

'Stopiwch!' erfyniodd Eric am yr eildro.

'Pam? Beth ddigwyddith i fi?'

# 'AAAHWW!'

'Efallai y bydd Modryb Dewi yn –'

Ond cyn i Eric allu egluro, cydiodd y gorila yn y wraig a'i chodi uwch ei phen.

## WHYYYYMFF!

'RHO FI LAWR!' protestiodd y wraig.

'RHO

FI

LAWR!'

# MWNCI MUL

'**Greta! Rho hi lawr! Rho hi lawr!**' plediodd Eric.

Ceisiodd y bachgen ei orau glas i ymresymu â'r gorila. Er ei bod yn gawr addfwyn, roedd hi'n gallu bod yn gawr cas pan oedd hi'n dymuno.

'Greta! Callia!' ychwanegodd Sid.

Gwyrodd Greta ei phen, fel pe bai'n ceisio deall.

'RHO FI LAWR!' gorchmynnodd y wraig.

'I LAWR!' ailadroddodd y bachgen.

Nodiodd y gorila ac edrychodd ar y llawr, fel pe bai'n dweud, 'Dach chi eisiau i mi ei rhoi hi i lawr?'

'Ia. I lawr!' meddai Eric, gan feddwl bod yr anifail yn ei ddeall. 'I LAWR!'

Yna, rhoddodd Greta y wraig wysg ei phen i mewn i'r bin lludw.

Rhaid bod ei helmed wedi taro'n erbyn gwaelod y bin oherwydd cafodd ei chnocio'n anymwybodol.

'O na! Greta ddrwg!' ceryddodd y bachgen.

Cododd y gorila ei hysgwyddau a chilwenodd. Mae'n bur debyg ei bod wedi codi'r wraig yn fwriadol.

'Ydy hi'n iawn?' gofynnodd Eric.

Tynnodd y ddau y wraig o'r bin lludw a'i rhoi i orwedd ar lawr. Yna, gosododd Sid ei glust ar geg y warden a gwrando. 'Mae hi'n dal i anadlu, ond ym myd y tylwyth teg.'

'Allwn ni ddim ei gadael hi ar y ffordd.'

'Na allwn, wrth gwrs hynny. Tyrd! Greta, ti'n ferch ddrwg! Ddrwg iawn!' meddai, gan bwyntio'i fys at yr epa.

Edrychodd Greta yn ôl, fel pe bai'n gofyn, 'Pwy, fi?' Ymateb Greta oedd sniffian yn ddi-hid.

'SNIFF!'

Edrychodd ar ei hadlewyrchiad yn un o ffenesti'r tai, cyn gwastadu'r blew pigog a gafodd ei dynnu mor anghwrtais ar ei phen.

'Nawr, Eric, gafael di ym mreichiau'r warden ac mi afaela i yn ei choesau! Ar ôl tri! Un, dau, tri!'

Codwyd y wraig a'i rhoi i eistedd ar fainc ger yr arhosfan bysys.

'Gall Miss Salw ddod at ei hun yn fan'ma!' meddai Sid.

'Ac, wrth gwrs, mae o'n lle cyfleus iddi ddal bws yn ôl adref yn y bore!'

'Hollol!' cytunodd yr hen ŵr, cyn troi ei sylw at y gorila, a oedd yn ymbincio fel gwraig grand yn ffenest y siop golur. 'Nawr, tyrd yn dy flaen, y mwnci mul!'

Cydiodd y ddau yn nwylo Greta a'i harwain i lawr y lôn wag i gartref Sid. Wrth iddyn nhw gerdded, clywyd yr seiren yn dweud bod y gelyn, am y tro, wedi cilio o'r ddinas.

# wwwW-HWWW!

Er mawr rhyddhad iddyn nhw, roedd cyrch bomio y noson honno drosodd. Ac roedd awyrennau bomio'r Luftwaffe ar eu ffordd yn ôl i'r Almaen.

PENNOD |34|

# GWISGOEDD PINC

Wrth i Eric a Sid gerdded trwy ddrws tŷ teras bach yr hen ŵr, doedd hi ddim yn eglur pwy oedd y mwyaf balch o'u gweld.

Yr anifeiliaid ynteu Besi!

Yn ei gwisg nos binc, ffrili, roedd edmygydd mwyaf Sid wedi bod ar ei thraed trwy'r nos yn disgwyl amdano.

'O, fy **SIDNI BACH!**' gwaeddodd, gan ruthro ar hyd y coridor tuag ato.

Gwthiodd yr anifeiliaid o'i ffordd a hyrddio'i hun ar ei chariad. Wrth iddi lapio'i breichiau o'i gwmpas, roedd ei lygaid yn enfawr, fel rhai plentyn ar ôl gweld Siôn Corn am y tro cyntaf. 'DIOLCH I'R DREFN DY FOD DI'N DDIOGEL!'

'Mi RO'N i'n ddiogel,' meddai, wrth iddo gael ei wasgu mor dynn nes gorfod ymladd am ei wynt. Cafodd ei daro mor galed ganddi nes bod coesau Sid yn plygu.

**PLYGU!**

Siglodd y ddau cyn cwympo ar y llawr.

*DWFF!*

Roedd Besi bellach ar ben Sid, a oedd ar ei hyd ar yr estyll.

'O, SIDNI, TI'N DDYN DRWG!'

Chwarddodd Eric yn dawel wrth ei hunan. 'Ha! Ha!'

'A oes rhywun am fy helpu?' gorchmynnodd Sid.

'Paid â bod ar gymaint o frys!' meddai Besi, yn ysgafn.

'Na, rhaid i ni frysio! DOWCH! DOWCH!'

Rhoddodd Eric gymorth i Besi godi ar ei thraed.

'Mi wnes i fwynhau hynna!' ochneidiodd y wraig.

Yna, codwyd Sid ar ei goesau clec gan y ddau.

'Wnes i ddim! Roeddwn i'n methu anadlu!' meddai Sid, yn poeri siarad.

Yna, cyfarchodd ei blant, sef yr anifeiliaid. Roedden nhw i gyd yn falch iawn o'i weld. Profiad unigryw yw cael eich pawennu, eich mwytho a'ch llyfu gan barot, cyw eliffant, morlo, fflamingo, crocodeil, babŵn gyda thin anferth, heb anghofio'r crwban araf, anferth, a hynny ar yr un pryd!

'Dwi wedi hiraethu amdanoch, fy mhlant annwyl!' meddai Sid.

'A dwi'n gwybod pwy yw hon!' meddai Besi, pan welodd hi'r gorila. 'O, mae hi mor ddel!'

'Aelod newydd o'r teulu!' cyhoeddodd y bachgen. 'Dyma GRETA!'

Dechreuodd y gorila gyfarch pob anifail yn ei dro fel pe baen nhw i gyd yn hen ffrindiau. Gallai gofio gweld rhai ohonyn nhw yn y sw, a chyfarfod eraill am y tro cyntaf. Doedd dim ots a oedd hi'n eu nabod ai peidio, rhoddodd lawer o gariad, a chwtshys, mwythau a chusanau i bob un wan jac.

'Pwy fyddai eisiau rhoi niwed i'r foneddiges hyfryd hon?' meddai Besi. 'Nawr, beth fyddai Greta'n hoffi ei fwyta? Galla i goginio gwledd fechan i'w chroesawu!'

'Bananas yw ei hoff fwyd!'

'Does gen i ddim bananas, mae gen i ofn. Mae'n gyfnod rhyfel!'

'Resins?'

'Dwi newydd goginio cacen ffrwythau! Mae honno'n llawn resins!'

'Blasus iawn! Dwi'n siŵr y bydd hi wrth ei bodd!' meddai'r bachgen.

Nodiodd Greta ei phen, a llyfu ei gwefusau gydag awch.

# 'MMMM!'

'Hoffwn i damed hefyd!' meddai Sid. 'O, a chwpaned o goco!'

'O, wel, os ydych yn paratoi coco a chacen, hoffwn innau ymuno â chi. Dwi bron â llwgu!' ychwanegodd y bachgen.

'Reit! Af ati ar unwaith!' meddai Besi, cyn rhuthro allan o'r ystafell.

Syrthiodd y bachgen yn swp ar gadair yn y gegin, ac agorodd ei geg yn flinedig.

'Ar ôl cael coco a chacen, dwi am fynd i'r gwely,' meddai Eric.

Daeth fflach o ofn i lygaid yr hen ŵr.

'Beth sy'n bod?' gofynnodd y bachgen.

'Allwn ni ddim aros yn fan'ma!' meddai Sid.

'Pam lai?'

'Achos mi ddown nhw ar ein holau ni.'

'Pwy yw 'nhw'?'

'**Pawb!** Rwdlyn, Crinc, Aflan! Mae'n siŵr eu bod nhw wedi bod at yr heddlu yn barod. Ac mae warden cyrch awyr allan yn fan'na! Bydd honno'n dod ati ei hun ac yn gwybod yn union ble dwi'n byw!'

'Sut mae hi'n gwybod hynny?'

'Mi wnes i bwyntio at y tŷ!'

'O, do! Call iawn!'

'**CALL iAWN!! CALL iAWN!**' ailadroddodd Pymthegydwsin, y parot gydag un adain, a oedd yn gorwedd ar ysgwydd Eric.

'Cau hi!' meddai Sid.

'**CAU Hi! CAU Hi!**' ailadroddodd y parot.

'Diawl bach hy ydy hon!' chwarddodd Sid.

'Ble allwn ni fynd?' gofynnodd y bachgen.

'Rhaid i ni fynd allan o Lundain. Mae gorila anferth yn rhy fawr i'r tŷ bach hwn beth bynnag! Paid â digio, Greta!'

Edrychodd y gorila arno, codi ei hysgwyddau, cyn cario ymlaen i dynnu *chwain* o ffwr y babŵn, a'u bwyta!

'Rhaid i ni ddod o hyd i rywle gyda thir agored fel y gall Greta ffit-ffatio'n hapus.'

Yn ystod ei fywyd byr, doedd Eric **erioed** wedi crwydro y tu allan i'r ddinas. Broliai llawer o'i gyfoedion yn yr ysgol am eu tripiau i lan y môr, ac roedd Eric wastod wedi bod eisiau mynd yno. Bu ei fam a'i dad yn trafod mynd am dro i'r traeth, ond, ysywaeth, ddigwyddodd hynny ddim.

'Beth am fynd â Greta i lan y môr?' awgrymodd Eric.

'Ym mis Rhagfyr?' meddai'r hen ŵr, gan dagu. 'Mi fydd hi'n chwythu'n waeth na *Sir Fôn yno!'

'O, ia. Dach chi'n iawn. Syniad twp!' atebodd, yn benisel.

Yn sydyn, cafodd Sid syniad. 'Tydi o ddim yn syniad gwirion! Mae o'n **syniad gwych!** Fydd neb arall yn ymweld â glan y môr yr adeg hon o'r flwyddyn! Gallwn gael y lle i ni'n hunain! Mae hen westy yno, un yr o'n i'n arfer aros ynddo pan o'n i'n blentyn. Ganrif ddiwethaf oedd hynny. O, roeddwn i'n caru'r lle! Mae'r gwesty ger Abertawe, ar fryn, ac o fan honno gallwn weld llongau rhyfel Prydeinig yn hwylio ar hyd yr arfordir. Dychwelais yno cyn y rhyfel i hel atgofion, ond roedd y gwesty wedi cau. Byddai'n lle perffaith i ni guddio!'

*Am ei bod yn ynys wastad, mae Sir Fôn yn nodedig am wynt.

'Gwych! Beth yw enw'r gwesty?' gofynnodd y bachgen.

'GWESTY ANNWFN!' meddai Sid.

'GWESTY ANNWFN!' ailadroddodd Pymthegydwsin y parot.

'GWESTY ANNWFN!

GWESTY ANNWFN!'

PENNOD | 35 |

# CACEN FFRWYTHAU

Wrth yfed coco a bwyta teisen ffrwythau (a gafodd ei llowcio gan yr anifeiliaid), dechreuodd Sid ac Eric gynllunio cam nesaf eu gorchwyl, sef **BANANAS!**. Roedd hi bron iawn yn hanner nos, a gallai'r heddlu alw unrhyw funud. Penderfynwyd y dylen nhw fynd i'r ddinas lan y môr gyda Greta ar doriad gwawr, gan adael y parot, y cyw eliffant, y morlo, y fflamingo, y crocodeil ac, wrth gwrs, y babŵn tindrwm gyda Besi drws nesaf.

Y broblem oedd sut oedden nhw am fynd â Greta i'r ddinas yn ne Cymru? O Lundain, roedd Abertawe bron *ddau can milltir i ffwrdd. Doedd Sid ddim yn berchen ar gar. Na Besi. Nac, wrth gwrs, Eric. Na Greta chwaith. Roedd hi'n llwyr amhosib i gorilas gael yswiriant.

Roedd y daith yn rhy bell i'w cherdded, yn enwedig gyda dwy goes osod fel rhai Sid. Felly'r trên oedd yr opsiwn gorau. Ond sut allen nhw smyglo gorila ar drên heb i neb sylwi?

*Pe bai Eric wedi gallu gwglo, mae 186.3 o filltiroedd rhwng Llundain ac Abertawe.

Yng nghornel y gegin, gwelodd Eric hen gadair olwyn flêr.

'Efallai y gallwn ddefnyddio honna?' meddai.

'I mi?' gofynnodd Sid.

## 'Naci! I Greta!'

'Cefais y gadair olwyn gan yr ysbyty ar ôl y rhyfel. Dywedodd y nyrsys y dyliwn ei defnyddio er mwyn gorffwyso fy nghoesau!'

'Gallwn wthio Greta ynddi!'

'Ond byddai pawb yn dal i allu gweld mai gorila yw hi!'

'Felly mae'n rhaid i ni ei chuddio rywsut. Newid ei phryd a'i gwedd.'

'A'i gwneud yn debycach i **orangwtang?!**'

'NACI, SIŴR!' meddai Eric. 'Mi fyddai hynny'n beth **twp** iawn i'w wneud!'

'Ond fyddai neb yn chwilio am orangwtang wedi dianc,' ymresymodd Sid. 'Yr unig beth sydd rhaid i ni wneud yw ei gorchuddio â marmalêd! Wedyn, mi fyddai'n lliw oren!'

Tynnodd Greta ystumiau. Doedd hi ddim yn rhy hoff o syniad Sid!

'NAAA!' meddai Eric, yn uchel.

'Iawn, iawn! Does dim angen colli dy limpin.'

**'Colli dy limpin! Colli dy limpin!'** ailadroddodd Pymthegydwsin y parot.

'Rhaid i ni wisgo Greta fel person,' meddai Eric.

Trodd y ddau i edrych ar y gorila, a eisteddai ar lawr gyda'i choesau wedi eu croesi, ac yn sglaffio cacen ffrwythau Besi.

## SGLAFF! SGLAFF! SGLAFF!

Yna cododd Greta ar ei thraed a chropian o gwmpas yr ystafell ar ei phedwar, yn crafu ei phen ôl wrth chwilio am friwsion.

'Sut 'dan ni am wneud hynny?' gofynnodd Sid.

'Rhaid i ni roi gwisg amdani!'

'Gallwn ei gwisgo mewn gwahanol ddillad hyd Sul y Pys! Ond sut 'dan ni am guddio'i hwyneb?! Mae o'n wyneb del, ond mae o hefyd yn un gorilaidd!'

'Dach chi'n llygad eich lle,' pensynnodd y bachgen. 'Efallai y gallwn roi mwgwd nwy drosto?'

'Dwi ddim yn meddwl y byddai hynny wrth ei bodd!'

'Werth treio!'

Cafodd pawb ym Mhrydain fwgwd nwy rhag ofn i'r Natsïaid ymosod gyda nwy gwenwynig.

Cydiodd Eric ym mwgwd nwy Sid oddi ar fwrdd y gegin a cheisio'i osod ar wyneb Greta.

Heb ddim syndod, sgrechiodd y gorila, 'AAAIII!' a thynnodd y mwgwd yn syth a'i daflu ar draws yr ystafell. Yn ffodus, plygodd Pymthegydwsin ei phen mewn pryd.

'MWGWD! MWGWD! MWGWD! MWGWD!'

Trawodd y mwgwd yn erbyn llun ar y wal.

**RHACS JIBIDÊRS!**

## CLYNC!

Gwingodd y bachgen. 'Nid fy syniad gorau!' cyfaddefodd. Nodiodd y gorila, yn cytuno.

Cododd Eric y llun oddi ar y llawr. Llun du a gwyn ydoedd o Sid ifanc ar ddiwrnod ei briodas. Safai'n falch wrth ymyl ei briod, Modryb Hilda, a wisgai fêl.

Bu farw ei wraig flynyddoedd yn ôl ar ôl cystudd hir, ond o gwmpas y tŷ roedd ganddo nifer o atgofion amdani.

'Beth am wisgo Greta mewn gwisg briodas?' meddai'r bachgen.

Tagodd Sid i'w goco.

## *P Y Y Y Y !*

Chwistrellodd y ddiod dros Tindrwm y babŵn, a sgrialodd yr anifail i fyny'r llenni les.

## 'GWISG BRIODAS?!' meddai Sid, ar dop ei

lais. 'Pam rhoi Greta mewn gwisg briodas?'

'Wedyn, bydd ganddi fêl dros ei hwyneb, fel Modryb Hilda.'

Am ennyd, ni ddywedodd yr hen ŵr air o'i ben. 'Tydi hwnna ddim yn syniad ffôl o gwbl!'

'Diolch yn fawr!' atebodd y bachgen, yn falch fel paun.

'Ond ble cawn ni wisg briodas mor hwyr â hyn?'

'Oes gan Besi wisg?'

'Dwi'm yn meddwl. Bu hi 'rioed yn briod.'

'Ddim eto!' meddai'r bachgen, yn bryfoclyd a digywilydd.

## 'Hei! Taw wir!'

'Efallai medar hi ein helpu i wneud gwisg!'

'Gyda pha ddefnydd?'

Cododd y bachgen ar ei draed, camodd dros y crocodeil

a mynd at y ffenest. Gafaelodd yn y llen les a'i rhoi o'i gwmpas. 'Gwneud gwisg o hon!' Roedd y llen yn wen ac wedi crychu, yn union fel gwisg briodas.

'Ti ddim mor dwp â ti'n edrych!' meddai Sid.

'TWP TWP! TWP TWP!' ailadroddodd Pymtheydwsin y parot.

Neidiodd y babŵn i lawr o'r llenni a glaniodd ar ben y bachgen.

'Nid nawr, Tindrwm!' meddai Eric, gan ei godi a'i osod ar y bwrdd.

Ar hynny, daeth Besi i mewn trwy'r drws cefn, yn cario llond hambwrdd o fisgedi.

'Dyma chi, fy nghariadon,' meddai'n garedig, cyn i'r holl anifeiliaid heidio o'i chwmpas, yn awyddus i gael eu bwydo. 'Ww! Pwyll! Un ar y tro!' meddai.

'Besi,' dechreuodd Sid, ''dan ni angen dy gymorth di i wneud rhywbeth.'

'Mi wna i unrhyw beth i ti, Sidni! Ti'n gwybod hynny!'

''Dan ni eisiau cymorth i wneud gwisg briodas!'

Cronnodd ei llygaid â dagrau. 'O, Sidni! O'r diwedd! Roeddwn i'n ofni na fyddet ti **byth** yn gofyn i mi!'

Rhuthrodd ato a'i gofleidio, a'i gusanu dros ei wyneb i gyd.

*MWA! MWA! MWA!* Gwnaf! Gwnaf! Gwnaf! Dwi eisio dy briodi di, Sidni! Gallwn fod gyda'n gilydd am byth, hyd dragwyddoldeb!'

Llyncodd Sid ei boer yn galed.

## LLWNC!

Mor gwrtais ag y gallai, rhyddhaodd Sid ei hun oddi wrthi.

'Na, na!' meddai. 'Nid i ti mae'r wisg briodas!'

'O! Felly mae gen ti ddynes arall! Hoffet ti ddweud wrtha i pwy ydy'r wrach hyll?'

'Greta!'

Edrychodd y wraig yn ddryslyd arno, ac mewn ffieidd-dod.

'Ti'n mynd i briodi mwnci?!'

'Nid mwncïod yw epaod!' cywirodd Eric, yn flin.

'Ti'n mynd i briodi epa?!'

'Nac'dw, siŵr!' meddai Sid, yn siarp. 'Does neb yn mynd i briodi unrhyw un. 'Dan ni'n mynd i newid pryd a gwedd Greta trwy ei gwneud yn briodferch.'

'Pam? I beth?!'

'Er mwyn gallu rhoi fêl dros ei hwyneb!' meddai Eric. 'Wedyn, bydd neb yn gallu gweld mai gorila yw hi!'

'Wel, mae hynna yn glefer! Clefer iawn! Wrth gwrs fe wna i eich helpu. Awn ati ar unwaith!'

A dyna wnaethon nhw. Tynnu'r llenni les, mesur Greta a mynd ati i greu'r wisg briodas brydferthaf bosib.

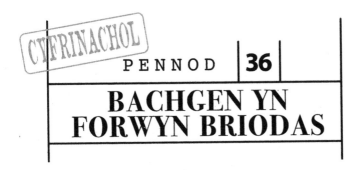

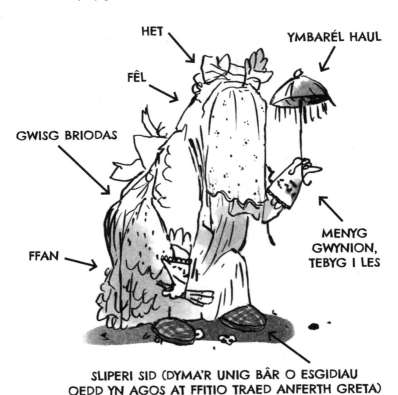

# BACHGEN YN FORWYN BRIODAS

Wrth iddi wawrio, a Llundain yn mudlosgi ar ôl y bomio, cwblhawyd y gwaith ar y wisg briodas. Roedd hi'n cynnwys:

HET

YMBARÉL HAUL

FÊL

GWISG BRIODAS

MENYG GWYNION, TEBYG I LES

FFAN

SLIPERI SID (DYMA'R UNIG BÂR O ESGIDIAU OEDD YN AGOS AT FFITIO TRAED ANFERTH GRETA)

Er mwyn perswadio Greta i wisgo fel hyn, roedd ganddyn nhw un peth i'w llwgrwobrwyo. Mwy o gacen ffrwythau.

## CNOI! CNOI! CNOI!

Wrth i'r gorila sglaffio un arall o ddanteithion cartref Besi, gallai'r tri ei gwisgo a'i pharatoi i fynd ar y daith trên i lan y môr.

'Mae hi'n edrych yn fwy prydferth nag erioed!' meddai Sid, gydag edmygedd.

'Priodferch ddel iawn!' cytunodd Eric.

'Dwi bob amser yn crio mewn priodasau!' meddai Besi, gan feichio crio.

'Nid priodas yw hon mewn gwirionedd!' meddai Sid.

'O, ydy mae hi!'

'Cuddwisg yw hi, nid gwisg!' ychwanegodd Eric.

'Ac un drybeilig o dda!' edmygodd Sid. 'Nawr, eistedd i lawr, yr hen hogan!'

Yna, yn ofalus, rhoddodd y gorila i eistedd yn y gadair olwyn.

## CNOI! CNOI! CNOI!

'A nawr, Wncwl Sid, mae'n rhaid i chi wisgo fel y priodfab!' meddai Eric.

'FI?'

'Ia! Allwch chi'ch dau gogio eich bod wedi priodi ac os

oes rhywun yn gofyn ble dach chi'n mynd, dach chi'n ateb –
i lan y môr ar eich mis mêl!'

'Ond ... ond ... ond ... ' protestiodd Sid.

'Does dim "ond" amdani, Sidni,' meddai Besi, yn llym.
'Gwranda ar y bachgen. Mae o'n glyfrach na chdi! Dos i
fyny'r grisiau a gwisga dy siwt orau.'

''Trôns Taid,' meddai'r hen ŵr, yn dawel dan ei wynt. 'A
beth am y bachgen?'

'O, ia, ti'n iawn,' cytunodd Besi. 'Bydd rhaid cael cuddwisg
iddo hefyd!'

Teimlodd Eric yn anghyfforddus.

'Mi wn i beth newn ni!' meddai'r wraig. 'Gei di fod yn
was bach priodas!'

'Be ydy gwas bach priodas?' gofynnodd Eric.

'Bachgen sydd yn edrych fel morwyn briodas!'

'Dim ffiars o beryg!' protestiodd y bachgen.

'Nawr, odych chi'n barod? Pawb i fynd dan groen ei
gymeriad! A thithau, Eric!'

'Ond beth mae gwas bach priodas yn ei wisgo?'

'Siwtiau morwyr Fictoraidd fel arfer!'

'O, NA!' gwaeddodd Eric.

'Gad imi weld beth alla i ddod o hyd iddo. Fydda i'n ôl
mewn chwinciad llo bach!'

Cyn i Eric gael amser i bwdu, dychwelodd Besi o'i thŷ drws nesaf gyda llond bag clwt o bethau a ymdebygai i'w dillad isaf.

'Dwi ddim yn mynd i wisgo unrhyw un o'r rheina!'

'Aros funud! Gad i mi chwifio fy ffon *hud!*'

Ymhen dim, llwyddodd y wraig i wisgo'r bachgen, gan gynnwys dilledyn wedi ei wneud o les. Edrychai fel disgybl ysgol fonedd o'r oes o'r blaen.

'Dwi ddim am wisgo hwn!' cwynodd eto.

'Does dim amser i ddadlau!' meddai Besi.

Yna, clywyd cnocio trwm ar y drws.

## CNOC! CNOC! CNOC!

Roedd Sid i fyny'r grisiau yn newid i'w siwt briodas.

'Dach chi eisiau i mi ei agor?' gofynnodd y bachgen.

'Na, na,' atebodd Besi. 'Beth am gadw'n dawel, ac efallai eith o, neu hi, neu nhw, i ffwrdd.'

## CNOC! CNOC! CNOC!

Roedd y cnocio'n uwch y tro hwn.

'Paid â dweud gair!' sibrydodd Besi.

**'PAID Â DWEUD GAIR!'** ailadroddodd Pymthegydwsin y parot.

'Cau dy hen hopran, yr aderyn twp!' sibrydodd Besi.

**'ADERYN TWP! ADERYN TWP!'** ailadroddodd yr aderyn twp.

## CNOC! CNOC! CNOC!

'Ni'n galler eich clywed chi mewn man'na!' gwaeddodd llais trwy'r blwch llythyrau.

Swniai'n debyg iawn i lais Miss Salw. 'AGORWCH Y DRWS HWN NAWR NEU BYDDWN NI'N EI GNOCO I LAWR!'

**'CNOCO I LAWR! CNOCO I LAWR!'** ailadroddodd y parot.

'IAWN, 'TE! FE NEWN NI HYNNY!' atebodd y warden.

'CUDDIA!' sibrydodd Besi. 'Peidiwch â phoeni! Dwi'n dod! Dwi'n dod!'

Caeodd y drws ar ei hôl. Penliniodd Eric fel ei fod yn gallu ysbïo trwy'r twll clo. O'i guddfan, gwelodd Besi'n agor y drws i'r warden cyrch awyr. Ond y tro hwn, roedd ganddi gwmni. Dau heddwas o bob tu iddi. A'r tri yn edrych fel petaen nhw newydd gladdu'r bwji.

'Ie? Alla i'ch helpu chi?' gofynnodd Besi, mor ddiniwed â babi blwydd, er nad oedd hi mor ddiniwed â hynny. Roedd hi'n berson rhy onest i ddweud celwydd.

O'r eiliad agorodd Besi y drws, edrychai'r warden yn ddryslyd.

'A oes hen ŵr, crwt ifanc, ac ... yyy ... menyw wedi ei gwisgo fel gorila yn byw fan hyn?' gofynnodd Sioned Salw.

'Gadewch i mi feddwl,' atebodd Besi. 'Na! Dim ond fi! Dwi'n byw yma ar ben fy hun bach. Dim gŵr. Dim mab. Ac yn sicr neb wedi ei wisgo fel gorila. Credu y baswn i'n cofio hynny. Na, mae'n ddrwg gen i, mae'n rhaid eich bod wedi galw yn y tŷ anghywir. NOS DA!'

Fel yr oedd y wraig ar fin cau'r drws yn glep, rhoddodd y warden ei throed i'w rwystro.

'Aros di am funed!' meddai Miss Salw. 'Fe glywson ni leisie eraill trwy'r blwch llythyre. Swno fel rhywun yn gwachian fel parot! Pwy oedd hwnnw?'

'Does gen i mo'r syniad lleiaf am beth dach chi'n fwydro!' meddai Besi, ei thrwyn mor fawr â moron *Primin. Nawr, esgusodwch fi, dwi am fynd i 'ngwely.'

'MYND i 'NGWELY! MYND i 'NGWELY!!' ailadroddodd Pymthegydwsin.

''Na fe eto!' meddai Sioned Salw.

'Adlais ydy o,' meddai Besi.

'Adlais?'

'ADLAIS! ADLAIS!' ailadroddodd y parot.

---

*Cynhelir Sioe Môn, neu Primin Môn, yng nghanol mis Awst. Ymhlith nifer o weithgareddau amaethyddol, ceir cystadleuaethau tyfu llysiau.*

'Dach chi'n gweld?' meddai Besi. 'Dyna fo eto! Nawr, dwi wedi blino'n lân, felly wnewch chi fynd, os gwelwch yn dda. Ac os gwela i hen ŵr, neu hogyn ifanc neu, wrth gwrs, rhywun wedi ei wisgo fel gorila, chi fydd y cyntaf i gael gwybod!'

Ceisiodd Besi gau'r drws am yr eildro, ond rhoddodd y warden ei llaw ar y drws. 'Sdim ots dach chi os gewn ni bip fach, o's e?' gofynnodd.

Ni allai Besi brotestio ddim mwy. Brasgamodd y warden, a dau heddwas bob ochr iddi, i mewn i'r tŷ.

'DECHREUWN NI FAN HYN!' meddai'r warden, gan bwyntio at ddrws y gegin.

Y tu ôl i'r drws, penliniai'r bachgen. Llyncodd ei boer yn galed.

## Roedden nhw i gyd yn y caca!

# PENNOD | 37 |
# TACL RYGBI

Pwysodd Eric ei ysgwydd yn erbyn drws y gegin er mwyn ei gadw ar gau. Ond doedd ei gorff eiddil ddim mor gryf ag un Sioned Salw a'r ddau heddwas cyhyrog. Dechreuodd y tri wthio'r drws yn agored wrth i Besi bledio wrthyn nhw i roi'r gorau iddi.

## 'NAAA! PEIDIWCH! DACH CHI'N DYCHRYN YR ANIFEILIAID!'

'ANIFEILIAID? PA ANIFEILIAID?' gorchmynnodd y warden.

'O, dim ond dau benbwl, ond maen nhw'n sensitif i synau uchel!'

Yna, clywodd Eric goesau gosod Sid yn dod i lawr y grisiau.

## CLINC! CLANC! CLYNC!

'Allwch chi ddim mynd i mewn i fan'na!' meddai.

'O, ti yw e!' atebodd Miss Salw. 'Ac mae hynny'n golygu

bo' ti'n gweud celwydd, fenyw! Mae hwn yn byw yma. A nawr bydd rhaid i ni arestio'r person sydd yn y siwt gorila. Neu, o arogli'r gwynt ofnadw sydd y dod o'r gegin, falle taw gorila iawn yw e! Os felly, fe newn ni arestio hwnnw hefyd!'

Agorodd ddrws y gegin led y pen.

## DOINC!

Daeth y warden cyrch awyr a'r ddau heddwas wyneb yn wyneb â'r olygfa fwyaf annisgwyl.

O'u blaenau roedd parc bywyd gwyllt! Parc bywyd gwyllt bach, efallai, ond parc bywyd gwyllt er hynny.

Ymatebodd yr anifeiliaid i'r tri tresbaswr mewn gwahanol ffyrdd.

Neidiodd Pymthegydwsin y parot ar gefn cadair.

Cododd Smwt y cyw eliffant ei drwnc bach a'i **siglo** fel pe baen dweud 'helô'.

Honciodd Barti y morlo.

## HONC!

Stopiodd Pechod y crwban digragen yn ei unfan.

Cafodd Pinci y fflamingo ungoes cymaint o sioc nes iddi wyro a *syrthio* ar lawr.

## *D O N C !*

Rhedodd Cegfawr y crocodeil dan y bwrdd mewn ofn.

## TA-TA!

Dechreuodd Tindrwm, y babŵn gyda phen ôl fel cefn bws, *grafu* ei thin gydag un fraich.

### CRAFU!

Ac yn olaf, rhoddodd Greta'r gorau i lyfu plât ei chacen yn lân a chododd ei fêl priodas. Yna, **chwythodd** y sŵn rhech hiraf a mwyaf swnllyd a glywyd ar y ddaear erioed.

'PFFFFFFFFFFFFFFFFFFFFFFFFFFFFFFFFFT!'

Parhaodd y sŵn mor hir nes i bawb fynd yn fud o ganlyniad i'r sioc. Wedi iddi orffen, dywedodd Eric, 'Dwi'n meddwl mai ystyr hynna yw "helô!"'

Cafodd y tri tresmaswr eu dychryn.

'Sdim hawl 'da chi gadw'r holl anifeiliaid egsotig hyn yn eich cartref!' meddai'r heddwas cyntaf. 'Wy'n eich **arestio** chi i gyd!'

'Hyd yn oed yr anifeiliaid?' gofynnodd y llall.

## 'IE! Hyd yn oed yr anifeilaid!'

'Ar ba gyhuddiad?'

'Feddyliwn ni am rywbeth!'

Wrth i'r heddweision ddadfachu'r gefynnau o'u gwregysau, neidiodd Sid i'r adwy.

'Does dim ond un peth ar ôl! AMSER CINIO!'

O glywed y ddau air olaf, rhuthrodd yr anifeiliaid i gyfeiriad Sid.

## WHYYYSH!

Cafodd y warden a'r ddau heddwas eu taro i'r llawr ...

BASH!

BISH!

BOSH!

... a'u sathru gan yr anifeiliaid llwglyd.

DAN DRAED!

'AAAAA!'

'CER I FFWRDD!'

# 'MAE TIN BABŴN YN FY WYNEB!'

gwaeddodd yr heddwas.

Gyda'r tri wedi eu hoelio i'r llawr, roedd hwn yn gyfle gwych iddyn nhw ddianc.

Rhuthrodd Eric y tu ôl i gadair olwyn Greta cyn rhedeg trwy'r drws cefn.

RHEDWCH!

'Dowch, Wncwl Sid,' gwaeddodd.

Fe aethon nhw allan o'r ardd, heibio ffens wedi ei llosgi, trwy dŷ Besi, lle cipiodd Greta dun cacen ar ei ffordd, ac allan trwy'r drws ffrynt. Rhaid bod y warden wedi llwyddo i ryddhau ei hun achos rhedodd ar eu holau i lawr y stryd.

## 'ARHOSWCH BLE'R Y'CH CHI!'

gwaeddodd Sioned Salw.

Daeth Besi allan a rhedeg ar ôl y warden.

'NA! STOPIWCH CHI!' gwaeddodd.

Carlamodd Besi nerth ei thraed cyn perfformio tacl rygbi wych, un y byddai *Ray Gravell wedi bod yn falch ohoni.

## *WHOA! TACL DDA, BESI FACH! HO! HO!*

Cwympodd Miss Salw i'r llawr ...

# BWMFF!

.. gyda Besi ar ei phen.

## 'WFF!'

'RHED, SIDNI, RHED!' gwaeddodd Besi, wrth iddi ddal y warden ar y llawr.

'Diolch, Besi!' gwaeddodd yr hen ŵr yn ôl, o bellter.

'Ffordd hyn!' sibrydodd wrth Eric. Gwthiwyd Greta yn ei chadair olwyn ar hyd nifer o lonydd cefn er mwyn sicrhau bod neb yn eu dilyn.

Os oedden nhw am lwyddo i gyrraedd glan y môr,

---

*Chwaraeodd y diweddar Ray Gravell rygbi dros Gymru a'r Llewod. Roedd o'n enwog fel taclwr caled a chymeriad lliwgar.

byddai'n rhaid iddyn nhw redeg fel y gwynt i'r orsaf. Fe aethon nhw ar hyd y ffyrdd gweigion mor gyflym ag y gallen nhw. Doedd y gorila ddim yn malio botwm corn am y tyllau yn y lôn a'r rwbel ym mhobman. Roedd hi'n rhy brysur yn bwyta'r gacen ffrwythau a ddwynodd o dŷ Besi i boeni am yr hyn oedd yn digwydd o'i chwmpas.

## CNOI! CNOI! CNOI!

Wrth iddyn nhw nesáu at yr orsaf, gwelwyd mwy a mwy o bobl ar y strydoedd. Does dim angen dweud bod pawb yn edrych yn gegrwth ar y parti priodas o'u blaenau. Credai Sid a Eric mai'r peth gorau i'w wneud oedd trin y sefyllfa fel pe bai yn un cwbl normal, a chyfarch pawb y siriol.

'HELÔ!'

## 'BORE DA!'

'DIWRNOD DA I FYND Â GORILA AM DRO MEWN CADAIR OLWYN! HA! HA!!'

O'r diwedd, fe gyrhaeddon nhw'r orsaf. Y cam nesaf oedd y cam anoddaf. A allen nhw fynd ar y trên

# gyda gorila anferth?

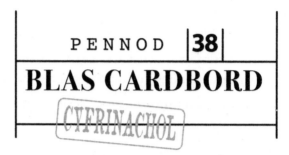

# PENNOD 38

# BLAS CARDBORD

Gorsaf Fictoria oedd un o'r rhai mwyaf yn Llundain, ac yn adeilad anferth, addurnedig, nid yn rhy annhebyg i eglwys gadeiriol, ond yn brysurach ac yn fwy swnllyd. Yr adeg honno o'r bore, roedd mwy o deithwyr yn cyrraedd na gadael y ddinas, a olygai nad oedd y ciw tocynnau yn hir iawn. Ar ôl prynu dau docyn oedolyn ac un tocyn plentyn i Abertawe (yn anffodus doedd dim gostyngiad pris i gorilas), cerddodd y tri i gyntedd yr orsaf. Dyna lle'r oedd yr hysbysfyrddau oedd yn nodi **CYRRAEDD** ac **YMADAEL**. Chwiliodd Sid ac Eric am y trên cyntaf i Abertawe.

'Trên i Abertawe! Platfform Wyth!' meddai Eric, â'i olwg yn well nag un Sid. 'Deg munud wedi chwech. Mae hynny'n rhoi pum munud i ni!'

'Mae'r platfform ym mhen arall yr orsaf. Does dim amser i ddili-dalio. Ffwrdd â ni!' meddai Sid.

Ar ôl sicrhau bod y fêl yn gorchuddio'i hwyneb, gwthiodd Eric y gorila ar hyd y cyntedd yn y gadair olwyn.

Wrth fynd heibio bin, cydiodd y bachgen mewn llond llaw o docynnau amryliw. Torrodd y darnau papur yn ddarnau mân a'u taflu dros Greta a Sid er mwyn rhoi'r argraff eu bod newydd briodi.

'CONFFETI!' gwaeddodd.

'Mae mwy na llwch lli rhwng dy glustiau mawr!' meddai Sid.

Gwenodd y bachgen gyda balchder.

Wrth iddyn nhw frysio i gyfeiriad Platfform Wyth, fe aethon nhw heibio stondinau'r gwerthwyr papurau newydd.

Er mawr sioc i Eric a Sid (*nid i Greta, oherwydd doedd hi ddim yn gallu darllen gair!) gwelson nhw benawdau'r papurau newydd. Roedd eu hanes nhw ar bosteri o flaen y stondinau. Ac fel pe bai hynny ddim yn ddigon o sioc i ddeffro'r meirw, roedd y dynion mewn capiau brethyn yn gweiddi'r penawdau ar dop eu lleisiau er mwyn hybu'r gwerthiant.

---

*Sy'n drueni oherwydd byddai gorilas yn gallu prynu llyfrau Atebol.

'Sawl gwaith dwi'n gorfod dweud wrthoch chi, nid mwnci yw gorila – epa ydy o!' sibrydodd Eric, wrth fynd heibio'r stondinau.

'Shwsh!' sibrydodd Sid. 'Nid nawr yw'r amser i ddadlau!'

Yn ystod y rhyfel, roedd nifer o heddweision ar ddyletswydd yng ngorsafoedd rheilffordd Llundain, yn chwilio am rywbeth, neu rywun, oedd yn edrych yn amheus.

Ysbïwr Natsïaidd efallai?

Carcharor rhyfel wedi dianc?

Awyren fomio'r Luftwaffe wedi ei saethu i'r llawr a'r peilot yn ceisio smyglo ei hun yn ôl i'r Almaen?

O ganlyniad, roedd y parti priodas od hwn yn denu sylw, ac yn edrych yn amheus. Yn sicr, roedden nhw'n edrych yn wahanol.

Y ffordd yr oedd coesau Sid yn cloncio wrth gerdded.

**CLINC! CLANC! CLYNC!**

Hen gadair olwyn rydlyd yn cario'r briodferch, a oedd wedi ei gorchuddio o'i chorun i'w sawdl gan ddefnydd tebyg iawn i hen lenni les.

Ac yn olaf, bachgen wedi ei wisgo mewn dillad tebyg i nicars nain. Un ai roedd o'n rhyw fath o Ddoctor Who, yn teithio trwy amser, neu wedi gwisgo yn y tywyllwch, neu roedd o'n hoffi gwisgo nicars ei nain. Beth bynnag oedd y rheswm, achosodd i'r heddwas stopio a syllu.

'Caria ymlaen i gerdded!' sibrydodd Sid. 'Paid ag edrych o dy gwmpas!'

Teimlodd Eric fod cannoedd o lygaid yn syllu arno a dechreuodd wrido, ei wyneb mor goch â photel sos tomato.

'Tocynne i Abertawe, os gwelwch yn dda!' cyfarthodd y casglwr tocynnau wrth fynedfa Platfform Wyth.

'Iawn! Iawn!' meddai Sid. Roedd ei ddwylo'n ysgwyd cymaint nes iddo ollwng y tocynnau ar lawr.

## 'Wps!'

Wrth blygu i'w casglu, trawodd ei ben yn erbyn un Greta.

'OOO!' cwynodd, o dan ei fêl.

O glywed y sŵn poen, gofynnodd y casglwr tocynnau, yn ofidus, 'Ody eich gwraig yn iawn dan hwnna?'

'Ody!' atebodd Sid, mewn acen ddeheuol. 'Ond mae ganddi ryw deimladau cymysg ynglŷn â'r briodas,' ychwanegodd, yn ogleddol.

Ysgydwodd y casglwr tocynnau ei ben. 'Swno fel'ny. Mae'r teithwyr Trydydd Dosbarth yn y pedwar carej cyntaf.'

'Diolch yn fawr!'

Wrth i'r triawd ruthro i fynd ar y trên i lan y môr, teimlodd Sid law ar ei ysgwydd.

'Esgusodwch fi. Gawn ni air bach?'

Trodd Sid ac Eric ar eu sodlau. Y tu ôl iddyn nhw safai dau heddwas tal, a edrychai'n dalach fyth yn eu hetiau tal.

'Gawn ni weld eich papure, os gwelwch yn dda?'

Ymbalfalodd Sid ac Eric am eu CARDIAU ADNABOD yn eu pocedi. Yn ystod y rhyfel, roedd hi'n ofynnol i ddangos y rhain ar unrhyw adeg.

Astudiodd yr heddweision y cardiau cyn eu rhoi yn ôl i'r ddau.

'Wel, diolch yn fawr, well i ni fynd!' meddai Sid.

'SEFWCH FUNED!' gorchmynnodd un o'r heddweision. 'Ble mae carden y wraig?'

Edrychodd Sid ac Eric ar ei gilydd. Sut oedden nhw am ddod allan o'r picil hwn?

Doedd gan Greta ddim CERDYN ADNABOD. Dyw gorilas ddim yn cael CERDYN ADNABOD. Achos mai gorilas ydyn nhw!

TWT! TWT! chwibanodd y trên, sef arwydd ei bod ar fin ei chychwyn hi.

'Mae'n ddrwg iawn gen i, syr, ond 'dan ni'n mynd i golli'r trên!' meddai Eric.

'So hynny'n broblem i fi. Mae diogelwch y wlad yn y fantol! Wy moyn gweld CARDEN ADNABOD y wraig. NAWR! Dewch â fe i fi, Miss!'

Doedd Greta ddim yn mwynhau'r oedi. Ymestynnodd ei llaw o dan ei gwisg a thynnu trwyn yr heddwas.

'AW!'

Rhoddodd Sid slap i'w llaw.

'Ddrwg gen i. Mae hi'n ddynes ddireidus! Ac mae hi'n Mrs, nid Miss! 'Dan ni newydd briodi,' eglurodd Sid.

'Llongyfarchiade i chi'ch dou, 'te,' atebodd yr heddwas, gan rwbio'i drwyn. 'Ond mae'n rhaid i ni weld eich papure chi, Mrs!'

'Does ganddi ddim papurau!' meddai'r bachgen.

'Pam hynny?' pwysodd yr heddwas.

'Ma hi wedi eu bwyta!'

Edrychodd Sid ar Eric, cystal â dweud, 'Pam ar y ddaear ddeudist ti hynna?'

Edrychodd Eric yn ôl ar Sid, cystal â dweud, 'Sgen i ddim clem!'

'Pam fydde rhywun yn bwyta ei GARDEN ADNABOD?' gofynnodd yr heddwas, yn anghrediniol.

'Am fod rhywun yn llwglyd,' dyfalodd y bachgen.

'Ac yn mwynhau blas cardbord!' ychwanegodd Sid. 'Mae'n flasus iawn gyda sos brown!'

'Gadewch i fi gael pip arni,' mynnodd yr heddwas, gan bwyso ymlaen yn agosach at wyneb Greta.

'O, na! Peidiwch â chodi'r fêl!' plediodd Eric.

'Pam ddim?'

'Does ganddi ddim colur ymlaen!' atebodd Sid. 'Tydi hi ddim yn hoffi pobl yn ei gweld hi heb ei cholur!'

'Mae diogelwch Prydain yn lot pwysicach! Madam, ga i fod mor garedig â gofyn i chi godi'ch fêl?'

Gan mai gorila ydoedd, nad oedd yn deall na siarad Cymraeg (yn sicr nid Cwmrâg y De, ontefe!), ni chafwyd ymateb gan Greta.

**TWT! TWT!** chwibanodd y trên, unwaith yn rhagor.

'Ddeudis i na fyddai hi'n hapus i godi'r fêl!' meddai Sid.

Doedd yr heddwas ddim yn fodlon gwrando ar ddim mwy o ddwli. Plygodd ymlaen a chodi'r fêl ei hun. Does dim angen dweud iddo gael sioc aruthrol. Epa anferth, blewog yn gwenu arno, ac yn cynnig llond llaw o gacen iddo!

'HYYY?!' gofynnodd Greta.

'AAAA!' sgrechiodd yr heddwas, gan gymryd cam mawr yn ôl a chuddio y tu ôl i'r heddwas arall. Ond ar ôl gweld Greta, roedd gan hwnnw drôns brown hefyd, a dechreuwyd gêm lle'r oedd un yn ceisio cuddio y tu ôl i'r llall.

## TWT! TWT!

Honno oedd y chwiban olaf. Cychwynodd y trên o'r orsaf!

'Mae'n ddrwg iawn, iawn gen i, syr, ond mae'n rhaid i ni fynd!' gwaeddodd Sid, yn uwch na sŵn yr injan.

Dechreuodd y tri redeg ar ôl y trên.

## 'DOWCH YN ÔL I FAN HYN!'

gwaeddodd yr heddwas.

## 'STOPIWCH! YN ENW'R GYFRAITH!'

## 'STOPIWCH

# Y TRÊN!'

PENNOD 39

# CADWCH YR ESGID!

*CYFRINACHOL*

Chwythodd yr heddweision eu chwibanau.

## TWWWWWT!

Clywyd bloeddiadau a synau esgidiau'n rhedeg ...

### 'STOPIWCH NHW!'

## 'DALIWCH NHW!'

### 'MAE GORILA'N RHYDD!'

### STOMP! STOMP! STOMP!

... wrth i'n tri arwr gael eu herlid o'r platfform.

Ni feiddiodd yr un ohonyn nhw droi i edrych yn ôl. Byddai cyrraedd y trên yn wyrth. Roedd Sid yn cael trafferth rhedeg o achos ei goesau tun ...

## CLINC! CLANC! CLYNC!

... yn enwedig gan ei fod hefyd yn gwthio cadair olwyn.

Cafodd gymorth gan Eric ond roedd Greta yn DRWM!

Ac roedd yr holl gacen ffrwythau wedi ei gwneud yn DRYMACH!

'Os na chyflymwn ni, mi gollwn y trên!' meddai Sid, â'i wynt yn ei ddwrn.

'Felly does ganddon ni ddim dewis. Greta! RHED!' gwaeddodd Eric, gan godi'r gorila ar ei thraed.

Trodd y gadair olwyn drosodd ar y platfform.

THYNC!

Yn ffodus, glaniodd yn llwybr yr heddwas, gan oedi ei rediad am rai eiliadau tyngedfennol.

'DAMO!'

Gallai Greta redeg yn gyflym er bod ganddi, fel gorila, osgo rhyfedd iawn – ei cherddediad yn isel i'r llawr, yn wahanol i un dynol. Yn dal yn ei gwisg briodas/llenni les, rhedodd nerth ei thraed blewog i gefn y trên a gafaelodd yn

yr handlen ar y pen. Rhedodd Eric ar ei hôl, ymestynnodd ei law a gafaelodd yn llaw flewog, anferth Greta. Yna, cynigiodd ei law arall i Sid.

'Ewch hebddo i!' gwaeddodd yr hen ŵr yn arwrol, gan ei fod yn bell y tu ôl i'r ddau arall. 'Achub Greta!'

'Na!' meddai Eric. 'Dach chi'n dod efo ni! Tyrd, Greta, rhaid i ni ei achub!'

Tynnodd ar law y gorila, a neidiodd y ddau oddi ar y trên symudol ac ar y platfform.

# THYD!

'Neidiwch ar ei chefn hi, Wncwl Sid!' gorchmynnodd y bachgen.

'Alla i ddim ... !' meddai'r hen ŵr, gan duchan.

'Gallwch, mi allwch chi! Mae Greta'n fodlon eich cario! On'd dwyt ti, Greta?'

Nodiodd y gorila cyn codi Sid ar ei chefn. Yna, rhedodd yn gyflym a neidiodd ar y trên.

# WHYYYSH!
# THYMP!

'Dwi'n dechrau mwynhau hyn!' meddai Sid.

Yn dal ar y platfform, rhedodd y bachgen ar ôl y trên symudol.

Wrth i Eric deimlo gwres anadl yr heddweision ar gefn ei wddf, efelychodd yr hyn a wnaeth Greta. Rhedodd nerth ei draed ...

# WHYYYSH!
# THYMP!

... a llwyddodd i afael yn yr handlen ar gefn y trên.

Yn anffodus, cydiodd un o'r heddweision yn nhroed Eric.

## 'TYRD YMA, Y DIAWL BACH!'

gwaeddodd.

Wiglodd a waglodd a *woglodd ei ffêr cymaint ac y gallai.

---

*Nid yw'r gair hwn yng Ngeiriadur yr Academi, ond mae o'n air da!*

# WIGL!
# WASL!
# WOSL!

Gweithiodd cynllun Eric! Daeth yr esgid i ffwrdd yn nwylo'r heddwas.

Wrth i'r trên bwffian mynd o'r orsaf, gadawyd yr heddwas ar ben y platfform gydag esgid fechan yn ei law. Taflodd hi i'r llawr yn rhwystredig.

# THWAC!

Ac ar ben hynny, sathrodd arni'n galed.

**STOMP!**

'NAAA!' gwaeddodd.

Gan mai dim ond un esgid oedd ganddo ar ei draed, cafodd Eric drafferth wrth ddringo i ben to'r trên. Ond roedd y bachgen mewn hwyliau da. Trodd, a chododd ei law ar yr heddwas.

'CADWCH YR ESGID!' gwaeddodd.

Y tu ôl iddo, ar do'r trên, clywodd Sid yn gweiddi, **'ERIC! GWYRA! 'DAN NI'N MYND I MEWN I DWNNEL!'**

Trodd y bachgen a gwelodd eu bod yn mynd i mewn i dwnnel isel. Roedd Greta a Sid eisoes yn gorwedd ar eu boliau ar ben y trên. Os na fyddai Eric yn gweithredu'n gyflym, byddai'n mynd yn syth i mewn i fwa brics y twnnel.

Ond roedd ganddo gymaint o ofn,

rhewodd yn ei unfan ...

PENNOD 40

# LLEIANOD CEGRWTH

Tynnodd Sid ar ffêr y bachgen gan achosi iddo ddisgyn ar ei hyd. Glaniodd y bachgen ar ben y trên ...

## THYD!

Caeodd Eric ei lygaid wrth iddo deimlo bwa'r twnnel yn gwibio'n agos dros ei ben.

## WHYYYSH!

Roedd y bachgen yn ymwybodol iawn o'r ffaith ei fod o'n ffodus i fod yn fyw. Mewn eiliadau, trodd y tywyllwch yn oleuni wrth i'r trên wibio o'r twnnel.

Gyrrodd ar draws pont reilffordd afon Tafwys, i gyfeiriad y de. Y cam nesaf oedd dod o hyd i garej trydydd dosbarth. Felly, gafaelodd y ddau yn nwylo Greta, gyda'i gwisg briodas yn chwifio yn y gwynt, a mynd ar flaenau eu traed i du blaen y trên. Roedd bwlch rhwng pob carej. Dim problem o gwbl i epa neu fachgen bach, sionc. Ond problem enfawr i hen ŵr gyda choesau gosod.

'Dwi ddim yn meddwl y galla i neidio!' meddai Sid, yn nerfus.

'MAE POPETH YN BOSIB!' meddai Eric yn ffyddiog. 'Rhedwch, a neidiwch!'

Ysgydwodd yr hen ŵr ei ben, cyn cymryd cam yn ôl a cheisio'i orau glas i neidio o un carej i'r llall.

'AAAA!' gwaeddodd Sid, wrth iddo lithro a syrthio rhwng dau garej.

CLONC!

Llwyddodd Eric i ddal ei afael yn llaw'r hen ŵr a'i rwystro rhag cwympo ar y traciau.

'DWI'N DAL FY NGAFAEL YNDDOCH CHI!' meddai'r bachgen.

Ond roedd llaw yr hen ŵr yn llithro'n araf o afael y bachgen.

'WYT! OND AM BA HYD?!'

I wneud pethau'n waeth, doedd hi ddim yn hawdd iawn gweld yn glir. Yn y blaen, cododd mwg du o injan y trên wrth iddo gyflymu, a chyflymu, a chyflymu.

## MWG! MWG! MWG!

O weld ei ffrindiau mewn trybini, plygodd Greta o ben y trên ac estynnodd ei braich i gynnig help llaw. Roedd y gorila yn llawer cryfach nag Eric – yn wir, roedd hi'n gryfach na phawb. Gan gydio yn llaw rydd Sid, tynnodd yr hen ŵr yn ôl i ben y carej. Glaniodd gyda ...

## THYMP!

'Ydach chi'n iawn?' gofynnodd Eric.

'Wedi colli 'ngwynt braidd!' atebodd Sid.

'Greta! Beth am i ni'n dau gydio ym mhob llaw,' meddai'r bachgen, gan feimio.

Nodiodd y gorila. **Merch glyfar** oedd hon! Nawr, gyda Sid yn y canol, neidiodd y tri dros y bylchau rhwng y carejis gyda'i gilydd.

'WHIII!' meddai'r hen ŵr, gan deimlo fel plentyn am y tro cyntaf mewn hanner can mlynedd. Roedd fel plentyn yn cael ei siglo gan ei rieni.

Ymhen dim, roedd y tri ym mhen blaen y trên.

'Nawr, mae'n rhaid i ni ddod o hyd i le gwag yn y carej,' meddai Sid.

'Gollyngwch fi i lawr yn araf er mwyn i mi allu edrych trwy'r ffenestri,' meddai Eric.

Cydiodd Sid a Greta yn fferau'r bachgen cyn ei ollwng yn araf trwy ffenest gyntaf y carej.

Gan roi'r gorau i ddarllen eu Beiblau, cododd criw o leianod eu pennau a syllu'n gegrwth arno. Gwenodd y bachgen cyn ystumio wrth Sid a Greta i'w dynnu'n ôl i fyny.

Roedd y rhan nesaf o'r carej yn llawn o blant, gyda'u henwau yn hongian o gwmpas eu gyddfau. Faciwîs oedden nhw, ar eu ffordd i ddiogelwch cefn gwlad. Gwenodd y plant, wedi cyffroi o weld plentyn yn hongian wyneb i waered trwy'r ffenest. Cododd Eric ei law cyn ailystumio wrth y ddau arall i'w godi yn ôl i fyny.

'TRI CHYNNIG I GYMRO!' meddai, wrth i Sid a Greta ei ollwng i edrych trwy ffenest am y trydydd tro.

'O'R DIWEDD!' meddai'r bachgen, 'Mae fan'ma'n wag!'

Yn wyneb i waered, agorodd Eric y ffenest a llithrodd drwyddi. Glaniodd yn un swp ar lawr y carej.

Nesaf, plygodd drwy'r ffenest er mwyn helpu Greta, ac yna Sid, i ddod i mewn. Bachodd trowsus yr hen ŵr yn nwrn y drws, a daeth y dilledyn i lawr yn syth.

*WPS!*

'O, NA! DIM ETO!' meddai, gyda'i ben ôl crychlyd yn hongian trwy'r ffenest.

Tynnodd Eric yr hen ŵr i mewn, a chododd Sid ei drowsus i fyny.

Yn flinedig, wedi bod yn nannedd y gwynt ac wedi eu gorchuddio gan huddug, syrthiodd y tri yn swrth i'w seddi. Caeodd Eric y ffenest ...

CLIC!

... a rhoddodd y tri ochenaid o ryddhad.

'Whiw!'

Roedd y gwynt wedi chwythu gwisg Greta dros bob man. Edrychai fel pe bai wedi ei thynnu wysg ei chefn trwy ddrain. Roedd ei hwyneb, breichiau a'i choesau blewog i'w gweld yn amlwg.

'Wps!' meddai'r bachgen.

'Wps yn wir!' adleisiodd Sid.

Edrychodd Eric drwy'r drws ar ochr arall y carej, a arweiniai i'r coridor. Cafodd sioc o weld dynes y troli te yn nesáu.

'Mae dynes y troli te yn dod! Rhaid i ni dwtio Greta. Nawr!'

Wrth i Greta syllu arnyn nhw braidd yn ddryslyd, aeth y ddau ati i dwtio'r ffrog briodas, neu'r llenni les.

'Ddwg gen i am hyn!' meddai'r bachgen. 'Blêr wyt ti, nid hyll!'

Gwenodd Greta arno, cyn crychu ei gwefusau i gael cusan.

'Nid nawr!' sibrydodd y bachgen.

Llwyddodd i dynnu'r fêl dros wyneb Greta ...

SWISH!

... wrth i ddrws y carej agor ...

# RHECH

CYFRINACHOL

'Odych chi moyn rhywbeth o'r troli?' gofynnodd yr hen wraig, gan siglo o un ochr i'r llall gyda symudiad y trên. Gydag un o'i bysedd tewion, pwyntiodd at lond troli o frechdanau, teisennau a bisgedi.

Yn syth bin, saethodd llaw Greta o dan ei gwisg briodas. Edrychodd Eric a Sid mewn **dychryn** wrth i'r gorila lenwi ei dwylo mawr â bwyd.

## *'MMMMM!'*

Dechreuodd stwffio bopeth i'w cheg, gan wneud synau rhyfeddol wrth fwyta.

## 'SLYRP! GLYG! BYYYY!'

Syllodd y ddynes te arni, ei llygaid fel soseri yn ei phen. Mewn ychydig eiliadau, sglaffiodd y briodferch bron bopeth ar y troli. Ond doedd hi ddim wedi gorffen gwledda!

## 'SLYRP! GLYG! BYYYY!'

'Mae'n wir ddrwg gen i,' meddai Sid. 'Chafodd fy ngwraig

ddim llawer i'w fwyta yn y wledd briodas, ac mae hi bron â llwgu!'

'Alla i weld hynny!' meddai dynes y troli te mewn sioc, gan woblo cymaint â'r trên. 'Bydd hi wedi'ch gwneud chi'n fethdalwyr!'

'Faint sydd arna i i chi?' gofynnodd Sid.

Ceisiodd y wraig wneud ei syms, ond roedd eitemau'n diflannu oddi ar y troli yn gynt nag y gallai gyfrif. Ac yn waeth fyth, roedd Gret bellach yn dwyn y te, y llefrith a'r siwgr, ac yn eu harllwys i lawr ei chorn gwddwg.

## 'Beth am weud deg swllt!'

Roedd deg swllt yn ffortiwn fechan bryd hynny. Dim ond hynny o arian oedd ym mhoced Sid, druan, a rhoddodd y pres iddi, gan wenu'n drist.

'Efallai y byddai'n well i chi adael y troli efo ni,' meddai Eric. 'Rhag ofn iddi ddod o hyd i friwsion!'

'Odych chi'n addo wneith hi ddim bwyta'r troli hefyd?' meddai'r wraig, yn gweld yn chwith. 'Bydda i mewn trwbwl mowr os caiff hwn ei fwyta!'

''Dan ni'n addo,' meddai Eric.

'A sa i moyn dod yn ôl i fan hyn ac olion brathiade arno fe!'

'Bydd y troli'n ddiogel efo ni!'

'Bydda i'n ôl mewn whincad nawr ... '

Aeth Sid ac Eric ati i fwyta popeth oedd ar ôl ar y troli. Dewisiodd Eric ddarn o fara brith, a chydiodd Sid mewn pice ar y maen. Ond wrth i'r ddau eu codi i'w cegau, cydiodd Greta yn y bwydydd a'u rhoi yn ei cheg enfawr. Mae'n siŵr bod bwyta cacen frith a phice ar y maen ar yr un pryd yn flasus iawn. Doedd dim dwywaith bod y gorila'n mwynhau! Yna, ar ôl iddi sglaffio'r holl fwydydd, trawodd wynt enfawr!

'PFFFFFFFFFFFFFFFFFFT!'

Cododd y fêl yn y chwa o wynt drewllyd. Hwn oedd y torri gwynt mwyaf erioed, un yn drewi o wyau drwg, selsig, mwstard, jam, bara brith a phic ar y maen ... a bwydydd eraill ...

**CWMWL TORRI GWYNT**

**WYAU DRWG** SIWGR

MWSTARD

**SELSIG**

JAM

BRIWSION BARA

BARA BRITH

Neidiodd Eric ar ei draed ac agorodd y ffenest.

**AWYR IACH!**

Ond daeth chwa o wynt i mewn gan ledaenu'r oglau a'i yrru i fyny ei drwyn!

*WHYYYSH!*

'YCH-A-FI!'

Yn syth bin, caeodd y ffenest ac eistedd yn swp ar lawr.

Bu Sid ac yntau ar eu traed trwy'r nos, wedi llwyr ymlâdd.

Pwysodd y ddau yn ôl yn eu seddi a chau eu llygaid. Ond cyn iddyn nhw syrthio i gysgu yn iawn, fe gawson nhw eu deffro gan sŵn byddarol.

'*PFFFFFFFT!*' meddai'r sŵn, nid yn rhy annhebyg i Greta'n torri gwynt. Ond nid torri gwynt o'i cheg wnaeth hi y tro hwn, ond torri gwynt o'i thin.

Mae gorila'n torri gwynt o'i geg yn drewi'n ofnadwy, ond mae torri gwynt o'r pen arall yn ERCHYLL! Mae angen mwgwd nwy i'w oroesi.

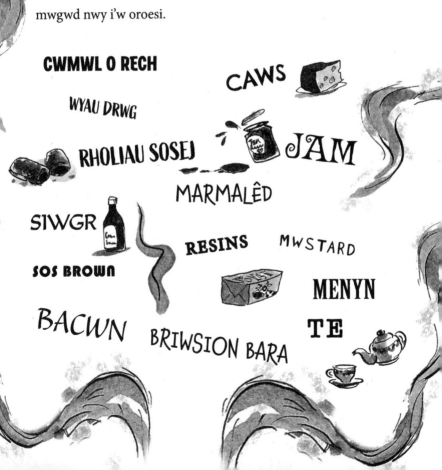

CWMWL O RECH

CAWS

WYAU DRWG

RHOLIAU SOSEJ

JAM

MARMALÊD

SIWGR

RESINS

MWSTARD

SOS BROWN

MENYN

BACWN

TE

BRIWSION BARA

'Dwi'n meddwl bod Greta eisiau mynd i'r lle chwech!' cyhoeddodd Sid, dan dagu, a'i lygaid yn dyfrio o achos yr **AROGL**. 'A HYNNY AR FRYS!'

'DACH CHI ERIOED YN DWEUD!' meddai'r bachgen, yn goeglyd.

'Gwell i mi fynd â hi lawr y coridor i'r tŷ bach.'

## 'IA! A hynny ar unwaith!'

Cododd Eric y fêl i gael golwg iawn ar y gorila. Roedd ei hwyneb yn gwingo. Gwyddai'r bachgen fod amser yn brin.

'Dwi ddim yn meddwl eich bod chi am lwyddo i gyrraedd y lle chwech!' meddai'r bachgen.

'O, na! Mae hi'n mynd i ddifetha ei gwisg briodas!'

'Mae un peth allwn ni wneud!'

'Beth?' gofynnodd Sid.

'Rhoi ei thin hi trwy'r ffenest!'

'OND –' protestiodd yr hen ŵr.

## '*PFFFFFFFFFFFFFFFFFT!*'

Trawodd y gorila rech anferthol arall, un **waeth** na'r gyntaf.

'Tyrd nawr, 'ngeneth i,' meddai Sid, gan geisio gosod y gorila yn y safle iawn.

Agorodd Eric y ffenest.

CLYNC!

Taniodd tin y gorila fel canon!

## BANG!

Saethodd rhywbeth brown, siâp roced, trwy'r ffenest.

 *WHIIIIS!*

Hedfanodd dros goed a glanio yng nghae ffermwr, cyn ffrwydro.

# CABWWWWM!

Rhedodd gyr o wartheg am eu bywydau.

'MWWW!'

'MWWW!'

'MWWW!'

Dychwelodd dynes y troli te a gwelodd y ddau'n dal pen ôl y briodferch trwy'r ffenest.

'Fel wnes i addo,' meddai'r bachgen, 'does dim ôl brathiad ar y troli!'

'Ody hi'n iawn?' gofynnodd.

'Perffaith. Mwynhau awyr iach y wlad!'

Yn fwy simsan nag erioed ar ei thraed, cerddodd dynes y troli te i lawr y coridor ar wib.

'Nawr, beth am orffwys cyn i ni gyrraedd Abertawe,' awgrymodd Sid.

Rhoddodd y ddau eu pennau ar ysgwyddau'r gorila, a rhoddodd hithau gwtsh mawr iddyn nhw. Ymhen dim, roedd y tri'n cysgu'n drwm.

### 'SSSS! SSSS! SSSS!'

Ychydig a wyddai'r tri beth oedd yn disgwyl amdanyn nhw

## ar ôl iddyn nhw ddeffro ...

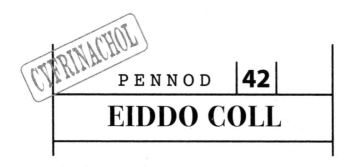

PENNOD |42|

# EIDDO COLL

*SGREEEEEEEEEECH!!*

Cafodd Eric ei ddeffro'n sydyn gan sŵn sgrechian brêcs y trên. Wrth edrych trwy'r ffenest a wynebai'r platfform, gallai weld haid o heddweision yn sefyllian. Roedd rhwyd anferth yn llaw un ohonyn nhw.

Rhaid bod yr heddweision yng ngorsaf Fictoria wedi rhoi rhybudd iddyn nhw ymlaen llaw bod y tri ar y trên. Nawr, doedd **dim dianc!**

Neu efallai fod gobaith?

Stopiodd y trên yn stond wrth i Eric geisio deffro Sid a Greta.

'Deffrwch! **Deffrwch!**'

Mewn eiliadau, deffrodd y ddau. Agorodd Greta ei cheg yn gysglyd.

'AAAAAAAAAUUUUUU'!

'Edrychwch!' sibrydodd Eric, gan bwyntio trwy'r ffenest.

Edrychai fel petai pob un heddwas yn Heddlu De Cymru ar y platfform.

'O, na,' atebodd Sid.

'Bydd rhaid i ni stelcian allan drwy'r ffenest!' meddai Eric.

Dringodd drwy'r ffenest a glaniodd ar y trac rheilffordd.

**'AW!'**

Roedd hyn yn **BERYGLUS** gyda **'B'** fawr!

Pe bai trên arall yn cyrraedd yr orsaf, byddai'n cael ei wasgu'n syth, fel oren mewn feis.

Gwibiodd llygaid Eric o'r dde i'r chwith. Ar ôl sicrhau bod neb yn edrych, rhoddodd help llaw i'r ddau arall ddod i lawr o'r trên. Gwthiodd Greta ben ôl Sid i fyny ac allan, cyn neidio ar y trac ei hunan. Yna, cerddodd y tri ar flaenau eu traed ar draws y trac a chodi eu hunain ar y platfform yr ochr arall. Gwelson nhw'r heddweision yn heidio ar y trên, yn chwilio amdanyn nhw.

Sleifiodd y tri rownd y gornel ar y platfform, a dod ar draws swyddfa fechan gydag arwydd ar y drws:

Doedd neb yn y swyddfa. Mae'n bosib bod staff yr orsaf wedi cael gorchymyn i chwilio am y tri ffoadur.

'Beth am guddio yn fan'ma,' meddai Eric.

Fe aethon nhw i mewn yn dawel, cyn cau'r drws yn ofalus ar eu holau.

Roedd y swyddfa yn **drysor cudd** o bethau yr oedd teithwyr wedi eu gadael ar eu holau yn yr orsaf ar hyd y blynyddoedd. Ymbaréls, hetiau caled, llyfrau, bwcedi a rhawiau, hwyaid rwber, siwtcesys, barcutiaid, doliau, tedi bêrs, peli gwynt, glob, coets babi, a hyd yn oed cath wedi ei stwffio. Tynnodd Greta ei fêl i fyny, ei hwyneb yn bictiwr o hapusrwydd. Dyma ystafell a'i llond o deganau newydd! Heb oedi am eiliad, dechreuodd fownsio'r bêl wynt ...

## ... BOING! BOING! BOING!

... a chwifio'r ymbarél fel pe bai'n perfformio dawns ar lwyfan Eisteddfod yr Urdd

### SWISH!

... cyn dechrau bwyta'r het galed.

## 'MMMM!'

'Rho'r gorau i fwyta honna!' sibrydodd Eric. 'Efallai y byddwn ni angen ambell ddilledyn fel cuddwisg!'

'Syniad da!' meddai Sid, gan estyn un o'r siwtcesys o'r silff. 'Bydd heddweision gorsaf Fictoria wedi rhoi disgrifiadau manwl ohonan ni, felly bydd rhaid i ni waredu'r dillad priodas!'

'A nawr bod y gadair olwyn ddim gynnon ni, efallai y gallwn ddefnyddio hon!' awgrymodd y bachgen, gan afael yn y goets babi.

'Coets babi?'

'Mae hi'n anferth. Ar gyfer efeilliaid, debyg.'

'Neu fabi ANFERTHOL?' meddai Sid, gan wenu yng nghil ei foch.

Trodd y ddau i edrych ar Greta. Doedd y gorila ddim yn mwynhau blas yr het galed, ond cariodd ymlaen i'w bwyta.

## CNOI! CNOI! CNOI!

'Dach chi'n meddwl y byddai hi'n ffitio i mewn i'r pram?' gofynnodd Eric.

Gwgodd Greta, ac ysgydwodd ei phen.

'Wel, dim ond os alli di ei pherswadio!' meddai Sid, gan wenu fel giât.

Croesodd y gorila ei breichiau, a golwg blin arni.

'Mmm. Galla i dreio 'ngorau,' atebodd y bachgen.

Gwenodd ar ei ffrind blewog, a gwgodd hithau arno. Crychodd ei thalcen fel cneuen Ffrengig.

'Pob lwc!' meddai Sid, dan chwerthin.

'Rhaid bod rhyw ffordd o'i llwgrwobrwyo!'

'Wel, 'dan ni'n gwybod ei bod hi'n hoffi bwyd! Efallai y gallwn ddod o hyd i rywbeth yn fan hyn, a 'dan ni eisiau ffeindio gwisgoedd i ni!'

Agorwyd siwtces anferth, blêr. Roedd o'n llawn gwisgoedd *hir, blodeuog*.

'O, na!' meddai Eric.

'Dwi'n siŵr y bydd un ohonyn nhw yn dy ffitio!' chwarddodd Sid.

'Ond —'

'Mi fyddan nhw'n guddwisgoedd perffaith! Dyw'r heddweision ddim yn chwilio am ddwy ddynes a babi!'

'Mae hynny'n wir,' cytunodd y bachgen.

'Tyrd yn dy flaen! Beth am ddewis ambell ddilledyn a'i wisgo ar ôl gadael yr orsaf. A chofia dy fod di angen esgid!'

## 'Mae hynny'n wir!'

Ar ôl rhai munudau, agorodd ddrws ystafell Eiddo Coll yn araf.

*CRIIIIC!*

Sid ddaeth allan gyntaf. Gwisgai ffrog *hir*, felyn, *blodeuog*, menyg sidan gwyn, sbectol haul a het haul. Cuddiodd yr hen ŵr ei farf y tu ôl i ffan.

Yna, tro Eric oedd hi. Gwisgai'r bachgen wisg nofio dynes (un binc!), het nofio biws, *flodeuog*, gogls a chylch rwber o gwmpas ei ganol.

Tynnodd y ddau goets babi anferth, a oedd bron iawn yn rhy fawr i ddod trwy'r drws.

Yn y goets babi, wedi ei chuddio dan dywelion glan y môr lliwgar, roedd Greta. Ymdebygai'r hen gorila i'r babi newydd mwyaf anghyffredin ac od a welodd y byd erioed. Llyfai ddarn o *india-roc 'nymbar 8 Llan'achmedd', un yr oedd Eric wedi dod o hyd iddo.

*\*Cafodd yr india-roc hwn ei gyflwyno i bentref Llannerch-y-medd yn Sir Fôn yn yr 1800au. Roedd ganddo ffigwr 8 arno, ond does neb yn gwybod pam.*

Dyna oedd yr union beth oedd ei angen i'w hudo i'r goets babi, ac roedd yn llawer mwy **blasus** na het galed.

Gan gerdded yn dalog, heglodd y tri heibio'r gyr o heddweision oedd ar y platfform. Edrychodd yr haid arnyn nhw gyda chwilfrydedd.

A fyddai'r heddweision yn eu stopio?

Ai dyma ddiwedd y daith?

## NID ETO!

Astudiodd yr heddweision y tri yn ofalus am ennyd, cyn troi eu sylw at y teithwyr eraill oedd yn mynd a dod o'r orsaf.

Nawr, dim ond y giât docynnau oedd rhwng ein harwyr

# a rhyddid!

# PENNOD 43

## MWSTÁSH CYRN BEIC

Wrth y giât docynnau, safai dyn bach hunanbwysig gyda mwstásh mawr. Edrychai, mewn gair, yn SWYDDOGLYD.

'Tocynne, os gwelwch yn dda!' cyfarthodd, ei fwstásh cyrn beic yn symud i fyny ac i lawr wrth iddo siarad.

Gydag ystumiau benywaidd, rhoddodd Sid dri tocyn yn llaw'r casglwr tocynnau.

Edrychodd y gŵr yn ofalus iawn ar y tocynnau, cyn eu rhwygo'n ddau ddarn.

'O, diolch, ŵr annwyl,' meddai Sid, mewn llais boneddigesaidd. 'Wel, os yw popeth mewn trefn, rhaid i ni fynd i fwynhau golygfeydd ac atyniadau Abertawe!'

'ARHOSWCH FUNED!' meddai'r casglwr tocynnau.

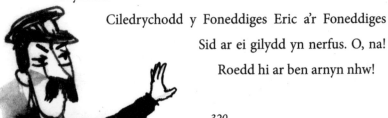

Ciledrychodd y Foneddiges Eric a'r Foneddiges Sid ar ei gilydd yn nerfus. O, na! Roedd hi ar ben arnyn nhw!

320

'Wy'n caru babis!' meddai'r dyn bach. 'Fydde ots dach chi pe bawn i'n cael pip fach ar eich babi?'

'Mae hi'n swil iawn,' meddai'r Foneddiges Sid.

'O, dim ond pip fach sydyn!'

'Mae hi'n cysgu!' sibrydodd y Foneddiges Eric.

'Peidiwch becso! Sa i'n mynd i'w dihuno hi!' atebodd y dyn bach.

Ar hynny, tynnodd y tywel glan môr yn ei ôl. Dyna lle'r oedd Greta, yn llyfu India roc .

# LLYFU! LLYFU! LLYFU!!

Cymylodd wyneb y dyn ag *ofn*. Dechreuodd ei fwstásh cyrn beic symud fel barcud mewn storm. Edrychai fel pe bai am hedfan i ffwrdd ar unrhyw adeg.

'Mae hi mor brydferth,' meddai'r Foneddiges Eric. 'Nawr, tyrd yn dy flaen, fy mabi annwyl!'

Gyda'r dyn bach wedi ei hoelio gan sioc, dechreuodd y ddau wthio'r goets babi allan o orsaf Abertawe. Cyn gynted ag yr o'n nhw rownd y gornel, dechreuodd y ddau ei heglu hi mor gyflym â phosib.

RAS! RAS! RAS!

Yna, neidiodd y ddau i'r goets babi wrth iddi fownsio ar hyd y palmant o'r orsaf i'r dref.

BONC! BONC! BONC!

''Dan ni wedi 'i gwneud hi!' meddai Sid.

'Do! O'r diwedd!' cytunodd y bachgen.

**'LLYFU! LLYFU! LLYFU!'** meddai Greta'r Babi, wrth i'w thafod lyfu'r india-roc.

Roedden nhw wedi eu gwisgo'n addas iawn ar gyfer diwrnod hafaidd ar y traeth. Trueni mai mis Rhagfyr oedd hi!

Llwyddodd y tri i ddianc i *dref hyfryd Abertawe. Doedd GWESTY ANNWFN ddim yn bell.

Doedd ganddyn nhw ddim clem am y peryglon erchyll oedd yn llechu yno.

# RHAN 4

# GORMES
# FFIAIDD

# CADWCH DRAW!

Doedd dim llawer o bobl yn nhref Abertawe yr adeg hon o'r flwyddyn. Tref glan môr yw hi, ac fel pob tref glan môr doedd dim cymaint yn mynd yno yn y gaeaf. Pan oedd yn blentyn, treuliodd Sid sawl haf ym Mhenrhyn Gŵyr, ardal glan môr ger Abertawe. Roedd yn cofio cerdded, neu ddal bws, o Abertawe i Benrhyn Gŵyr. Ond doedd Eric erioed wedi bod y tu allan i Lundain. Pan welodd y môr am y tro cyntaf, roedd ei lygaid fel rhai plentyn ar fore Nadolig. Syllodd ar ryfeddod y tonnau yn torri ar y traeth.

Eisteddodd Greta i fyny yn ei choets babi a syllodd allan i'r môr. Doedd ganddi fawr o gariad at ddŵr – ysgydwodd ei phen, cyn parhau i lyfu'r india roc.

## 'MMM!'

'Dwi'n caru glan y môr,' meddai'r bachgen, yn rhynnu fel deilen. 'Ond dwi ddim yn rhy siŵr a yw Greta mor frwdfrydig!'

Yna, cydiodd chwa o wynt yng ngwisg flodeuog Sid, gan ei chodi dros ei ben.

## CHWIP!

Nawr, gallai'r holl fyd weld ei **drôns brown**.

'Dwi ddim yn siŵr a yw'r un ohonan ni wedi ein gwisgo'n addas ar gyfer y tywydd hwn!' meddai'r hen ŵr. 'Beth am fynd i newid?'

Y tu cefn iddyn nhw, roedd rhes hir o gytiau glan môr. Daethon nhw o hyd i un â'i ddrws heb ei gloi, ac fe aethon nhw i mewn gyda'r goets babi.

Roedd y gwisgoedd wedi bod yn guddwisgoedd perffaith i fynd trwy orsaf Abertawe, ond erbyn hyn roedd angen dillad mwy ymarferol. Roedden nhw wedi dwyn cotiau, crysau, esgidiau a throwsusau o'r swyddfa EIDDO COLL ac wedi eu stwffio i fasged o dan y goets. Ond roedd un cwestiwn mawr yn gwmwl drostyn nhw ...

'Beth am Greta'r Babi?' gofynnodd y bachgen.

Syllodd y ddau i'r goets. Doedd dim modfedd o'r indiaroc ar ôl. Roedd y gorila'n sugno'i bawd ac yn chwyrnu cysgu.

'S S S S ! S S S S ! S S S S !'

'Mae hi'n edrych yn ddigon hapus,' atebodd Sid. 'Beth am roi llonydd iddi gysgu. Mae'r gwesty gryn dipyn o ffordd o fan hyn, ac os tynnwn ni hi o'r goets babi, gallai rhywun ei gweld.'

'Cytuno. Mae ei cherddediad yn un unigryw a gwahanol iawn!'

'Dyna sut o'n i'n cerdded unwaith, ar ôl imi dreulio pythefnos ar gefn ceffyl!'

'HA! HA!' chwarddodd y ddau gyda'i gilydd.

Aflonyddodd Greta yn ei choets.

'YYYY!'

Gosododd Sid ei fys ar ei wefusau, a sibrydodd, 'Gwell i ni beidio'i deffro!'

Mor dawel â llygoden eglwys, agorodd Eric y drws i'r cwt glan môr.

Yn gyntaf, ar ôl edrych a oedd rhywun o gwmpas, dechreuodd y ddau arwr wthio Greta ar hyd y rhodfa yn y goets babi. Ac ar ôl cerdded am sbel wyntog ar hyd yr arfordir, fe welson nhw eu cyrchfan.

## GWESTY ANNWFN.

Safai'r adeilad Gothig ar glogwyn, yn edrych dros y môr. Roedd y briciau llwyd, tywyll wedi dechrau dirywio ar ôl cael eu curo'n ddi-baid gan stormydd cryfion. Ar y to, roedd tyrau bychain, y math sydd i'w gweld ar gestyll. Rhaid bod rhywun wedi torri'r ffenestri oherwydd roedd bordiau pren arnyn nhw.

Ar yr arwydd yng ngwaelod yr allt roedd y geiriau:

GWESTY ANNWFN
AR GAU
CADWCH DRAW!

GWESTY ANNWEN
AR GAU
CADWCH DRAW

'Dyma ni!' meddai Sid, ei wyneb dan straen ar ôl gwthio'r gorila i fyny'r allt. Bydd man hyn yn lle ardderchog i ni guddio tan fydd pethau wedi setlo.'

Wrth droedio i fyny llwybr yr ardd, credai Eric iddo weld y llenni yn symud.

'**Wncwl Sid!**' sibrydodd. '**DRYCHWCH**'

'Drychwch ar beth?'

'Mae rhywun yn y ffenest,' meddai'r bachgen, gan bwyntio.

Syllodd yr hen ŵr ar y ffenest, ond doedd neb i'w weld. Doedd dim golau ymlaen, a'r llenni wedi eu cau.

'Ti'n dychmygu pethau, 'ngwas i. Mae'r gwesty mor wag â phenglog.'

'Dwi'n gwybod be welais i,' mynnodd y bachgen.

Fe aethon nhw i fyny gweddill y llwybr heb yngan gair.

Chwyrlïai cymylau duon ar draws yr awyr. Storm o fellt a tharanau!

# BWM!

PENNOD | 45 |

# TRÔNS BROWN

CYFRINACHOL

O'r diwedd, cyrhaeddodd ein harwyr ben y bryn wrth iddi ddechrau bwrw hen wragedd a ffyn.

'Mae'r lle yma yn dod ag atgofion melys i mi,' meddai Sid. 'Chwarae yn yr ardd, chwilota am lyffantod yn y pwll. A drycha,' ychwanegodd, gan bwyntio i gyfeiriad y môr, 'ar ddiwrnod clir o fan hyn, mae'n bosib gweld am filltiroedd. O, dyna oedd pleser! Roedd gan fy nhad bâr o finociwlars, ac mi eisteddwn yn fan hyn am oriau, yn gwylio llongau'r llynges yn mynd yn ôl a blaen ar hyd yr arfordir. Dyddiau dedwydd.'

'Swnio fel dyddiau perffaith.'

'O, mi ro'n nhw. Trueni bod GWESTY ANNWFN wedi cau. Ond, mae o'n newydd da i ni sydd yn dianc o grafangau'r heddlu! Reit, hen bryd i mi gau fy hen hopran! Rhaid i ni gael lloches rhag y storm. Beth am dorri un o'r ffenestri a mynd i mewn?'

Ysgydwodd y bachgen ei ben. 'Efallai fod rhywun yma.'

'Pwy?'

'Dwn i ddim. *Washi Bach?'

'Does neb i mewn yn fan'ma!'

'Dwi'n awgrymu y dylen ni gnocio'r drws, rhag ofn bod rhywun gartref.'

'Iawn, iawn!' meddai Sid, yn rhwystredig. 'Dim ond am dy fod di'n mynnu! Beth am gnocio ar y drws.'

Golchodd y glaw y we pry cop i ffwrdd, a honno wedi bod yno ers blynyddoedd. Ar ganol y drws roedd morthwyl drws rhydlyd.

Ochneidiodd Sid cyn cnocio.

**CNOC! CNOC! CNOC!**

Dim ymateb.

'Ti'n gweld? Does neb ar gyfyl y lle!' meddai'r hen ŵr.

Yr eildro, cnociodd Eric.

**CNOC! CNOC! CNOC!**

'Neb! Tyrd, beth am dorri'r ffenest?'

'Ust!' sibrydodd y bachgen.

'Beth sy'n bod?'

Er bod sŵn y glaw yn uchel, credai Eric ei fod wedi clywed sŵn traed y tu ôl i'r drws.

'Mae rhywun yno, saff i chi!'

---

*Trempyn oedd yn crwydro Cymru oedd Washi Bach. Roedd plant yn ei ofni.

'Taw â dy lol!' meddai Sid, gan ysgwyd ei ben, cyn clustfeinio trwy'r blwch llythyrau. Nodiodd. Roedd y bachgen yn llygad ei le!

Roedd gan Eric ofn trwy waed ei galon.

*'Bwgan?'* meddyliodd.

Roedd hi'n amhosib dweud sawl person oedd y tu ôl i'r drws, ond roedd mwy nag un yno, yn sicr oherwydd deuai adleisiau sŵn traed o wahanol rannau o'r adeilad.

## CAM! CAM! CAM!

Y synau nesaf oedd y cloeon yn cael eu datgloi.

CLIC!

CLIC!

CLIC!

Agorwyd cil y drws. Doedd y drws ddim yn gallu agor led y pen am fod cadwyn fetel, rydlyd yn rhwystr. Gwelwyd hanner wyneb gwraig oedrannus yn y cysgodion, ei gwallt pryd golau a'i cholur yn edrych yn berffaith.

'Beth chi moyn?!' mynnodd.

Roedd arlliw o acen estron yn ei llais, ond un anodd iawn i'w lleoli'n union.

'O ... yyy ... meddwl tybed a oes gennych stafell wag, os gwelwch y dda?' meddai Sid, dan dagu siarad.

'Mae GWESTY ANNWFN yn llawn dop! Sdim UN stafell wag!' meddai'n siarp ei thafod.

'Ond does gynnon ni nunlle arall i fynd,' erfyniodd.

'Nage fy mhroblem i yw honno! Rhaid ichi adael ar unwaith! Odych chi'n fy nghlywed i? AR UNWAITH!'

'Sali!' sibrydodd llais o'r tywyllwch.

'Ie, Mali?' atebodd y wraig gyntaf.

'Dere i fan hyn, ar unweth!'

Roedd dwy ohonyn nhw! A'r un oedd yn rheoli'r nyth oedd yr un anweledig.

Caewyd y drws yn glep yn wynebau Sid ac Eric.

# CLEP!

Clywyd dadlau chwyrn rhwng y ddwy am rai munudau. Doedd hi ddim yn hawdd i Sid ac Eric glywed yr hyn oedd yn cael ei ddweud, ond doedd eu hiaith ddim yn swnio fel Cymraeg na Saesneg.

'Efallai y byddai'n syniad i ni ei heglu hi o'ma?' sibrydodd Eric, gan dderbyn y ffaith bod ganddo ofn trwy ei din ac allan.

'Allwn ni ddim symud cam o fan'ma,' atebodd Sid. Edrychodd ar dref Abertawe yn cael ei boddi gan y storm. 'Os ewn ni'n ôl i Lundain, bydd hi ar ben ar Greta!'

Edrychodd Eric i mewn i'r goets. Cysgai'r gorila fel babi – fel babi blewog.

'S S S S ! S S S S ! S S S S !'

Gwenodd y bachgen wrth edrych arni, cyn i gwmwl o ofid ddod drosto. 'Ond mae'r gwesty hwn yn ... Mae'n codi'r cryd arna i ... yn ddigon i roi ... '

Cyn i Eric allu dweud y geiriau 'Nicars Nain', agorwyd y tsiaen ar y drws ...

## CLINC!

... ac agorwyd y drws led y pen.

*C R I I I I I I C !*

Nawr, safai dwy ddynes yn nrws GWESTY ANNWFN.

Dwy efaill oedd yn union yr un fath â'i gilydd oedden nhw – efeilliad unwy – a dwy drawiadol iawn. Doedden nhw ddim yn edrych fel pe baen nhw'n perthyn i'r hen westy llychlyd gyda'u hwynebau hen, minlliw coch, powdwr coch ar eu bochau, a'u hamrannau glaswyrdd.

Rhaid eu bod wedi lliwio eu gwalltiau aur. Edrychai'r ddwy fel sêr y byd ffilmiau mud. Roedd eu blowsys lliw hufen yn cyd-fynd, perlau o amgylch eu gyddfau, sgertiau cul, ac esgidiau lledr gloyw gyda sodlau uchel am eu traed. Doedd dim dwywaith bod y ddwy yn llawer rhy HUDOLUS i fod yn drigolion Abertawe!

'Chi'n lwcus!' meddai'r ail wraig. 'Mae rhywun newydd ganslo!'

Yna, gan gydadrodd fel pe baen nhw ar lwyfan yr Eisteddfod Genedlaethol, gwahoddwyd Sid ac Eric i mewn gyda'r geiriau, 'Croeso i WESTY ANNWFN.'

Erbyn hyn, roedd Eric yn anniddigo.

## Roedd rhywbeth mawr iawn o'i le.

# GWEOEDD PRYFED COP

Roedd  wedi dirywio cymaint y tu mewn ag yr oedd y tu allan. Wrth wthio'r goets babi i mewn mor ofalus â phosib, heb ddeffro Greta, roedd hi'n amlwg i Eric a Sid nad oedd y gwesty wedi croesawu ymwelwyr ers amser maith.

Yn y cyntedd, gorweddai llwch trwchus dros y cadeiriau, y byrddau a'r sillffoedd.

Roedd llwydni fel pla ar y waliau.

Ar y nenfwd, roedd gweoedd pryfed cop yn hongian.

Ar y cownter, fe welson nhw flodau marw mewn fas mor sych â chorcyn.

Cyn gynted ag yr oedd yr ymwelwyr newydd i mewn, caeodd yr efeilliaid y drws yn GLEP ar eu holau.

## CLEP!

Yna, fe aethon nhw ati i gloi'r drws gyda thri chlo, cyn rhoi'r allweddi yn eu pocedi.

# CLIC! CLAC! CLOC!

'CROESO! CROESO!' meddai'r ail chwaer. 'Ein cartref ni yw eich cartref chi. Ni MOR falch eich bod wedi dewis aros yn ein gwesty.'

'Roeddwn i'n arfer dod yma pan o'n i'n blentyn,' meddai Sid.

'O! Gwych! Gwych! Croeso'n ôl! A'ch enwau yw ... '

'Sid.'

'Ac Eric.'

'Sid ac Eric. Gwych! Gwych! A beth, os ga i ofyn, yw enw eich babi?'

'Pa fabi?' gofynnodd Sid, yn ddifeddwl.

Rhoddodd Eric hergwd iddo yn ei asennau.

'Awtsh!'

'Yr un yn y goetsh babi?' atgoffodd y wraig, gan edrych yn amheus.

'O, y babi YNA!' meddai Sid, gan chwerthin yn nerfus. 'Ei henw hi yw ... Greta! Babi Greta. Ond peidiwch â'i styrbio, os gwelwch yn dda, achos mae hi'n cysgu fel epa ... yyy ... fel mochyn!'

'O, wy'n gweld. Ga i ofyn babi pwy yw e? Maddeuwch i mi weud, ond mae un ohonoch yn dishgwl yn rhy ifanc i gael babi, a'r llall yn rhy hen.'

Tro Eric a Sid oedd hi nawr i edrych ar ei gilydd.

'Yyy ... fy chwaer fach yw hi!' meddai'r bachgen, yn gelwyddog. 'Dyma fy hen ewythr. Cawsom ein symud o Lundain o achos y bomio.'

'Aaa! Y bomio!' meddai'r ail efaill. 'Sdim stop ar y Natsïaid 'na! Dim STOP!' ychwanegodd, dan gilwenu. 'O, maddeuwch fy anghwrteisi! Gadewch i ni gyflwyno ein hunain! F'enw i yw Madam Brown.'

'A f'enw i yw Madam Braun hefyd,' meddai'r llall.

'Braun?' ailadroddodd Sid.

'Brown!' atebodd yr efaill fwyaf dychrynllyd. 'Maddeuwch acen fy chwaer ifancaf. Ni ddim yn frodoriaid o Aber ... '

'' ... na Tawe!'

'Abertawe!' meddai, ei thafod mor siarp â rasel, cyn taro llaw ei chwaer yn galed, **galed!**

## THWAC!

Edrychai'r chwaer fel pe bai wedi hen arfer cael ei tharo ar ei llaw yn galed. Er hynny, roedd y boen yn ddigon i ddod â dŵr i'w llygaid.

'Fel chi'n gallu gweld, ni'n **efeilliaid unwy!**' meddai'r llall.

'Na! Wir? Faswn i byth wedi dweud hynny!' meddai Sid gyda gwên, gan geisio ysgafnhau'r sefyllfa.

Ond doedd y ddwy wraig ddim yn gweld hyn yn ddoniol.

'Fel yr o'n i'n gweud cyn i chi dorri ar fy nhraws, gan ein bod yn ddwy whâr o'r enw Brown,' meddai'r ddynes arall, 'wy'n fodlon i chi'ch dou fy ngalw'n Madam Mali.'

'Ac fe gewch chi fy ngalw i'n Madam Sali!'

'Diolch, Madam Sali. Diolch, Madam Mali,' atebodd Eric. Ar ôl i ymdrech lipa Sid i fod yn ddoniol ddisgyn ar dir caregog, ceisiodd Eric fod mor gwrtais â phosib.

'Rydych yn hynod ffodus bod un stafell wag ar gael yma yng NGWESTY ANNWFN,' meddai Sali. 'Dewch! Dilynwch fi!' meddai, gan eu harwain i fyny'r grisiau.

Edrychodd Sid ac Eric ar ei gilydd, cystal â dweud, **'GRISIAU!'**

'Gallwch adael y goets babi yn y cyntedd, a chario'r babi i'r stafell wely,' meddai Sali.

'Yyy ... wel ... Dach chi'n gweld, mae ... Na, mae ...' meddai Sid, gan dagu ei eiriau.

'Byddai coets babi yn gwneud i'r cyntedd edrych yn flêr,' meddai Eric, yn gyflym.

Gyda'i gilydd, llusgodd Sid ac Eric y gorila TRWM, TRWM, TRWM i fyny'r grisiau. Bu'n rhaid iddyn nhw fod yn ofalus, troedio gam wrth gam, rhag deffro Greta o'i thrwmgwsg. Ond roedd y llwyth mor drwm nes oedd y ddau'n chwys stecs.

'Mae'r babi'n drwm, ody e?' gofynnodd Mali.

'Na, dim ond fel pob babi arall!'
meddai Eric, ei lais yn gwichian fel
cwningen ar eira.

Clywyd sŵn coesau tun yr hen ŵr ar
y grisiau.

### CLINC! CLANC! CLYNC!

'Beth yw'r holl sŵn cloncio 'na?' gofynnodd Madam
Sali.

'Dim ond fy nghoesau tun,' atebodd Sid. 'Golles i'r ddwy
goes yn y rhyfel.'

'Wel, sut allech chi fod mor dwp!' dywedodd Mali.

Ysgydwodd yr hen ŵr ei ben, cyn i'r ddau ffrind
gyrraedd y landing ar ben y grisiau.

'Dyma'ch stafell wely chi!' meddai Mali.

'Rhif **tair ar ddeg!**' meddai Sali.

'**Anlwcus i rai!**' meddai Sid, gan geisio bod yn
ddoniol ... eto!

'Beth am weddïo eich bod yn anghywir!' meddai Mali,
gan wenu wrth iddi agor y drws.

*CRRRRRRIC!*

Edrychai'r ystafell wely yn edrych fel tŷ mul – yn llawn
*llwch, baw* a *gweoedd* pry cop drosti, ac roedd yr arogl
tamprwydd yn drwch. Doedd neb wedi bod yn yr ystafell ers

sbel. Ynddi roedd dau wely sengl, desg a chadair. Agorodd Madam Mali y llenni. Taflwyd cwmwl o lwch i bobman.

# WHYFF!

Dechreuodd Eric a Sid dagu a phoeri.

'YYYY!'

## 'UUU!'

'Peidiwch â rhannu'ch germau a'ch bacteria gyda ni, os gwelwch yn dda! Ddown ni â phot o de i chi yn y funed.'

'Peidiwch â mynd i ormod o drafferth,' meddai Sid.

'Dim trafferth o gwbl,' meddai Mali. 'Bydd yfed te yn dda i chi. Eich twymo ar ôl gwlychu yn y glaw.'

'Dwi ddim yn rhy hoff o de,' meddai Eric.

'Ond bydd RHAID i ti ei yfed, grwt,' meddai'r wraig.

Aeth ias oer i lawr cefn Eric.

Wrth i Sid ac Eric wthio'r goets babi trwy'r drws, daeth yn amlwg ei bod yn rhy lydan, ac aeth yn sownd.

### SOWND!

'Odych chi moyn cymorth?' gofynnodd Sali.

'Falle bo' ni ddim yn dishgwl fel dwy ferch gref, ond galla i eich sicrhau ein bod ni mor gryf â rhes flaen tîm rygbi Cymru,' meddai Mali.

'Gallwn ymdopi'n iawn, diolch!' dywedodd Eric.

A thrwy gydweithio a chydwthio, gwasgwyd y goets trwy'r drws. Ond nid cyn deffro Greta, a ddechreuodd wneud synau uchel ...

'HII-HAA!'

'Beth oedd y sŵn yna?' gofynnodd Mali.

'HII-HAA!'

'Gwynt. Mae gan y babi wynt!' meddai Eric, â'i drwyn yn tyfu gyda phob sill.

'Diolch yn fawr i chi,' ychwanegodd Sid, wrth arwain y merched o'r ystafell a chau'r drws yn eu hwynebau.

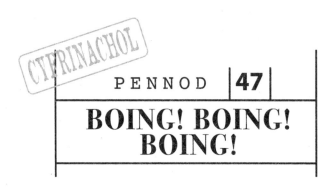

PENNOD | 47 |

# BOING! BOING! BOING!

Eisteddodd y gorila ar ei phen ôl yn y goets babi, ac edrych o'i chwmpas. Doedd Greta ddim yn rhy hoff o'r ystafell wely laith, fudr yng NGHWESTY ANNWFN.

Trawodd rech. '*PFFT!*' Dyna oedd ei barn am y lle.

Mwythodd Eric ei phen, a rhoddodd Greta gwtsh iddo. Gafaelodd y bachgen yn dynn ynddi a'i chusanu.

'Mae'n wir ddrwg gen i, Greta, ond 'dan ni'n gwneud hyn er ein lles ni.'

Gafaelodd hithau ym mhen Eric gyda'i llaw flewog, enfawr a rhoi clamp o gusan iddo.

'*MWWWA!*'

'Help!' sibrydodd Eric. Gafaelodd y gorila braidd yn rhy dynn ynddo, a doedd hi ddim am lacio'i gafael.

'Pwyll, Greta fach!' gorchmynnodd Sid. 'Dwi'n gwybod dy fod yn caru Eric, ond rho gyfle iddo anadlu!'

Llaciodd y gorila ei gafael a rhyddhau'r bachgen.

Neidiodd allan o'i choets a glanio ar y carped a oedd wedi ei wisgo at yr edau.

## TWMP!

'Ust!' meddai Eric.

Roedd yr ystafell yn dywyll a llychlyd. Rhoddodd y bachgen y golau ymlaen.

SWITS!

Ffrwydrodd y bwlb noeth yn syth.

## BANG!

'Mae'r lle yma wedi mynd â'i ben iddo,' meddai Sid.

'Dach chi erioed yn dweud!'

'*PFFFFT!*' cytunodd Greta, gan dorri gwynt.

'Ond o leiaf 'dan ni i gyd yn ddiogel,' meddai Sid.

'Ydan ni?' gofynnodd y bachgen.

'Beth wyt ti'n feddwl?'

'Y ddwy wraig. Maen nhw'n od.'

'Rydan i mewn tref lan môr yn ne Cymru. Mae'r lle'n LLAWN pobl od!'

'Nid od! Od od! Yr holl gelwydd, dweud bod GWESTY ANNWFN yn llawn. Welson ni mo'r un enaid byw!'

'Na, digon gwir, ond efallai fod nifer ohonyn nhw yn eu stafelloedd, yn cael cyntun yn y prynhawn.'

'Felly pam oedd yr arwydd yn dweud 'WEDI CAU. CADWCH DRAW!' gofynnodd Eric, heb ei argyhoeddi.

Torrwyd ar draws y sgwrs gan sŵn bownsio.

SBONC!

Roedd Greta'n sboncio i fyny ac i lawr ar ei phen ôl ar y gwely.

SBONC! SBONC! SBONC!

'Na, Greta! Rho'r gorau iddi!' plediodd y bachgen.

Ond byddai'n haws siarad â'r wal. Roedd y gorila yn mwynhau ei hun, a doedd dim yn mynd i roi taw ar hynny. Cododd Greta ar ei thraed a dechreuodd neidio i fyny ac i lawr ar y gwely fel pe bai'n drampolîn.

SBONC! SBONC! SBONC!

Cododd cwmwl arall o *lwch,* y tro hwn o'r gwely.

# WHYFF!

Roedd y gorila yn mwynhau ei hun fel llygoden mewn ffatri gaws.

Roedd hyn yn CŴL!

'WHYPI WHYPI DWWW!' meddai yn ei iaith gyntaf, ei hunig iaith, sef Gorila-eg.

'NA!' cyfarthodd Eric, gan gydio yn ei llaw a'i gorfodi i roi'r gorau i'w chastiau.

'Bydd yn dawel! Neu mi fydd yr efeilliaid od yn dod yma i holi mwy amdanon ni! Gorwedd i lawr, Greta, a bydd yn ferch dda.'

'*PFFFFFT!*' Torrodd wynt yn ei wyneb, gan ei orchuddio unwaith yn rhagor â phoer gorila.

Gwenodd Eric a sychodd ei wyneb yn lân gyda llewys ei grys, cyn camu at ddrws yr ystafell wely.

'Ble ti'n mynd?' gofynnodd Sid.

'I wneud ychydig o ymchwil!' meddai Eric.

'Ymchwil ynglŷn â beth?'

'Yr efeilliaid unwy – dwi'n grediniol bod ganddyn nhw rhyw gynllun ar y gweill.'

'Cym bwyll!'

'Mi wnaf.'

'A dwed wrthyn nhw i beidio â bod yn rhy hir efo'r te. Mae 'ngheg i'n sych grimp.'

Clustfeiniodd Eric wrth y twll clo. Y tu allan i'r drws, roedd yr estyll yn gwichian.

*GWICH!*

Swniai fel bod rhywun yn stelcian yr ochr arall i'r drws. Cerddodd Eric ar flaenau ei draed at y gwely. 'Greta! Dwi angen dy gymorth di,' sibrydodd y bachgen.

Cydiodd yn ei llaw, ei chodi ar ei thraed a'i harwain at ffenest yr ystafell wely.

Agorodd hi'r ffenest mor dawel ag y gallai.

**CRIIIIC!**

Yna, ystumiodd Eric wrth y gorila i droi rownd, a neidiodd ar ei chefn.

'NA!' meimiodd Sid, gan ysgwyd ei ben yn wyllt.

Rhoddodd Eric ei fysedd ar ei wefusau, a meimiodd,

'UST!'

Gwyddai'r gorila beth i'w wneud. Dringodd allan trwy'r ffenest gyda'r bachgen ar ei chefn, a gyda'i gilydd diflannodd y ddau i gynddaredd y storm.

# PENNOD | 48 |
# LLYGAID MARWAIDD

CYFRINACHOL

Gan ddefnyddio rhwydwaith o siliau a pheipiau glaw y tu allan i WESTY ANNWFN, aeth Eric a Greta ati i wneud eu gwaith ditectif.

Roedd yr efeilliaid ar ryw berwyl drwg.

Ond beth?

Chwipiwyd y gwesty'n ddidrugaredd gan y storm, gan wneud yr adeilad yn wlyb a llithrig. Roedd y siwrnai o gwmpas y llawr uchaf yn BERYGLUS IAWN, IAWN, ac felly bu rhaid i Eric afael yn ei ffrind blewog mor dynn â phosib. Wrth i Greta ddringo, edrychodd Eric drwy'r ffenestri. Roedd y llenni wedi eu cau, ond roedd bylchau bychain y gellid gweld trwyddyn nhw.

Er bod bordiau pren wedi eu gosod dros y rhan fwyaf o'r ffenestri, sylwodd Eric fod pob ystafell wely yn wag. Yn wir, gyda gweoedd pryfed cop yn rhaffu'r lloriau i'r nenfydau, roedd hi'n amlwg bod neb wedi aros yn yr ystafelloedd ers sbel.

Felly pam oedd yr efeilliaid wedi dweud celwydd, a dweud bod y gwesty yn llawn?

Gan ddringo i lawr uchaf yr adeilad, arweinodd Greta y bachgen at ystafell gyda'r golau ymlaen.

'Da iawn, Greta!' sibrydodd Eric. 'Aros yn fan hyn am funud.'

Edrychodd drwy'r ffenest. Roedd yr ystafell wely hon yn wahanol i'r gweddill – yn dwtiach, glanach, a gwell graen ar y dodrefn. Sylwodd Eric fod yno fwrdd gwisgo gyda drych, *chaise longues* a dau wely sengl.

'Rhaid mai hon yw stafell wely'r efeilliaid!' meddai Eric.

Cytunodd Greta, gan nodio ei phen.

Yna, hwyliodd un o'r efeilliaid i mewn i'r ystafell.

Gwyrodd y gorila a'r bachgen eu pennau, rhag iddyn nhw gael eu gweld. Ond gan ei fod yn uwch, gallai Eric weld trwy'r ffenest.

Camodd y wraig at y bwrdd gwisgo – un hen, wedi ei wneud o bren tywyll. Roedd stôl fechan a drych er mwyn i'r wraig eistedd, trin ei gwallt a rhoi colur ymlaen. Ond roedd sylw a ffocws y wraig ar y casgliad o boteli addurnedig, bychain ar y bwrdd. Aeth ati i'w didoli wrth chwilio am y botel iawn. O'r diwedd, daeth o hyd i'r un yr oedd hi ei heisiau. Potel hir, wydr gydag eryr arian ar ei phen. Ynddi, roedd hylif coch. Cydiodd yn dynn ynddi cyn troi'r drych a'r bwrdd gwisgo rownd. Y tu allan i'r ffenest, wrth ddal ei afael yn dynn yng nghefn Greta, fferrodd gwaed Eric.

## MOR OER Â CHAEAD ARCH!

Ar un ochr, edrychai fel drych normal, ond ar yr ochr arall roedd peintiad olew o rywun.

Rhywun a oedd yn elyn pennaf i Brydain a'r holl fyd.

Adolf Hitler.

Yn yr Almaen, o dan rym y Natsïaid, câi Hitler ei adnabod fel y 'Führer', sy'n golygu 'yr arweinydd'. Ef oedd yr unben dieflig oedd yn rheoli'r Almaen, oedd wedi achosi marwolaeth llawer iawn o bobl ddiniwed.

Gellid ei adnabod yn rhwydd – mwstásh bychan, du, ei wallt wedi ei gribo i un ochr, a'i lygaid marwaidd. Yn y llun, gwisgai siaced frown, filwrol gyda rhwymyn braich ar ei fraich chwith. Coch oedd lliw'r rhwymyn, gyda chylch gwyn. Yngh nghanol y cylch gwyn, roedd symbol du, tebyg iawn i groes, ond gyda llinellau ar hyd yr ymylon.

Swastica oedd hwn. Symbol y Natsïaid. Bwriad y Natsïaid oedd creu ymerodraeth anfad ar draws y byd a charcharu eu gelynion. Byddai unrhyw un oedd yn ceisio eu rhwystro yn cael ei ladd.

Edmygodd y wraig y llun am ennyd, cyn codi ar ei thraed ac ymestyn ei braich dde yn syth i'r awyr. Dyma salíwt y Natsïaid.

*'Heil Hitler!'* meddai, cyn troi'r llun rownd a wynebu'r drych unwaith yn rhagor. Yna, stopiodd yn stond. A oedd hi wedi gweld rhywbeth yn y drych wrth ei droi? A welodd y wraig gip sydyn ar lygaid bachgen bach, gwlyb

**neu dalcen gorila anferth wrth y ffenest?**

PENNOD | 49 |

# CRECHWENU'N FFIAIDD

Trodd y wraig at y ffenest cyn camu ati.

'LAWR!' sibrydodd y bachgen.

Deallodd Greta a llithrodd i lawr o'r golwg, gan hongian ar flaenau ei bysedd ar y sil ffenest.

Uwch ei phen, gallai Eric weld anadl y wraig yn cymylu'r gwydr. Yna, caewyd y llenni.

## SWISH!

Gyda'i gilydd, rhoddodd Greta a'r bachgen ochenaid o ryddhad.

'OOOOO!'

Yna, gorchmynnodd Eric, 'I FYNY!'

Dringodd Greta yr holl ffordd i ben y to. Yno, gwelodd Eric rywbeth od, sef hatsh fach agored gyda lens hir telesgop yn dod allan ohoni. Ond yn hytrach nag edrych allan i'r môr, pwyntiai ar hyd yr arfordir, i gyfeiriad y gorllewin.

'Mae *doc Abertawe yn fan'cw. A dyw *doc Caerdydd ddim yn bell o fan hyn,' meddai Eric. Roedd y telesgop yn pwyntio i'r man lle'r oedd Sid wedi cyfeirio ato'n gynharach. 'Rhaid eu bod nhw'n ysbïo ar longau'r llynges Brydeinig yn mynd a dod ar hyd arfordir de Cymru. Dyna pam mae'r ddwy Natsi yn Abertawe.'

Cododd Greta ei hysgwyddau, yn deall dim – llai na thwrch daear am yr haul.

'HYYY?!'

'Sdim ots! Beth am fynd I LAWR!'

Ar ôl dod o hyd i'r bipen law agosaf, llithrodd y ddau i lawr i'r ddaear a glanio yn yr ardd.

WHYYYSH!

**THYD! THYD!**

Neidiodd Eric oddi ar gefn Greta. Gan afael yn ei llaw, dechreuodd ysbïo trwy'r ffenestri ar y llawr gwaelod. Yn y ffenest gyntaf, a oedd wedi ei bordio'n rhannol gan bren, edrychodd drwy fwlch ar ystafell fyw wag. Gosodwyd tair soffa ar ffurf triongl, gyda rhywbeth tebyg i weiarles yn y canol.

Roedd weiarlesi neu radios i'w cael mewn gwahanol feintiau a siapiau, ond roedd hon yn llawer mwy na'r rhai

*Gan fod olew a glo yn cael eu hallforio oddi yno, cafodd doc Abertawe ei fomio'n ddidrugaredd gan awyrennau'r Luftwaffe rhwng 19–21 Chwefror, 1941. Lladdwyd 230 o bobl ac anafwyd 397.
*Mewn ysbeidiau, bomiwyd doc Caerdydd rhwng 1940–1941 a 1942–1944. Ar 2 Ionawr, 1941, ymosodwyd ar y ddinas gan 100 o awyrennau'r Luftwaffe. Bu farw 165 o bobl ac anafwyd 427.

cyffredin. Hefyd, roedd hi'n amlwg wedi ei gwneud yn arbennig ar gyfer rhywun. Saethai weiars o wahanol liwiau ohoni, gyda mwy o nobiau a deialau arni na weiarles gyffredin. Yn ychwanegol, roedd ganddi'r erial dalaf a welodd neb erioed.

Cynlluniwyd y weiarles arbennig hon i ddenu signal cryfach na gorsafoedd radio arferol y BBC, gyda'i chyrhaeddiad yn ymestyn llawer pellach. Roedd yno hefyd ddau bâr o glustffonau a llyfr nodiadau lledr gydag ysgrifbin wrth ei ymyl, yn amlwg i'w ddefnyddio i ysgrifennu yr hyn oedd i'w glywed.

'Ar beth, neu bwy, mae'r efeillaid yn gwrando?' gofynnodd y bachgen.

Unwaith yn rhagor, cododd y gorila ei hysgwyddau. 'HYYYYY?!'

'Tyr'd! Awn ni!' meddai Eric, gan afael yn llaw Greta.

Gyda'i gilydd, fe aethon nhw ymlaen i archwilio'r ystafelloedd eraill. Credai Eric fod mwy o gliwiau wedi eu cuddio o gwmpas y gwesty.

Edrychodd y ddau drwy ffenest arall, sef ystafell fwyta yn llawn byrddau a chadeiriau. Doedd dim yn amheus yno, heblaw'r ffaith bod y bwrdd wedi ei osod i ddau, sef yr efeilliaid, mae'n debyg.

'Roeddwn i'n llygad fy lle! Does **dim gwesteion ar gyfyl y gwesty!**'

Nesaf, cafodd Eric a Greta bip rhwng y planciau pren a oedd ar draws ffenest y llyfrgell. Yno, roedd nifer o silffoedd wedi eu llenwi â llyfrau llychlyd. Yng nghanol yr ystafell, safai bwrdd snwcer, wedi ei orchuddio gan gynfas. Ar ben honno, agorwyd map manwl iawn. Doedd Eric ddim yn gallu ei weld yn glir, ac felly codwyd o'n uwch gan Greta.

'Diolch!'

Gan osod ei drwyn ar y ffenest, gwelodd Eric mai map o Lundain ydoedd, gydag afon Tafwys yn nadreddu trwy ganol y ddinas.

'Maen nhw wedi rhoi cylch o gwmpas un o'r adeiladau. Rhaid mai hwnnw yw'r **targed!** Ond pa un?' gofynnodd y bachgen, yn ceisio'u orau i weld yn gliriach. 'Nicars Nain! Alla i ddim ei weld yn iawn. Tyrd! Ffwr' â ni!'

Gan gerdded fel cathod ar farwor, aeth y ddau ar flaenau eu traed o gwmpas pwll yr ardd ac ymlaen at ran arall o'r adeilad. Dyw gorilas ddim yn gallu nofio,

a'r peth olaf oedd ei angen ar Eric oedd Greta, ei ffrind mawr, blewog, yn disgyn i'r dŵr. Y ffenest nesaf oedd y gegin.

'Lawr!' sibrydodd Eric, gan wthio pen Greta o'r golwg.

Gwelodd un o'r efeilliaid yn paratoi llond hambwrdd o de, cyn i'r llall ddod i mewn, yn cario'r botel bersawr o'r llofft.

Yna, fe wnaeth y ddwy rywbeth rhyfeddol iawn.

Cododd un gaead y tebot, ac arllwysodd y llall y 'persawr' i mewn iddo.

Curodd calon Eric fel deg drwm.

'Nid persawr yw hwnna!' sibrydodd wrth Greta. 'GWENWYN ydy o! Ar ôl i ni eu cyfarfod wrth y drws, roedd y ddwy'n ofni y bydden ni'n achwyn eu bod nhw yma. Dyna pam wnaethon nhw ein gwahodd ni mewn. Ein gadael i mewn er mwyn ein lladd ni!'

Sylwodd Greta fod ofn yn ei lais a dechreuodd ei chorff anferth grynu fel deilen.

'BRRR!'

Caewyd caead y tebot, a chrechwenodd yr efeilliaid yn ffiaidd.

Yna, cododd un ohonyn nhw'r hambwrdd, cyn ymadael gyda'i gilydd.

'Os na lwyddwn ni i gyrraedd y stafell wely cyn i Wncwl

Sid gymryd llymaid, yna … ' Ni feiddiodd Eric ddychmygu diwedd y stori. 'I FYNY, GRETA! FYNY! RHAID I NI DDYCHWELYD I'R STAFELL WELY! NAWR!'

Unwaith yn rhagor, neidiodd y bachgen ar gefn Greta.

'I FYNY! I FYNY! I FYNY!'

Gan deimlo brys yn ei lais, rasiodd y gorila yn ôl i fyny ochr yr adeilad.

'YN GYNT! YN GYNT!' gwaeddodd Eric.

Bellach, roedd y storm yn ei hanterth. Tywalltodd y glaw i lawr gan ei gwneud hi'n anodd i'r gorila gadw ei llygaid ar agor. Wrth iddi sgrafangu i'r llawr uchaf, TRYCHINEB LLWYR! Llithrodd dwylo Greta ar y beipen ddŵr wlyb. Syrthiodd y ddau yn ôl cyn plymio trwy'r awyr …

WHYYYYSH!

'AAAAAA!'

'HYYYY?!'

## TE GWENWYNIG

# SBLASH!

Glaniodd Eric a Greta ar eu pennau ym mhwll yr ardd.

'HIIIII!' sgrechiodd y gorila. Doedd Greta ddim yn gallu nofio, a dechreuodd chwifio'i choesau a'i breichiau'n wyllt.

'GRETA! GRETA! PWYLLA!' gwaeddodd Eric, a oedd oddi tani.

Ond doedd y gorila ddim yn bwriadu pwyllo. Ciciodd a stranciodd fel rhywun o'i gof.

### SBLISH! SBLASH! SBLOSH!
'HIIIII!'

Roedd posibilrwydd cryf y byddai'r ddau yn boddi yn y pwll.

Gyda nerth deg o geffylau gwedd, gwthiodd Eric y gorila i fyny. Yna, gosododd ei dwylo ar y palmant o amgylch y pwll. Gwyddai Greta beth i'w wneud a chododd ei hun o'r dŵr. Er mwyn ceisio sychu, ysgydwodd ei chorff fel ci gwlyb.

Poerodd bysgodyn aur anlwcus o'i cheg ...

'PYYYCH!'

... ac yn ffodus iawn, glaniodd hwnnw yn ôl yn y pwll.

S B L I S H !

Yn y cyfamser, tynnodd Eric ei hun o'r dŵr. Gorweddai llyffant ar ei ben, a thaflodd y bachgen y creadur yn ôl i'w gartref gwlyb.

S B L A S H !

'Greta! Mae'n rhaid i ni achub Sid! Mae hi'n rhy llithrig imi fynd ar dy gefn. Felly i ffwrdd â ni!'

Ar hynny, camodd yn ôl cyn rhedeg a thaflu ei hun at yr adeilad. Gan ddefnyddio ei holl nerth dynol, dringodd i fyny ochr yr adeilad yn gyflym iawn, gyda Greta wrth ei gynffon.

Cyn gynted ag y cyrhaeddon nhw'r ystafell wely, tynnodd Eric ei hun trwy'r ffenest. Yna, estynnodd ei law a thynnu Greta i mewn.

'Dach chi'ch dau yn wlyb at eich croen!' meddai Sid, a oedd yn gorwedd ar ei wely.

'Stori hir, Wncwl Sid! Neu, yn hytrach, stori fer! Syrthiodd y ddau ohonan ni ar ein pennau i bwll! **Diwedd y stori!**'

CLIPITI CLOP!

Clywyd sŵn traed yn dod ar hyd y coridor.

'**Maen nhw'n dod!**' sibrydodd Eric. 'Rhaid i ni roi Greta yn ôl yn y goets babi!'

Neidiodd Sid ar ei draed, a thynnodd y ddau arwr y gorila gwlyb i'r goets a'i gorchuddio gyda lliain.

Yna, neidiodd Sid ac Eric ar eu gwelyau.

BOING!

Gosododd y bachgen y cynfasau drosto er mwyn cuddio'r ffaith ei fod o'n wlyb domen dail.

# CNOC! CNOC! CNOC!

'Te'n barod!' cyhoeddodd Sali, gan agor y drws i Mali, a oedd yn cario'r hambwrdd. Fe ddaethon nhw i mewn i'r ystafell yn eu dull ffurfiol, mursennaidd arferol.

'O, diolch i chi, ledis!' meddai Sid, yn siriol, gan edrych ymlaen i'w baned o de. Wrth gwrs, doedd gan yr hen ŵr ddim syniad bod y te yn **wenwynig!**

'Yfwch tra bod e'n dwym ac yn flasus!' meddai Mali, gan osod yr hambwrdd ar y bwrdd llychlyd. 'O! Mae hi mor oer â chorff mas fan'na!'

Sylwodd Mali fod y ffenest yn agored led y pen. Ciledrychodd y ddwy chwaer yn amheus ar ei gilydd. Yng nghanol yr holl gyffro, anghofiodd Eric ei chau ar ei ôl! Gwingodd wrth feddwl am ei gamgymeriad mawr.

'Rhaid i chi gadw'r ffenestri ar gau trwy'r adeg!' meddai Mali, yn chwyrn. 'So ni moyn i chi rewi i farwolaeth!'

Gydag un edrychiad, awgrymodd y dylai Sali gau'r ffenest, a dyna wnaeth ei chwaer ufudd.

'Ble mae eich babi?' gofynnodd Sali.

'O, mae hi'n cysgu fel –' Cafodd Eric drafferth dod o hyd i'r gair iawn, cyn iddo orffen ei frawddeg gyda'r gair 'babi!'

'O, wy'n falch o glywed!' meddai Sali.

'WHYYYP!' meddai'r gorila o'i choets babi.

'Mae hwnna'n sŵn od i fabi ei wneud,' meddai Mali, yn fwy amheus nag erioed. 'Ga i ei gweld hi?'

'Wrth gwrs! Cyn gynted ag y bydd hi wedi deffro!'

'Os WNEITH hi ddihuno! Wel, esgusodwch ni'n dwy. Mae gen i a Madam Sali waith pwysig i'w wneud. Ond ni wastod yma i chi, at eich gwasanaeth. O ... peidiwch â gadael i'r te fynd yn oer!'

Yna, plygodd y ddwy eu pennau yn gwrtais, cyn troi ar eu sodlau a gadael yr ystafell.

'Wncwl Sid!' sibrydodd Eric. 'Maen nhw'n treio ein lladd ni!'

'Ein LLADD ni?' meddai'r hen ŵr, dan dagu.
'IA! Ein LLADD ni!'

Cododd Sid ar ei eistedd yn ei wely. 'Cyn iti egluro'r cwbl wrtha i, gad imi gael slochian y te 'ma!'

# 'NAAAAAAAAAAAAAA!'

gwaeddodd y bachgen.

PENNOD **51**

# DATRYS Y COD

'Be sy'n bod eto?!'

'Y te! Mae gwenwyn ynddo!' eglurodd Eric.

Edrychodd yr hen ŵr yn hynod siomedig ac edrychodd ar yr hambwrdd. 'Beth am y bisgedi?'

'Dwi ddim yn gwybod am y rheini! Ond faswn i ddim yn cyffwrdd â'r rheini chwaith pe bawn i'n eich sgidie chi!'

'Trueni. Allwn i fwyta fel ceffyl menthyg! Pam mae'r ddwy hen gariad yn treio'n lladd ni?'

'Am ein bod ni wedi dod o hyd iddyn nhw'n cuddio yn fan'ma. Natsïaid ydyn nhw!'

Agorodd llygaid yr hen ŵr fel y Môr Coch. 'Natsïaid?! Yn Abertawe?!'

'Ia!'

'Sut wyt ti'n gwybod hynny?'

'Gwelais un ohonyn nhw yn rhoi salíwt *Heil Hitler* o flaen llun o Adolf Hitler.'

'Wel, rhaid i mi gyfaddef, mae hynny YN arwydd go dda ei bod hi'n Natsi!'

Cododd Greta ar ei heistedd yn y goets, a chafodd help llaw gan y bachgen i sychu.

Wrth iddo wneud hynny, chwiliotodd y gorila yn ei gwallt am chwain a thynnodd rai allan i'w bwyta.

'Wyddwn i ddim bod gen i chwain!' meddai'r bachgen.

'Wel, dyw hynny ddim yn beth drwg i gyd. Maen nhw'n bryd blasus i Greta!' atebodd Sid.

Yna, tynnodd rhywbeth ei sylw trwy'r ffenest.

'Helô, beth yw hyn?' meddai'n dawel.

Cododd Sid o'i wely. Er ei fod braidd yn simsan ar ei goesau tun, cerddodd draw at y ffenest.

CLINC! CLANC! CLYNC!

'Be ydy be?' gofynnodd y bachgen.

'Tyrd yma iti gael gweld. Golau. Allan ar y môr. Weli di o?'

Erbyn hyn, roedd Eric wedi ymuno â Sid wrth y ffenest. Edrychodd i le'r oedd yr hen ŵr yn pwyntio.

Y tu allan, roedd hi'n nosi, a'r môr yn dal i fod yn stormus. Torrai tonnau anferth ar y creigiau, a chwyrlïai'r niwl. O ganlyniad, roedd hi'n anodd gweld yn fanwl, ond roedd golau yn fflachio bob hyn a hyn allan ar y môr.

'Ai llong ydy hi?' gofynnodd Eric.

'Mae hi'n rhy isel yn y dŵr i fod yn llong.'

'Llong danfor?'

'Bosib. Ond beth fyddai llong danfor Brydeinig yn ei wneud oddi ar arfordir Abertawe?'

'Efallai nad llong danfor **Brydeinig** yw hi,' meddai'r bachgen. 'Efallai mai ... llong danfor ... *U-BOAT* ... y Natsïaid yw hi?'

Y tu ôl iddo, clywodd Eric lestri te yn tincial.

**TINC! TINC!**

Roedd Greta wedi dringo o'i choets babi, gafael yn y tebot ac ar fin yfed ohono!

'NAAAA!' gwaeddodd y bachgen.

Fel pe bai'r byd ac Amser wedi arafu, neidiodd Eric trwy'r awyr ...

WHYYYYSH!

... a dwyn y tebot o grafangau'r gorila. Chwistrellwyd y te dros yr ystafell.

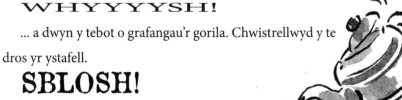

**SBLOSH!**

Llosgwyd y carped!

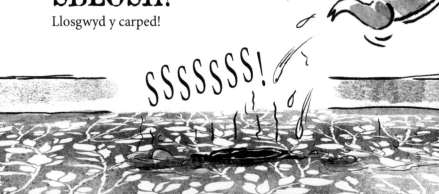

Nid gwres y te achosodd hynny! Roedd hi'n bur amlwg bod rhywbeth arall yn y te, rhywbeth MARWOL!

'Mae'n llosgi'r carped!' meddai'r bachgen, gan blygu i archwilio'r difrod.

'Does dim dwywaith mai gwenwyn oedd o!' meddai Sid. 'Diolch i'r drefn nad yfodd Greta ddiferyn.'

'Beth am ei daflu allan y funud yma!' meddai'r bachgen. 'Agorwch y ffenest!'

Agorodd Sid y ffenest, a gafaelodd Eric ym mhopeth oedd ar yr hambwrdd – y llefrith, y siwgr a'r bisgedi – cyn eu taflu allan.

LLIIIIICH!

Edrychodd y gorila yn anfodlon. Cwynodd yn uchel, fel pe bai hi'n dweud, 'YR HEN GINGROEN!'

'HIIIIIIII!'

'Ddrwg gen i, Greta,' meddai Sid.

Wrth bwyso allan o'r ffenest, sylwodd Eric ar rywbeth od. Dwy ffenest i ffwrdd, fflachiodd golau arall. Rhaid bod yr efeilliaid yn cysylltu â phwy bynnag oedd allan ar y môr.

# 'DRYCHWCH!

Mae'r efeilliaid yn fflachio'n ôl.'

Rhoddodd Sid ei ben allan o'r
ffenest a gwyliodd y patrwm fflachio.

'Cod Morse,' meddai.

'Dot, dash, dot dash, ac yn y blaen.'

'Yn hollol. Maen nhw'n sillafu geiriau i'w gilydd
trwy fflachio golau.'

'Ydach chi'n gwybod beth maen nhw'n ei
ddweud?'

'Ar y ddesg. Pasia'r cerdyn post a'r bensel acw i mi.'

Roedd ambell ddarn o bapur gyda'r enw GWESTY ANNWFN, arnyn nhw ar y ddesg ysgrifennu. Rhoddodd Eric y papur a phensel i Sid.

'Dysgais rywfaint o God Morse yn ystod y Rhyfel Byd Cyntaf. Ond mae hynny bum mlynedd ar hugain yn ôl. Dim ond gobeithio y galla i gofio rhywfaint ohono.'

Ar ei union, dechreuodd Sid nodi'r dots a'r dashys. Fflach byr oedd dot, a fflash hir oedd dash.

'O, na! Mae o i gyd yn Almaeneg!' meddai Sid, yn rhwystredig. 'Ac mae f'Almaeneg yn waeth na fy Nghymraeg Sowth Wêls!'

'A dwi inna ddim yn gwybod fawr mwy na "*Heil Hitler*",' meddai Eric. Trodd y bachgen i edrych ar Greta, a safai y tu ôl iddyn nhw ger y ffenest. 'Dwi'm yn meddwl bod Greta'n gallu siarad Almaeneg chwaith!' ychwanegodd, gan fwytho'r gorila y tu ôl i'w chlustiau mawr, blewog, yn union fel yr hoffai. 'Allwch chi ddeall unrhyw beth o gwbl, Wncwl Sid?'

'T. O. T. E. N.'

'Beth yw ystyr "*Toten*"?'

'Rwy'n cofio milwyr yr Almaen yn gweiddi hynny pan o'n nhw'n ymosod arnon ni yn y ffosydd. Mae'n golygu 'LLADD'.

'Lladd pwy?' gofynnodd y bachgen. 'Ni?'

'Aros am eiliad!' meddai Sid, gan ysgrifennu mwy o nodiadau.

'C. H. U. R. C. H. I. L. L.'

Ac fel côr adrodd yn Eisteddfod yr Urdd, cydwaeddodd y ddau, 'Churchill!'

'*Toten Churchill*,' meddai Sid. 'LLADD CHURCHILL!'

# PENNOD | 52 |
# NATSÏAID YN ABERTAWE

CYFRINACHOL

Rywsut neu'i gilydd, roedd Eric a Sid wedi digwydd darganfod cynllun Natsïaidd marwol. Mewn gwesty. Yn Abertawe.

'Mae hyn yn enfawr!' meddai Sid, wrth eistedd i asesu'r sefyllfa. 'Mae hyn yn fwy enfawr nag enfawr. Hon yw'r sefyllfa fwyaf enfawr erioed. Llofruddio Prif Weinidog Prydain? Heb Churchill wrth y llyw, bydd y Natsïaid yn ennill y rhyfel erchyll yma yn rhwydd.'

'Be allwn ni wneud?' gofynnodd y bachgen.

'Rhaid i ni ei heglu hi oddi yma. A hynny ar unwaith. Rhaid dod o hyd i deliffon. Rhaid galw Rhif 10, Stryd Downing a'u rhybuddio nhw. Galw'r heddlu. Galw'r fyddin. Galw Besi. Galw pawb allwn ni!'

'Newn nhw ein credu ni?'

'Mae'n well iddyn nhw wneud, neu mi fydd y byd mewn mwy o lanast nag y mae o'n barod!'

'Drychwch!' meddai'r bachgen. 'Mwy o fflachiadau. **Dot. Dot. Dash. Dot.'**

Wrth i Eric siarad, sgriblodd Sid y llythrennau ar bapur.

Ar ôl sbel, roedd ganddo gasgliad o eiriau.

**F. L. U. S. S. T. H. E. M. S. E.
B. O. M. B. E.
S. I. E. G.**

Dechreuodd y ddau gnoi cil. Gwyrodd hyd yn oed Greta i gael pip ar y geiriau, cyn i chwilen ddu dynnu ei sylw wrth gropian ar hyd y llawr.  CROP! CROP! CROP!

Rhedodd ar ei hôl dan y gwely. Byddai'n gwneud byrbryd blasus, gan fod y bisgedi wedi eu taflu trwy'r ffenest.

'"*Fluss?*" meddai'r bachgen. '*Beth yw "fluss"?*'

'Wel, mae "*Themse*" yn swnio fel "Thames", sef "Tafwys", felly mae'n bosib mai ystyr "*fluss*" yw "afon".'

'Afon Tafwys! Roedd map anferth i lawr grisiau yn y llyfrgell.'

'Diddorol,' meddai Sid, yn feddylgar, gan rwbio'i farf. 'Diddorol iawn.'

'"*Bombe*"! Wel, mae'n amlwg beth yw ystyr hwnnw! Ond beth yw "*sieg*"?' gofynnodd y bachgen.

'"*Sieg Heil!*" Dyna mae'r Natsïaid yn llafarganu pan maen nhw'n saliwtio. Ystyr hynny yw "I fuddugoliaeth!"'

'Felly ystyr "*sieg*" yw "buddugoliaeth"?'

'Ia!'

Anadlodd y bachgen y ddwfn. Roedd hyn yn gyffrous ac yn arswydus ar yr un pryd. 'Felly, yr hyn sydd yn cael ei ddweud yw "lladd Churchill, Afon Tafwys, bom a buddugoliaeth".'

Ar hynny, agorwyd y drws led y pen.

# CRIIIIC!

Wrth y drws, safai'r efeilliaid, gyda gynnau yn eu dwylo.

'O? Wrthodoch chi yfed y te wnaethon ni baratoi i chi, 'te?' Trueni mowr,' meddai Mali.

'Byddai hynny wedi bod yn farwolaeth glou a rhwydd i chi. Ond na, roedd yn well 'da chi ddewis y ffordd anoddaf o farw,' ychwanegodd Sali.

Anelodd y ddwy eu gynnau at Sid ac Eric.

## 'BYDDWCH YN BAROD I FARW!' meddai Mali.

Ar hynny, cododd Greta ei phen o dan y gwely, gyda chwilen ddu yn ei cheg.

# CRYNSH!

Cafodd yr efeilliaid eu dychryn trwy eu tinau.

## 'YYY! Beth mae'r mwnci mowr hwn yn ei wneud yn fan hyn?' mynnodd Mali.

'Nid mwnci yw hi, ond epa!' meddai Eric, yn flin.

'Epa mowr, 'te!'

'Gorila yw Greta – wnaethon ni ei hachub o **SW LLUNDAIN**!'

'Trueni bod rhaid iddi hi farw hefyd!' meddai Mali.

Cliciodd y ddwy eu gynnau, gan baratoi i saethu.

CLIC! CLIC!

'Tydi ein saethu ddim yn syniad da. Dach chi ein hangen ni'n fyw. 'Dan i'n gwybod popeth am eich cynllun Natsïaidd,' meddai Sid.

CRACL! BWM!

'So chi'n gwybod dim!' meddai Mali, yn siarp ei thafod.

'**Llai** na dim!' ychwanegodd Sali, yn sarhaus.

Y tu allan, clywyd mellten a tharan.

'Chi'n meddwl hynny?' meddai Sid. 'Roeddwn i yn y fyddin yn ystod y Rhyfel Byd Cyntaf. A dwi'n deall Cod Morse.'

Edrychodd yr efeilliaid yn bryderus ar ei gilydd.

''Dan ni wedi bod yn ysbïo arnoch chi ers sbel,' ychwanegodd Eric. 'Dyna pam ddaethon ni i WESTY ANNWFN yn y lle cyntaf!' meddai, a'i drwyn mor hir â Phenrhyn Gŵyr.

Croesodd y bachgen ei freichiau, er mwyn ymddangos yn awdurdodol. Efelychodd Greta, gan wneud sŵn hunanfoddhaus.

'HYYYYY!'

'Wy'n awgrymu ein bod ni'n eu lladd nhw,' meddai Sali. 'Eu lladd nhw nawr! Gan ddechre gyda'r mwnci!'

'EPA!' gwaeddodd y bachgen.

Anelodd Sali ei gwn at Greta. Camodd Eric o'i blaen er mwyn amddiffyn ei ffrind, a chamodd Sid o flaen y bachgen. Yna, camodd Greta o'r cefn a sefyll o flaen y ddau ohonyn nhw. Roedd hi fel gêm o chwarae newid cadeiriau.

'SEFWCH YN LLONYDD!' gorchmynnodd Mali, gyda golwg bryderus ar ei hwyneb. 'Wy moyn amser i feddwl!'

'Syniad doeth,' meddai Eric, 'achos dach chi ddim yn gwybod beth 'dan ni'n wybod! A beth am y radio sydd i lawr grisiau! Pwy sydd wedi galw a dweud pwy dach chi'n gynllunio i'w ladd?'

'Mr Churchill ei hun efallai?' ychwanegodd Sid.

Surodd wynebau'r efeilliaid. Dechreuodd y ddwy ddadlau'n ffyrnig ac yn wyllt â'i gilydd yn Almaeneg, gan siarad ar yr un pryd. Doedd Sid nac Eric (nac, wrth gwrs, Greta) ddim yn deall gair oedd y ddwy yn ei ddweud. Ond gwyddai Eric eu bod wedi cael ysgytwad.

'CHI'N DOD 'DA NI!' cyfarthodd Mali. 'MEWN AMSER, GALLWN EICH HARTEITHIO A FFEINDIO MAS YN GWMWS BETH Y'CH CHI'N WYBOD! NAWR CERDDWCH!'

Pwyntiodd y ddwy eu gynnau i gyfeiriad drws yr ystafell wely. Cydiodd Sid ac Eric yn llaw Greta a'i harwain heibio'r efeilliaid, ac allan trwy'r drws. Ond cyn gynted ag yr aethon nhw drwyddo, caeodd Eric y drws yn glep yn wynebau'r efeilliaid a gwaeddodd, 'RHEDWCH!'

**RHEDEG! RHEDEG! RHEDEG!**

Pledwyd y drws gan fwledi, gan fethu'r tri o drwch blewyn.

Rhedodd ein harwyr i lawr y grisiau i gyfeiriad y drws ffrynt. Trodd Eric y ddolen drws, ond gwrthododd symud.

'WEDI EI GLOI!' gwaeddodd.

Agorodd yr efeillaid y drws, a oedd wedi ei bupro gan fwledi.

## CRIIIC!

Safodd y ddwy ar dop y grisiau, gan anelu eu gynnau at y tri yn y gwaelod.

'Mae'r allwedd 'da fi!' gwaeddodd Mali. 'Chi wedi eich DALA!'

'Greta!' sibrydodd y bachgen, gan feimio rhoi ei ysgwydd yn erbyn y drws.

Gwyddai'r gorila beth i'w wneud yn syth. Nodiodd ei phen cyn rhedeg ar wib i gyfeiriad y drws. Gan ddefnyddio'i holl nerth, cododd y drws oddi ar ei bachau a'i chwalu'n deilchion.

## RHACS JIBIDÊRS!

Chwalodd y drws ar y llawr.

## BANG!

Aeth y tri drwy'r bwlch gyda'r bwledi yn hedfan heibio eu clustiau mawr.

## RAT-TAT-TAT!

Gan afael yn nwylo Greta, rhedodd ein harwyr nerth eu traed i lawr y llwybr. Ar yr hewl islaw, cyrhaeddodd fflyd o gerbydau'r heddlu.

*STOOOOOP!*

Wrth i'r heddweision neidio allan o'r ceir, gwelodd Eric fod **Syr Robin Rwdlyn, Corporal Crinc** a milfeddyg fwyaf marwol y sw, **Miss Aflan,** yn eu plith.

**'GRRRR!'** chwyrnodd.

PENNOD | 53 |

# SAETHWCH Y GOFILA!

'GWESTY ANNWFN!' cyhoeddodd Rwdlyn, yn fawreddog. 'Dyma lle fydd y gofila yn cwato! Yn gwmws fel wedodd y pafot wrthon ni!'

'Mae Pymthegydwsin yn ailadrodd pob dim!' sibrydodd Sid. 'Rhaid ei bod hi wedi gadael y gath o'r cwd.'

'Ond gan eu bod nhw yma, bydd popeth yn iawn nawr!' atebodd y bachgen.

'O leia chawn ni mo'n lladd!' meddai Sid. 'A gallwn egluro popeth wrthyn nhw am gynllun ý Natsïaid!'

'HELÔ!' gwaeddodd Eric. ''DAN NI FAN HYN!'

Dechreuodd Sid ac Eric chwifio'u dwylo fel dwy felin wynt wrth iddyn nhw frysio ar hyd y llwybr i'w cyfeiriad.

Roedden nhw'n ddiogel.

Neu dyna oedden nhw'n ei feddwl.

Ond roedden nhw'n anghywir! Ychydig lathenni i ffwrdd, gwaeddodd Rwdlyn, 'SAETHWCH Y GOFILA!'

'GYDA PHLESER, SYR!' atebodd Crinc wrth glicied ei wn ac anelu.

# BANG! BANG! BANG!

## 'STOPIWCH!' gwaeddodd Eric, wrth i'r bwledi

sïo heibio'i ben, gan eu methu o drwch blewyn gwybedyn.

Ond parhau wnaeth y saethu.

**BANG!**

**BANG!** **BANG!**

Taniodd Aflan ei gwn dart.

## PING!

Aeth y dart i mewn i foncyff coeden uwchben ein tri arwr. T W O N G !

**'GRRRRR!'** chwyrnodd Aflan, cyn rhoi mwy o ddartiau yn ei gwn.

Yn y cyfamser, gan ddal ei afael yn llaw Greta, trodd Eric y ddau arall rownd.

Nawr, roedden nhw'n rhedeg yn ôl i fyny'r bryn i gyfeiriad y gwesty!

'Pam 'dan ni'n mynd yn ôl i'r gwesty?' gofynnodd yr hen ŵr, wedi colli'i wynt yn llwyr wrth geisio rhedeg wrth ochr Eric ar ei goesau tun. 'Bydd yr efeilliaid yn ein lladd ni hefyd!'

## CLINC! CLANC! CLYNC!

'Dwi ddim yn gwybod lle arall i fynd!' eglurodd y bachgen.

Yna, fe welson nhw silwét anfad o'r efeilliaid, gyda gynnau yn eu dwylo, yn sefyll yn nrws GWESTY ANNWFN.

'Beth am fynd trwy'r ardd?' meddai Sid. 'Efallai y gallwn ddianc ar hyd y traeth!'

'Syniad da!' meddai Eric.

Trodd y tri i ffwrdd o'r gwesty a dianc trwy'r ardd lawn chwyn.

'Mae gen i bigyn yn f'ochr!' cwynodd yr hen ŵr, wrth bwyso yn erbyn hen fath adar carreg. Yr ochr arall i'r gwrychoedd, aeth Eric a Greta ymlaen hebddo.

Gan edrych yn ôl trwy'r deiliach, gwelodd y bachgen fod Rwdlyn, Crinc ac Aflan wedi dal i fyny efo Sid. Pwyntiodd Crinc ei wn at yr hen ŵr.

CLIC!

## 'Peidiwch â saethu!' erfyniodd Sid.

'Yna gwed wrthon ni ble mae'r gorila!' atebodd Crinc.

'Mi wna i, ond dwi eisiau dweud rhywbeth pwysig wrthoch chi.'

'Gweud pa beth pwysig?' mynnodd Rwdlyn.

'Rydan i wedi darganfod cynllwyn Natsïaidd cyfrinachol iawn!'

'Yn Abeftawe?' meddai Rwdlyn, yn methu credu'r hyn roedd o'n ei glywed.

'Ia. Yn Abeftawe! O, diawl erioed! Dwi'n dechrau siafad fel chi nawf!'

'Celwyddgi wyt ti, Sidni Fees-Foberts! Nawf, gwed wrthon ni ble mae'f gofila!'

**'GRRRR!'** chwyrnodd Aflan, er mwyn pwysleisio'r gorchymyn.

Yn y cyfamser, roedd Eric a Greta wedi dilyn y tri o'r sw ar flaenau eu traed.

'Cynnes!' atebodd Sid, fel pe bai ar fin dechrau gêm o chwarae cuddio. 'Cynhesach. Cynnes iawn. Poeth! Berwedig!'

'Am beth wyt ti'n fwdlian?' gorchmynnodd Rwdlyn.

'Peidiwch â throi rownd!' meddai Sid.

Wrth gwrs, dyna'n union wnaeth y tri ohonyn nhw.

O weld y gorila yn eu hwynebau, fe gawson nhw fraw ofnadwy. Ymbalfalodd Crinc am ei reiffl, a'i baratoi i saethu!

Cydiodd Greta yn y gwn mewn da bryd.

'GOLLWNG!' gwaeddodd Crinc.

Ond dal ei afael wnaeth y gorila. Gafaelodd yr anifail yn y reiffl gyda'i dwy law cyn troi'r dyn rownd a rownd nes bod y creadur yn edrych fel **NIWLEN!**

**RRRRRRRRRRRR!**

'PAID Â GOLLWNG!' gwaeddodd Crinc, wedi newid ei gân.

Ond y tro hwn, gollyngodd y gorila ei gafael.

*WHIIIIIS!*

'HHHHHEEEEEEEELLLP!'

Hedfanodd Crinc trwy'r awyr a glanio gyda **SBLASH!**

yn y pwll.

Anelodd Miss Aflan at y gorila gyda'i gwn dart.

Ond fel yr oedd hi ar fin tanio, rhoddodd Eric hergwd i'w llaw. Saethwyd Crinc yn ei din gyda'r dart.

# 'AAAA!'

sgrechiodd mewn poen, cyn i'r
dart ei wneud yn anymwybodol.
Syrthiodd yn drwm ar y llawr.

**THYD!**

'**Grrrr!**' chwyrnodd Aflan, wrth iddi roi mwy o
ddartiau yn ei gwn.

Yn ffodus, doedd y milfeddyg ddim yn ddigon sydyn wrth i
Sid ddwyn y gwn o'i gafael.

'**Grrrrr!**'

Yna, gyda nerth gyr o eliffantod, codwyd y milfeddyg
gerfydd ei chanol gan Greta a'i thaflu'n uchel.

## SWISH!

'**GRRRRRRRRRRRRRRR!**'

Glaniodd Aflan ar ben coeden.

## STONC! '**GRRRRR!**'

chwyrnodd Aflan. Roedd hi'n llawer rhy
uchel i allu dod i lawr heb ysgol.

'HA! HA!' chwarddodd Sid.
'Dyna ddysgu gwers iddyn nhw!'

'Peidiwch â bod yn rhy siŵr!' meddai Eric.
''Dan ni dal eisiau ei gwadnu hi o'ma!'

# BWLEDI YN Y CEFN

CYFRINACHOL

Rhuthrodd y tri i lawr y stepiau caregog a oedd wedi eu naddu i'r graig, ac i lawr i gyfeiriad y traeth.

**CLINC! CLANC! CLYNC!**

Am nawr, fedren nhw ddim clywed neb yn eu dilyn.

Roedd y traeth yn wag, yn union fel yr arferai fod ar noson stormus, aeafol fel hon.

'Dwi'n meddwl ein bod ni wedi eu colli nhw!' meddai Eric, a oedd wedi colli ei wynt ar ôl rhedeg.

Edrychodd y bachgen ar draws y tonnau ac allan i'r môr. Daeth cwmwl du o ofid drosto pan sylwodd ar rywbeth yn codi'n araf o'r dŵr.

Ar y cychwyn, edrychai fel tiwb hir, tenau. *Perisgop!*

Yna, baner! A swastica!

Cododd corff metel llong danfor o ddyfnderoedd y môr.

'Roeddat ti'n iawn, Eric,' meddai'r hen ŵr, yn dawel. 'Llong danfor Natsïaidd!'

Ar adegau fel hyn, yn wyneb perygl, mae bob amser un opsiwn.

## RHEDEG!
## RHEDEG MOR GYFLYM Â PHOSIB!
## RHEDEG YN GYFLYM, GYFLYM, **GYFLYM!**

'Beth am redeg o'ma,' meddai Eric. 'A hynny'n GYFLYM!'

'Helpa fi, hogyn!' meddai Sid. 'Mae'r coesau tun 'ma'n dechrau gwichian yn fy henaint!'

Wrth i Eric a Greta godi'r hen ŵr ar ei draed, fe glywson nhw grensian cerrig crynion y tu ôl iddyn nhw.

Yr efeilliaid oedd yno, gyda'u gynnau yn anelu yn syth atyn nhw.

'Dwylo yn yr awyr!' gorchmynnodd Mali.

'Un cam o whith, a ni'n mynd i'ch saethu chi!' gorchmynnodd Sali.

Edrychodd Eric a Sid ar ei gilydd.

'Ydy hi dal yn iawn i ni godi'n breichiau i fyny?' gofynnodd Sid.

'**Beth?!**' cyfarthodd Mali.

'Ydy hynny'n cyfrif fel symud?'

'**Ody!**' meddai Mali, yn flin. '**Codwch eich breichie lan i'r awyr. Un cam mas o'i le a byddwn ni'n eich saethu!**'

'Allech chi fod wedi egluro'n well!' cwynodd Sid.

'Paid ti â bod mor ewn, hen ŵr, neu byddi di'n ffeindio dy hunan yn nofio gyda dy ben dan y dŵr a bwledi yn dy gefen,' atebodd Mali.

Roedd honno'n ddelwedd iasoer, ac ymdawelodd Sid ac Eric yn syth.

'Ni'n mynd i'ch cadw chi'n fyw. Am nawr, ta beth. Nes bo' ni'n gwybod yn gwmws beth chi'n wybod ac, yn bwysicach fyth, wrth bwy chi wedi sôn am ein cynllun,' meddai Mali.

Safai rhes o gytiau cychod pysgotwyr lle'r oedd y traeth yn cwrdd â'r ffordd fawr.

'Ti, grwt!' gorchmynnodd Mali. 'Dere 'da fi!'

Synhwyrodd Greta fod perygl. Roedd y ddwy efaill unwy yn ddigon brawychus ar yr adegau gorau. Roedd hi'n awyddus i fynd gydag Eric a dechreuodd ei ddilyn wrth iddo fynd.

'WHYP!' meddai Greta.

'Rheola'r mwnci neu byddaf yn rhoi bwled yn ei ben!' gorchmynnodd Mali.

Tynnodd Sid y gorila yn ei hôl. Penderfynodd Eric nad hwn oedd yr amser gorau, na'r callaf, i'w chywiro.

O dan orchymyn Mali, gorchmynnwyd y bachgen i ddynnu'r cwch rhwyfo i lawr i'r traeth. O dan drwyn y reifflau, roedd hi'n amhosib dianc. Dringodd ein tri arwr i'r cwch, a'r efeilliaid yn eu dilyn.

'Nawr rhwyfwch!' cyfarthodd Mali.

Gyda Greta'n eistedd rhyngddyn nhw, rhwyfodd Sid ac Eric allan i'r môr. Roedd brwydro yn erbyn y tonnau yn

waith caled ond aeth y cwch ymlaen dow-dow. Roedd y llong danfor Natsïaidd yn siglo i fyny ac i lawr yn y dŵr, ac arni roedd yr hyn y gellid ei ddisgrifio fel pwyllgor croeso. Safai nifer o danforwyr ar ei bwrdd.

Yn y blaen roedd y capten: gŵr golygus, pryd golau gyda llygaid glas. Gwisgai siwmper goler gron a chap â phig gyda bathodyn arno. Ar hwnnw roedd eryr yn dal swastica.

Cafodd syndod o weld Sid a Eric. A chwarddodd pan welodd y gorila.

'*Ein Gorilla?* Ha! Ha! Ha!'

Roedd o'n amlwg ddim yn disgwyl ei gweld hi. Na, chwaith, y plentyn hwn a hen ŵr!

Gorchmynnwyd i'r tri ddod oddi ar y cwch rhwyfo. Edrychodd Eric a Sid ar yr efeilliaid.

'Peidiwch â neud dim byd twp!!' meddai Mali, yn siarp, gan chwifio'i gwn.

Cyn gynted ag yr oedd y tri arwr ar fwrdd y llong danfor, gafaelwyd yn eu breichiau gan danforwyr anwaraidd.

Yna, neidiodd yr efeilliaid ar fwrdd y llong danfor. Cydsaliwtiodd yr efeilliaid â'r capten yn y dull Natsïaidd cyn llafarganu, '*Heil Hitler!*'

Tynnodd y capten ei gap a moesymgrymodd. Yna, cusanodd ddwylo'r ddwy efaill, gan awgrymu bod ganddo barch mawr atyn nhw. Gwridodd y Brauns o achos ymddygiad bonheddig y gŵr.

Yna, bu sgwrs hir yn Almaeneg rhwng yr efeilliaid a'r capten. O'u hystumiau a'u hedrychiadau, roedd hi'n amlwg eu bod yn trafod y tri carcharor. Yn dilyn nòd olaf gan y capten, gwthiwyd Eric, Sid a Greta i lawr ysgol, trwy hatsh, ac i mewn i gorff y llong danfor.

Yn fuan, roedd pawb i mewn ynddi, gan gynnwys yr efeilliaid, a rhoddwyd yr ysgol yn ôl yn ei phriod le.

Yn syth bin, teimlodd Eric gymysgedd o ofn a chyffro. Daeth pwl o euogrwydd drosto hefyd am deimlo mor gyffrous, ond roedd o'n fachgen 11 oed ar long danfor y gelyn, ac roedd hynny *yn* gyffrous! Eric, siŵr o fod, oedd yr unig blentyn Prydeinig a droediodd ar long danfor Natsïaidd erioed!

## Ond a fyddai'n cael byw i ddweud ei stori?

RHAN 5

# YR AWR DYWYLLAF

PENNOD | 55 |

# CARCHARORION DAN Y TONNAU

Y tu mewn i'r llong danfor Natsïaidd, roedd llai o le nag yr oedd rhywun yn ei ddisgwyl. Ac roedd pawb yn brysur fel morgrug, gyda'r tanforwyr yn goruchwylio radio, radar, mesurau gwahanol a'r falfiau oedd yn gyrru'r llong danfor trwy'r môr. Arweiniwyd Eric, Sid a Greta ar hyd eil gul i gefn y llong danfor – y starn – gan dri thanforwr anwar.

Byr a solet oedd y cyntaf, gyda'i wddf mor llydan â'i ben. Ar wyneb yr ail, roedd craith a oedd yn mynd reit ar draws ei lygad ddi-liw. Cawr ysgwyddog oedd y trydydd, a phrin oedd o'n gallu ffitio trwy'r eil. Mor foel ag wy, gorweddai mwstásh mawr, blewog dan ei drwyn. Hwn oedd y tanforwr oedd yn gyfrifol am y gorila.

Doedd Sid ac Eric erioed wedi tywyllu llong danfor o'r blaen, ac roedd hwn yn sicr yn brofiad newydd i Greta. Pob cam o'r ffordd, archwiliai'r gorila ei hamgylchedd ddieithr. Rhaid bod chwant bwyd arni oherwydd ceisiodd

ddatgysylltu ei hun o afael y tanforwr a llyfu pob tap,
handlen a mesur!

### 'SLYYYYYRP!'

Ond mynnodd y cawr ei gwthio ymlaen.

'HI-HA!' cwynodd Greta.

Wrth iddyn nhw gerdded trwy'r llong danfor, sylwodd y bachgen fod silindrau mawr, du wedi eu clymu i gorff y llong danfor gan raff. Rhaid bod cannoedd ohonyn nhw, pob un wedi ei addurno â swastica.

'Beth yw pwrpas y rhain?' sibrydodd Eric wrth Sid. 'Tydyn nhw ddim yn edrych fel rhan o'r llong danfor.'

'**TAWELWCH!**' gwaeddodd y tanforwr moel, gan wasgu braich y bachgen gyda'i fysedd tewion.

'**AW!**' sgrechiodd Eric.

Doedd Greta ddim yn hapus bod ei ffrind yn cael ei gamdrin! Torrodd yn rhydd o afael y tanforwr mawr a dangosodd ei dannedd iddo, yn barod i'w ymladd.

**'GRRRRR!'**

Dechreuodd y tri dyn gyfarth ar ei gilydd yn Almaeneg.

'Peidiwch â'i brifo hi!' erfyniodd Eric.

Aeth y tri tanforwr i nôl darn o raff. Stranciodd y gorila wrth iddyn nhw ei chlymu.

'**HWWW!**'

Ond roedd y tanforwyr yn gryf ac yn gweithio'n gyflym. Ymhen dim o amser, llwyddodd y tri epa i glymu'r rhaff o amgylch y gorila, gan rwystro Greta rhag symud ei breichiau.

**'GRRRR!'** rhuodd Greta, wrth iddi geisio rhyddhau ei hun.

Yna, tynnodd y tri'r rhaff yn dynn.

'HIIIIII!' gwaeddodd y gorila, mewn poen..

Rhedodd Eric i gyfeiriad y tanforwyr.

'Eric! Paid!' gwaeddodd Sid. 'Mi fyddan nhw'n ein lladd ni!'

Codwyd y bachgen i fyny gerfydd ei war gan y dyn moel, a'i gario i lawr yr eil.

Nesaf, cafodd y tri charcharor eu harwain i mewn i gaban bychan, cyn cael eu gwthio'n ddiseremoni i'r llawr. Clymwyd eu dwylo y tu ôl i'w cefnau a'u cysylltu i beipen fetel gan gadwyn fetel.

## CLANC! CLANC! CLANC!

Greta oedd yn y canol, gyda Sid ac Eric bob ochr iddi.

'WHYP! WHYP!' meddai'r gorila. Profiad poenus oedd hwn i'r tri arwr.

'Bydd pob dim yn iawn, Greta!' meddai'r bachgen. 'Gewn ni ti allan o fan hyn. Dwn i ddim sut, ond fe newn ni.'

'Allwn ni ddim gadael i'r diawliaid ein trechu ni!' cytunodd Sid.

Edmygodd y tri thanforwr eu gwaith.

Chwarddodd y tri ymysg ei gilydd, cyn gadael y caban, a chloi'r drws ar eu holau.

'HA! HA! HA!'

Edrychai fel petaen nhw yn ystafell breifat y capten. Roedd yno wely cul, desg fechan, ddrudfawr, cadair, cloc ar y wal a baner y Natsïaid. Ar y silff, i'w weld yn amlwg mewn ffrâm arian, roedd llun o'r capten yn derbyn CROES HAEARN, un o fedalau milwrol mwyaf anrhydeddus yr Almaen, a hynny'n bersonol gan Adolf Hitler.

Ar y waliau, hoeliwyd mapiau a siartiau, yn dangos llwybr eu cynllun cyfrinachol iawn. Erbyn hyn, roedden nhw wedi gadael Cymru ac yn teithio ar hyd arfordir deheuol Lloegr, cyn mynd i fyny Aber Tafwys a chyrraedd Llundain. Marciwyd y map yn union fel yr un a welodd Eric yng NGWESTY ANNWFN.

Sgriblwyd '**PARLAMENT**' wrth ymyl dot gyda chylch coch o'i amgylch. Doedd dim angen bod yn*Bruce Griffiths neu Dafydd Glyn Jones i'w gyfieithu o'r Almaeneg.

'Rhaid taw fan hyn yw eu targed,' dyfalodd Eric. 'Y Senedd!'

'Os lwyddan nhw i chwythu'r fan honno, nid yn unig fydd hi'n ta-ta Churchill, ond mi fydd hi'n ta-ta ar y llywodraeth gyfan hefyd!' meddai Sid. 'Bydd Prydain Fawr wedi ei llorio. Dratia ein bod ni wedi methu dod o hyd i deliffon i rybuddio rhywun!'

---

*Bruce Griffiths a Dafydd Glyn Jones yw golygyddion un o lyfrau pwysicaf yr iaith Gymraeg, sef Geiriadur yr Academi.

'Rhaid bod rhywbeth arall allwn ni wneud i'w rhwystro.'

Gwyrodd Greta ei phen, fel pe bai'n ceisio deall eu sgwrs. Ni chafodd fawr o lwyddiant, ond nodiodd ei phen yn awr ac yn y man.

Yn sydyn, clywyd lleisiau y tu allan.

'Ust!' meddai Sid. 'Beth am wrando?'

Cyfeiriodd y gorila un o'i chlustiau mawr tuag at y drws.

Y tu allan, roedd y capten yn dadlau yn Almaeneg gyda'r efeilliaid.

'Dyw'r capten ddim yn rhy hoff o'r ffaith ein bod ni wedi distrywio'u cynlluniau. Mae o mor hapus â thwrci cyn Dolig,' meddai Sid.

Ymhen dim, clywyd sŵn allwedd yn y drws.

CLIC!

Daeth y capten i mewn i'r caban, gyda gwên sinistr ar ei wep.

'Noswaith dda,' meddai, gan siarad Cymraeg perffaith. 'Croeso i fwrdd fy llong danfor. F'enw i yw *Capten Speer. Wel, wel, wel, dyma dri ysbïwr annisgwyl! Hen ŵr, bachgen bach a mwnci!'

'Epa!' cywirodd Eric. Cywiro'r ffaith hon oedd ei obsesiwn mwyaf. Nodiodd Greta ei phen.

---

*Speer oedd cyfenw prif bensaer a Gweinidog Arfogaeth Hitler, sef Albert Speer. Ar ôl y rhyfel, yn Achos Llys Nuremberg, carcharwyd o am ugain mlynedd.*

'Caca ci, caca cath, caca mochyn 'mond yr un fath!' meddai Speer, gan feddwl ei fod o'n ddoniol. Plygodd i lawr er mwyn gosod ei ben ar yr un lefel â'n harwyr. 'Y cwestiwn mawr yw hwn. Pwy sy'n gwybod ein cynlluniau? Wrth bwy dach chi wedi agor eich cegau mawr?'

Saib hir. Roedd hi'n demtasiwn i ddweud rhywbeth, ond ni ynganodd Sid nac Eric air o'u pennau. Ond roedd gan Greta syniad gwahanol. Torrodd ei gwynt reit yn wyneb y capten.

'PFFFFFT!'

Chwarddodd Sid ac Eric cymaint nes bu bron iddyn nhw biso yn eu trowsusau!

'HA! HA! HA!'

Gwenodd Speer, er nad oedd o'n meddwl bod y peth yn ddoniol o gwbl.

'Aaa! Yr hen hiwmor Cymreig! Hiwmor annoniol, hen ffasiwn y noson lawen! Chwarddwch chi, hogiau! Ond mewn ychydig oriau, bydd eich Prif Weinidog, Mr Winston Churchill, yn gelain.'

**'Dach chi ddim am lwyddo!'** meddai Eric.

'O, 'dan ni'n siŵr o lwyddo. Mae ein cynlluniau yn cael eu goruchwylio gan y Führer ei hun. Gŵyr Hitler o'r gorau y bydd Prydain heb Churchill fel ceiliog ar ôl cael torri ei ben. Rhedeg o gwmpas yn wyllt wallgof, cyn disgyn yn farw. Coc-a-dwdl ... – dy!'

Roedd gweld a chlywed Speer yn efelychu ceiliog yn marw ar ôl cael torri ei ben i ffwrdd yn un digon da i ennill Gwobr Richard Burton yn yr Eisteddfod Genedlaethol.

'Dyna'r amser perffaith i ymosod! Bydd ymosodiad y Natsïaid ar Brydain yn cychwyn go iawn! Ac mi fyddwch chi, a'ch cyd-Brydeinwyr, yn gorfod moesymgrymu i'r Führer!'

'Dwi eisoes wedi rhybuddio Rhif **10, Stryd Downing** am eich bwriad,' meddai Eric, y celwyddgi.

'O, deud ti!'

'Maen nhw'n gwybod bod llong danfor y Natsïaid yn anelu am y Senedd a bod Churchill yn darged!'

Trodd Sid a Greta eu pennau i edrych ar Eric, **gan weddïo bod y bachgen yn gwybod beth yr oedd o'n ei wneud!**

# Y BOM MWYAF YN Y BYD

'Diddorol! Diddorol iawn!' meddai Speer, fel cath yn canu grwndi. 'A sut yn union wnaeth bachgen bach fel ti gysylltu â Rhif **10, Stryd Downing?** Trwy anfon cerdyn post? Ha! Ha!'

'Na. Cysylltais â nhw drwy'r radio oedd yng NGWESTY ANNWFN!' atebodd Eric, ei feddwl yn siarp fel cyllell cigydd.

Nodiodd Sid a Greta i gadarnhau geiriau'r bachgen, a dechreuodd Speer bryderu. 'Dwi'n amau'n gryf y byddai bachgen bach twp fel ti yn deall sut i ddefnyddio offeryn cymhleth fel hwnnw.'

'Roedd o'n hawdd! Dwi'n astudio gwyddoniaeth yn yr ysgol ac dwi'n un da am wrando a dysgu,' meddai Eric, â'i drwyn mor hir â Phenrhyn Llŷn. Doedd o byth yn gwrando gair ar ei athrawon!

'Ti'n dweud celwydd!' meddai Speer, yn flin fel cacwn.

'Sut allwch chi fod yn sicr o hynny, Capten Speer?' meddai Sid. 'Dyna pam dach chi'n ein cadw ni'n fyw, ynte ddim?'

'Mae hynny'n wir, hen ŵr! Ond roedd y radio'n cael ei defnyddio i wrando, nid siarad. Cafodd ei chreu yn arbennig ar gyfer ein hysbïwyr ym Mhrydain, sef Sali a Mali Braun. Trwy ddefnyddio'r radio, gallen nhw wrando ar negeseuon gwasanaeth cudd Prydain. Roedd yn rhaid iddyn nhw fod ym Mhrydain oherwydd doedd y signal ddim yn cael ei dderbyn yn yr Almaen, na chwaith yn fan hyn, o dan y môr.'

'Felly dyna sut wnaethoch chi ddarganfod lle'r oedd Churchill?' meddai'r bachgen.

'Cwestiwn da iawn, fachgen bach. Mae'r efeilliaid yn arbenigwyr ar ddatrys codau. Darganfyddon nhw fod eich prif weinidog yn cynnal cynhadledd gyfrinachol iawn gydag aelodau o'i lywodraeth am hanner nos heno. Bydd penaethiaid y fyddin, y llynges a'r awyrlu yn bresennol. Gallwn eu lladd nhw i gyd ag un ergyd!'

Llyncodd Sid, Eric a Greta eu poer yn galed.

### 'GYYYYLP!'

Roedd y cynllun yn fwy cachgïaidd nag yr oedden nhw wedi ei ddychmygu.

'Pwy dach chi'n feddwl ydach chi, yn ceisio lladd Churchill?' gorchmynnodd Sid.

'Nid meddwl, hen ŵr, ond gwybod – achos fi yw'r capten sydd wedi ei anrhydeddu fwyaf yn llynges y Natsïaid. Yn Dunkirk yn unig, suddais dair o longau rhyfel Prydain â thorpidos.'

I Eric, roedd ei eiriau yn rhai brawychus. Lladdwyd ei dad pan gafodd y llong yr oedd arni, *HMS GRAFTON*, ei suddo â thorpido wrth ddianc o Ffrainc. Gallai'r bachgen deimlo'r gynddaredd yn berwi y tu mewn iddo. 'Nid *HMS GRAFTON*?' mynnodd.

Gwenodd Speer yn foddhaus wrtho'i hun wrth gofio'r achlysur. 'Ia! Y *GRAFTON*! Yr un fwyaf ohonyn nhw i gyd!'

'LLOFRUDD!' gwaeddodd Eric, yn ysgwyd gyda chynddaredd. 'Roedd fy nhad ar y llong honno.'

'WHYYYP!' meddai Greta, wrth geisio ymryddhau o afael y rhaff.

'Oedd o wir?' meddai Speer, gan grechwenu. 'Un o ddegau a fu farw ar y llong honno. Dyna yw rhyfel.'

Dechreuodd Eric grio wrth hel atgofion am farwolaeth ei dad. Daeth y cyfan yn ôl i'r cof. Dod adref o'r ysgol a gweld wyneb ei fam; doedd dim angen dweud gair, roedd yn gwybod beth oedd wedi digwydd. Cafodd hunllefau wrth ddychmygu eiliadau olaf ei dad.

'Hoffwn roi cwtsh i ti nawr,' meddai Sid, yn aflonyddu, wrth i'r bachgen lefain y glaw.

'HWWWWWW!' cytunodd Greta.

Gwyddai'r epa fod y bachgen yn dioddef, er na wyddai yn iawn pam. Gwthiodd ei phen mawr i wyneb Eric, gan sychu ei ddagrau gyda'i ffwr.

'Diolch, Wncwl Sid. Diolch, Greta,' sibrydodd y bachgen.

Dechreuodd Greta fwmian yn dawel, fel pe bai'n galaru.

**'HMMMMMMMMM!'**

Doedd Eric ddim yn gallu siarad Gorila-eg, ond gwyddai'n iawn beth roedd Greta'n ceisio'i ddweud.

'Mi ga i gymaint o bleser yn dy ladd di ag a gefais wrth ladd dy dad!' meddai Speer, yn greulon.

Ceisiodd Eric ymryddhau o'r cadwyni er mwyn rhoi trwyn coch i'r gŵr anwaraidd, ond methiant oedd ei ymdrech.

**'ANGHENFIL!** Dyna beth ydach chi!' gwaeddodd y bachgen. 'Chi yw'r **DIAFOL!**'

Ceisiodd Greta ymryddhau hefyd. Ond roedd hi'n amhosib.

# TYNNU!

Yn hytrach, chwyrnodd ar y dyn, gan ddangos ei ddannedd anferth, miniog.

## 'GRRRRRR!'

Camodd Speer yn ôl. Gallai Greta fod yn anghenfil arswydus pan oedd hi'n dymuno.

'Rheola dy gôt ffwr ar ddwy droed, fachgen, neu byddaf yn ei saethu'n gelain!' gorchmynnodd Speer, gan estyn ei wn o'r wain.

'Mae'n ddrwg gen i i ddweud hyn wrthoch, Capten Speer, ond tydi'ch cynllun chi ddim am lwyddo!' meddai Sid. 'Dyw torpido ddim yn mynd i allu dinistrio'r Senedd gyfan!'

'Torpido?!' chwarddodd y capten. ''Dan ni ddim yn bwriadu tanio torpido!'

'Edrychodd Sid ac Eric yn ddryslyd. Roedd hyd yn oed Greta yn crafu ei phen.

'Ond sut ydach chi am ladd Churchill?' gofynnodd yr hen ŵr.

'Mae'r llong danfor hon wedi ei llwytho â ffrwydron. Yn fan hyn, fan hyn, a fan hyn,' meddai, gan bwyntio at y silindrau duon a oedd wedi eu clymu i'r waliau. 'Mae cannoedd ohonyn nhw o amgylch y llong. Pob un ohonyn nhw mor bwerus â thorpido. Felly, pan fydd y llong danfor hon yn taro'r Senedd, **BWWWWM!** Byddwn yn dinistrio'r adeilad cyn i chi allu dweud 'NICARS TAID'! (Am unwaith, penderfynodd Eric beidio'i gywiro!)

Edrychodd Sid ac Eric ar ei gilydd, mewn sioc. Cafodd Greta sioc hefyd, er nad oedd hi'n gwybod pam y dylai fod mewn sioc.

'Ond ... ond ... ond os yw'r llong danfor gyfan yn fom, sut ydach chi am oroesi?' gofynnodd y bachgen, yn nerfus.

'Fydda i ddim yn goroesi. Rydw i, y criw, a'r efeilliaid wedi cytuno mai hon fydd yr ymgyrch a'r dasg olaf.'

'Y dasg olaf?' ailadroddodd Eric, yn anghrediniol.

'Ia! 'Dan ni'n mynd i aberthu ein bywydau i'r Führer! Byddwn yn cael ein cofio fel arwyr Natsïaidd ... hyd dragwyddoldeb!'

'Ond beth amdanon ni?' gofynnodd Eric, braidd yn hunandosturiol.

'Byddwch chi'ch tri, hefyd, yn marw!' meddai Speer, gan gilwenu'n foddhaus. 'Ond cyn hynny, rhaid cael Amynedd Job, fel dach chi'r Cymry'n ei ddweud!'

A gyda'r geiriau hynny,

**cododd ei gap capten yn gwrtais**

## a diflannodd

# drwy'r drws.

CYFRINACHOL

PENNOD |57|

# OES GEN TI OGLAIS?

Aeth amser heibio, ond cadwodd Eric olwg barcud ar y cloc oedd ar wal caban y capten. Roedd hi'n chwarter i hanner nos. Dim ond chwarter awr cyn i'r llong danfor, a phawb ynddi, ddinistrio'r Senedd.

## BWWWWWWM!

Byddai Winston Churchill a phob uwch-swyddog yn y lluoedd arfog yn cael eu lladd yn syth. A byddai'r Natsïaid yn rhydd i ymosod ar Brydain yn union fel yr oedden nhw wedi gorymdeithio trwy weddill Ewrop.

'Wel, pwy fyddai'n meddwl ein bod yn achub Greta o'r sw ac yna yn canfod ein hunain yn y fath helynt?' meddai Sid.

''Dan ni'n ffodus ein bod ni wedi gwneud hynny!' atebodd Eric.

'Yn ffodus? Sut?!'

'Mae ganddon ni gyfle i fod yn arwyr.'

'Ti'n llygad dy le. Dyna'r unig beth roeddwn i eisiau bod

erioed,' meddai'r hen ŵr, gyda dagrau'n cronni yn ei lygaid. 'Collais fy nghoesau flynyddoedd yn ôl, ar fy niwrnod cyntaf ar faes y gad yn Ffrainc. Cefais fy anfon adref ar f'union. Nawr, mae gen i un cyfle olaf i fod yn arwr.'

'Yn hollol! Ac fe allwn ni fod yn arwyr, Wncwl Sid! Gallwch chi, fi, ac wrth gwrs Greta, achub Churchill.'

Nodiodd y gorila. Doedd Greta ddim yn siŵr iawn pam roedd hi'n nodio, ond roedd hi bob amser yn awyddus i brofi antur.

'Sut allwn i wneud hynny?' gofynnodd Sid.

'Dwi ddim yn gwybod eto. Dim ond 11 oed ydw i. Ond y peth cyntaf sydd rhaid i ni ei wneud yw rhyddhau ein hunain o'r cadwyni,' meddai'r bachgen, gan eu hysgwyd yn ofer.

CLINC! CLINC! CLINC!

'Mae'n amhosib eu torri,' meddai Sid, gan dreio'i orau glas i'w malu.

CLINC! CLINC! CLINC!

'Amhosib i ni, efallai, ond nid i Greta. Mae hi mor gryf, fe lwyddodd hi i ddianc o'i chaets, chi'n cofio?'

Meddyliodd Sid am ennyd. Roedd gan y bachgen bwynt teg.

'Ond sut 'dan ni am ddweud wrth Greta i dorri'r cadwyni? Tydw i, na chditha, ddim yn siarad gair o Gorila-eg.'

'Mi ddeallith os newn ni feimio,' awgrymodd Eric.

'Efallai.'

Dechreuodd y ddau berfformio fel pe baen nhw mewn pantomeim, gan ystumio eu bod yn rhwygo'r cadwyni i ffwrdd, ond yr unig beth wnaeth Greta oedd syllu arnyn nhw fel pe bai'r ddau yn honco bost.

'Mae gen i syniad!' meddai'r bachgen. 'Os newn ni ei goglais, efallai y gwneith hi gynhyrfu, a thorri'r biben hon? Yna, mi fyddwn ni'n rhydd!'

Gan ddefnyddio'i ben, nodiodd Eric i gyfeiriad y biben oedd yn rhedeg ar hyd y llawr. Piben ddur, drwchus, un o gannoedd oedd yn ymestyn ar hyd y llong danfor.

'Does gennym ddim i'w golli!' cytunodd Sid, cyn ychwanegu yn dawel, 'Heblaw ein bywydau!'

'Rhaid tynnu ein hesgidiau.'

'I beth?!'

'Gallwn ddefnyddio ein bodiau traed i'w goglais.'

'Does gen i ddim bodiau traed!'

Tynnodd y ddau eu hesgidiau. Yna, gyda llawer o drafferth, symudodd y ddau i safleoedd lle'r oedd eu traed ar yr un lefel â cheseiliau Greta.

I'r rhan fwyaf o bobl, dan eu ceseiliau yw'r man mwyaf gogleisiog, ond ni chafwyd ymateb o gwbl gan y gorila.

# COSI! COSI! COSI!

Edrychai Greta fel pe bai hi'n cael crafiad pleserus, nid rhywbeth i wneud iddi chwerthin. Gwenodd wrth ei hunan a chaeodd ei llygaid.

'Tydi hi ddim yn ogleisiog dan ei cheseiliau!' meddai'r bachgen yn rhwystredig. 'Beth am dreio dan ei gên!'

Unwaith yn rhagor, symudodd y ddau eu cyrff i safleoedd lle'r oedd eu traed yn lefel â gên y gorila.

'Tydi hyn ddim yn rhwydd yn f'oed i!' cwynodd Sid, gyda'i din reit dan drwyn Eric.

'Peidiwch â tharo rhech, Wncwl Sid,' meddai'r bachgen, gan ofni'r gwaethaf.

Gan ddefnyddio'u traed, fe aethon nhw ati i oglais y gorila dan ei gên.

COSI! COSI! COSI!

Yr unig beth wnaeth Greta y tro hwn oedd agor ei cheg yn gysglyd.

'AAAAA!'

'Damia! Nicars Nain!' rhegodd y bachgen. 'Ble allwn ni oglais Greta?!'

Byddai'r wybodaeth ganlynol wedi eu rhoi ar ben y ffordd:

# BLE I OGLAIS GORILA:

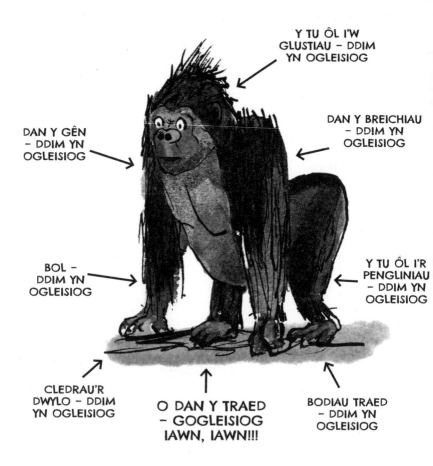

Y TU ÔL I'W GLUSTIAU – DDIM YN OGLEISIOG

DAN Y BREICHIAU – DDIM YN OGLEISIOG

DAN Y GÊN – DDIM YN OGLEISIOG

BOL – DDIM YN OGLEISIOG

Y TU ÔL I'R PENGLINIAU – DDIM YN OGLEISIOG

CLEDRAU'R DWYLO – DDIM YN OGLEISIOG

O DAN Y TRAED – GOGLEISIOG IAWN, IAWN!!!

BODIAU TRAED – DDIM YN OGLEISIOG

Aeth yr arbrawf goglais ymlaen am hydoedd, cyn i'r pâr gael ateb i'w cwestiwn!

## O dan ei thraed!!

Bu rhaid i Sid ac Eric ei goglais â'u traed i fyny.

### COSI! COSI! COSI!

Yn syth bin, dechreuodd y gorila chwerthin hyd at ddagrau.

### 'HI! HI! HIIII!'

Hefyd, aeth ati i droi a throsi, a siglo mor wyllt a nerthol nes i'r gadwyn fetel oedd yn ei chlymu roi plwc i'r biben.

### PLWC!

'Caria ymlaen, Greta!' meddai Eric.

'Alli di wneud hyn, 'ngeneth i!' ychwanegodd Sid.

Gyda llawer o drafferth, parhaodd y ddau i oglais Greta dan ei thraed blewog, enfawr.

### COSI! COSI! COSI!

Po fwyaf oedden nhw'n goglais, mwyaf roedd hi'n cynhyrfu a chwerthin.

### COSI! COSI! COSI!
### 'HI! HI! HIIII!'
### CLINC! CLINC! CLINC!
### CRAC!

Nes yn y diwedd ...

Torrodd y biben yn ddwy, gan chwistrellu gwreichion o drydan i'r caban.

*PUSL! PASL! POSL!*

Gyda'r biben wedi ei thorri, gallai Sid ac Eric ryddhau eu hunain a chodi ar eu traed.

'HWRÊ!' meddai'r bachgen.

'Mae pethau ar eu fyny!' cytunodd Sid.

Rhoddodd y ddau gwtsh mawr i Greta.

Gyda'i llygaid oren, cyfeiriodd y gorila at y raff dew a oedd wedi ei chlymu o amgylch ei chanol.

'O, ia, anghofiais i!' meddai Eric.

Mor gyflym ag y gallen nhw, aeth y ddau ddyn ati i ddadlapio'r gorila fel pe baen nhw'n agor anrheg Nadolig.

'Dyna ti, Greta! Ac mae'n ddrwg gen i am d'oglais di!' meddai'r bachgen. 'Ond dyna oedd yr unig ffordd.'

Bellach, roedd y gwreichion o'r ceblau trydan yn y biben yn ffrwydro i mewn i'r caban.

*PUSL! PASL! POSL!*

**Roedd hi fel Noson Tân Gwyllt!**

*WHIIIS!* **SNAP!** BANG!

Hedfanodd y gwreichion yn uwch ac yn uwch nes rhoi'r faner Natsïaidd ar dân.

## WHYYYYYSH! FFLAM!

'Y peth gorau allai ddigwydd iddi!' meddai Sid.

Ond gyda'r faner ar dân, canodd y larwm, ac atseiniodd sŵn byddarol y gloch trwy'r llong danfor.

DRIIIIIIIIIIIIIING!

'Rhaid i ni ei heglu hi o'ma!' meddai Eric.

Yr eiliad honno, agorodd drws y caban. Yno, safai'r efeilliaid Braun, gyda bandiau swastica am eu breichiau a gynnau yn eu dwylo. O weld bod y tri wedi llwyddo i ddianc o'u cadwyni cyfarthodd Mali, 'Ni wedi cael llond bola arnoch chi'ch tri yn strywa ein cynllunie!'

Ychwanegodd Sali,

### 'PARATOWCH I FARW!'

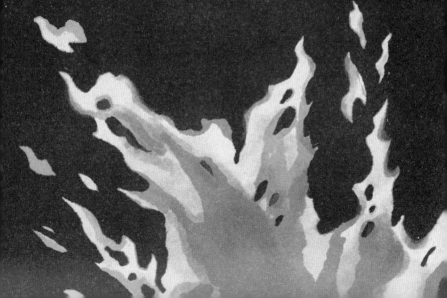

# PENNOD | 58 |

# TIN AR DÂN

'Fel dach chi'n gwybod, os newch chi saethu eich gynnau yn fan hyn, 'dan ni i gyd yn mynd i farw!' gwaeddodd Sid.

Surodd wynebau'r efeilliaid os, yn wir, oedd hynny'n bosib oherwydd roedden nhw eisoes wedi suro'n waeth na llaeth enwyn. Gwyddai'r ddwy fod yr hen ŵr yn iawn. Gafaelodd y ddwy yng ngharnau eu gynnau ...

*CARN! CARN!*

... er mwyn eu defnyddio fel arfau. Doedd y ddwy chwaer ddim yn brif ysbïwyr y Natsïaid am eu bod yn angylion! Rhuthrodd y ddwy ymlaen, yn barod i golbio Eric a Sid.

'HOO!'

Ond neidiodd Greta o'u blaenau i'w hamddiffyn. Wrth iddi wneud hynny, gafaelodd y gorila ym mhennau'r efeilliaid Braun gyda'i dwylo mawr, blewog.

'*NEIN!*' gwaeddodd Sali a Mali gyda'i gilydd.

Fel pe bai hi'n agor cneuen goco, trawodd y gorila eu

pennau yn erbyn ei gilydd. **CLONC!**

Syrthiodd y ddwy yn syth i'r llawr, eu breichiau a'u coesau yn ffurfio siâp swastica.

**DONC! DONC!**

'Natsïaid i'r diwedd!' meddai Sid, cyn troi at Greta. 'Gwaith ardderchog, yr hen hogan!'

Edrychodd y gorila yn falch o'i hunan, wrth iddi wenu fel cath a churo ei brest.

**BWM! BWM! BWM!**

Ond byrhoedlog oedd y dathlu – roedd y tân yng nghaban y capten wedi lledaenu i'w wely.

**WHYYYYMFF!**

Aeth y ciando ar dân.

Dechreuodd Greta weiddi mewn ofn. 'WHYP! WHYP!'

'Be 'dan ni am wneud?' gofynnodd Eric.

'Rhaid i ni suddo'r llong danfor cyn iddi ymosod ar y Senedd.'

Edrychodd Eric ar y cloc ar y wal. Pum munud i hanner nos. Dyn trylwyr oedd Capten Speer. Bod yn was bach i'r cloc oedd ei bleser mewn bywyd a'i fwriad oedd ymosod ar y Senedd am hanner nos ar ei ben.

'Sut 'dan ni am wneud hynny?' gofynnodd Eric.

'Ei suddo hi.'

'Beth?!'

'Ei boddi! Agor yr hatshys, gadael y dŵr i mewn. A'i suddo i waelod afon Tafwys.'

'Sut allwn ni ddod allan ohoni'n fyw?'

'Does fawr o obaith i hynny ddigwydd, mae gen i ofn. Gad imi dreio dy gael di a Greta allan, ac wedyn mi sudda i gyda'r llong danfor.'

'NA, Wncwl Sid!' meddai'r bachgen. 'Dwi am aros gyda chi! Dwi wedi colli fy mam, fy nhad a fy nain. Alla i ddim eich colli chi hefyd!'

Nodiodd y gorila ei phen.

'DRYCHWCH!' gwaeddodd Eric, gan bwyntio trwy'r drws i gyfeiriad y bompren hir.

Rhuthrodd tanforwyr tuag atyn nhw, wedi eu harfogi gydag unrhyw beth oedd wrth law. Sbaneri. Tyndroeon. Morthwylion.

Cynheswyd pen ôl Greta gan fflam o'r gwely.

'WHYYYYMFF!'

Rhoddodd iapiad pan feddyliodd bod ei thin ar dân.

'WHOOOOO!'

Rhuthrodd y gorila o'r caban, i ffwrdd o'r fflamau, ac i

lawr y bompren. Fesul un, hyrddiodd y tanforwyr o'i ffordd.

'AAAA!'

**DOINC!**

'Doedd gan yr un ohonyn nhw obaith caneri yn erbyn bwystfil arswydus â'i thin ar dân!'

'AAAA!'

**DOINC!**

Cododd Greta bob un ohonyn nhw i fyny a'u taflu'n ddiseremoni yn erbyn ochr y llong danfor.

'AAAA!'

**DOINC!**

Ond ei phleser mwyaf fyddai talu'r pwyth yn ôl yn erbyn ei phrif boenydiwr. Rhaid dial ar y tanforwr moel gyda mwstásh mawr! Cilwenodd Greta wrth edrych arno. Gafaelodd ynddo gerfydd ei fwstásh.

'*NEIN! NEIN!*' gwaeddodd.

Yna, chwyrlïodd y dyn rownd a rownd.

'AAAA!' gwaeddodd.

**WHYSH! WHYSH! WHYSH!**

Cyn gollwng mab y diafol.

Wrth i rai o'i ddynion redeg ato i geisio'i amddiffyn, fe gawson nhw eu taro drosodd fel sgitls.

BONC! BONC! BONC!

Yr unig beth oedd rhaid i Eric a Sid ei wneud oedd camu dros y tanforwyr, a oedd yn anymwybodol ar lawr y bompren. Ar ôl dal i fyny gyda'r gorila, rhedodd y tri i'r ystafell reoli.

'Ffordd yma!' meddai Sid, gan eu harwain.

Roedd yr ystafell reoli yn fwrlwm o brysurdeb.

'*Parlamentsgebáude in Reichweite, Kapitan!*' gwaeddodd y tanforwr wrth edrych trwy'r perisgop.

'Mae'r Senedd o fewn cyrraedd!' cyfieithodd Sid i Eric a Greta. ''Dan ni yng nghanol Llundain!

# Ac ar fin cael ein dinistrio!'

# BRATHU!

CYFRINACHOL

Y capten ei hunan oedd wrth lyw y llong danfor.

'*Eine Minute bis es explodiert!*' cyfarthodd ar y criw.

'Munud tan y ffrwydriad!' cyfieithodd Sid.

Pan welodd o'r tri arwr, gwaeddodd y capten yn uwch na sŵn y gloch dân, 'Allwch chi ddim ein rhwystro ni nawr!'

'Eric! Yr ysgol!' gwaeddodd Sid. 'Dringa i fyny ac agor yr hatsh!'

Rhedodd y bachgen i waelod yr ysgol, ond roedd hi wedi ei gwthio i fyny i'w chadw. Dim ond oedolyn allai ei chyrraedd, nid bachgen byr, 11 oed. 'Alla i ddim ei chyrraedd!'

Rhuthrodd Sid i le safai'r bachgen, ond cafodd ei daro ar ei ben gan gorn pistol Speer, a disgynnodd i'r llawr.

**THYMP!**

'WNCWL SID!' gwaeddodd y bachgen.

Dangosodd Greta ei dannedd a RHUO ar y capten.

'RHUUUUUUO!'

'Paid â phoeni amdana i!' dywedodd yr hen ŵr ar lawr.

'Agor yr hatsh!'

'Greta!' gwaeddodd Eric.
'Tyrd yma! Dwi angen
dy help di!'

Neidiodd y gorila
draw
at y bachgen.

**THYMP!**

Dringodd Eric ar
ei chefn, a neidiodd
Greta i fyny at yr
hatsh.

**BOING!**

Gafaelodd y
bachgen yng ngwaelod
yr ysgol a'i thynnu i
lawr.

CLANC!

'Diolch, Greta!' meddai, gan ddringo i lawr o gefn y gorila a dechrau dringo'r ysgol.

Wrth i Eric geisio agor yr hatsh, neidiodd Greta i lawr i roi cymorth i Sid.

'STOPIWCH Y BACHGEN!' gwaeddodd Speer, ond roedd ei ddynion yn rhy ofnus i geisio mynd heibio gorila mor **anferth.**

'CACHGWN!' gwaeddodd, cyn gollwng y llyw. Dechreuodd y llong danfor newid cyfeiriad yn syth.

CRIIIIC!

Rhuthrodd y capten at y bachgen a gafael yn ei goesau.

'AROS DI BLE'R WYT TI!' gwaeddodd Speer, gan geisio tynnu'r bachgen i lawr. Bu bron iddo lwyddo, ond erbyn hyn roedd Greta wedi helpu Sid i godi ar ei draed, a rhedodd yr hen ŵr i daclo Speer.

'Treiwch ei oglais, Wncwl Sid!' gwaeddodd Eric.

'Fi yw'r capten mwyaf anrhydeddus yn holl lynges y llongau tanfor!' protestiodd Speer. 'Does gen i ddim goglais yn unrhyw fan ar fy nghorff!'

'Mae gan **bawb** oglais yn rhywle!' meddai'r bachgen.

Yn ddi-oed, aeth Sid ati i oglais y gŵr gan ddechrau gyda'i fferau, yna y tu ôl i'w bengliniau, ond doedd dim ymateb i'w gael o gwbl.

Ond pe bai Sid yn gwybod ... :

## BLE I OGLAIS CAPTEN LLONG DANFOR

Y TU MEWN I'W GLUST –
DDIM YN OGLEISIOG

Y PENELINIAU – DDIM
YN OGLEISIOG

BOTWM BOL
– DDIM YN
OGLEISIOG

GWAELOD EI GEFN –
DDIM YN OGLEISIOG

CLUNIAU
– DDIM YN
OGLEISIOG

PEN ÔL – YN
OGLEISIOG
IAWN, IAWN

Y TU ÔL I'W
BENGLINIAU
– DDIM YN
OGLEISIOG

FFERAU –
DDIM YN
OGLEISIOG

Pe bai Sid wedi cael y wybodaeth honno rhagblaen, byddai'n gwybod yn union ble i oglais Capten Speer. Ond fel ag yr oedd hi, bu rhaid iddo ei oglais yn gwbl aneffeithiol mewn sawl rhan o'i gorff, cyn galw am gymorth.

'**GRETA!**' gwaeddodd.

Camodd y gorila i gyfeiriad y tanforwyr a'u dychryn nes oedd trôns pob un ohonyn nhw yn frown ...

## '**GRRRR!**'

... cyn neidio drosodd at yr ysgol.

Rywffordd, gwyddai'r gorila beth i'w wneud. Anelu yn syth am y pen ôl!

Dechreuodd Greta oglais pen ôl Speer ...

## COSI! COSI! COSI!

'O! NA! HA! NA! NAAAA!'

Yna, aeth y gorila am ei waed! Dangosodd ei dannedd miniog cyn **brathu'r** capten yn ei din.

# TINFRATH!

'**AWWWW!**' sgrechiodd Speer.

Disgynnodd y capten yn bendramwnwgl ar ben Greta a Sid. 'Dwi bron iawn wedi ei wneud o!' galwodd Eric. 'Ydach chi'n siŵr y dyliwn i agor hwn?'

## 'Suddo'r llong danfor yw'n hunig obaith o achub Churchill!' gwaeddodd Sid.

Anadlodd y bachgen yn drwm a throi'r clo olaf ar yr hatsh. Gyda'i holl nerth, gwthiodd yr hatsh yn erbyn pwysau afon Tafwys uwch ei ben. Ond ni lwyddodd. Roedd y dŵr yn llawer rhy drwm.

'GRETA!' gwaeddodd, i lawr at y gorila.

Neidiodd Greta ar yr ysgol. Meimiodd y bachgen yr hyn oedd o'n geisio'i wneud, a nodiodd Greta ei phen.

'Ti ddim yn mynd i hoffi'r profiad, Greta. Dwi'n gwybod dy fod ti'n casáu dŵr!' meddai'r bachgen.

Cododd y gorila ei hysgwyddau. Gyda'i gilydd, gwthiodd y ddau arwr yr hatsh ar ben y llong danfor a llifodd y dŵr du, budr i mewn.

**SBLWSH!**

Gwthiwyd y ddau i lawr i gorff y llong danfor gan nerth y dŵr.

**THYD!**

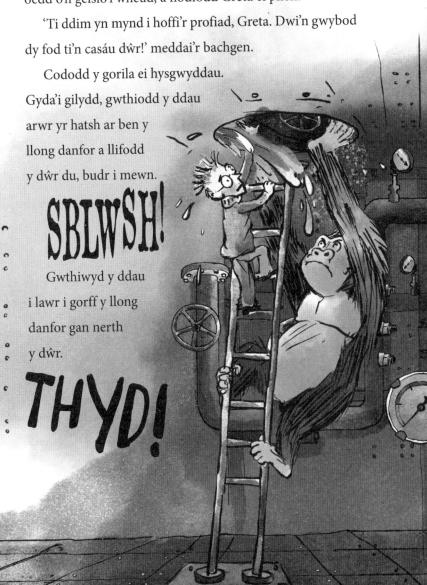

Ysgubwyd pawb oedd ar y llong danfor oddi ar eu traed.

**'WEEEE-HEI!'**

Sgrechiodd Greta, 'WHYP! WHYP!'

Nid yw gorilas yn gallu nofio, ac roedd y greaduras hyd at ei chanol yn y dŵr.

'DAL D'AFAEL, 'R HEN HOGAN!' gwaeddodd Sid. Cydiodd mewn mop er mwyn i'r gorila afael ynddo. Ond, ysywaeth, wrth dynnu'r mop oddi ar y bachyn ar y wal, llwyddodd i daro'i hun yn galed ar ei dalcen.

CLYNC!

*BRATHU!*

Cnociodd ei hun yn anymwybodol.

Daliodd Capten Speer ei afael yn y llyw wrth i'r dŵr ruthro i mewn. Wrth frwydro yn erbyn y dŵr a oedd yn ei foddi o a'i long danfor, gafaelodd mewn allwedd oedd yn hongian o gwmpas ei wddf, cyn ei osod yn y clo ar y panel rheoli.

Wrth iddo wneud hynny, goleuodd botwm coch mawr ac atseinodd sŵn hysian trwy'r caban.

HYSSSSSSIAN!

'Pan bwysaf y botwm coch hwn, bydd **BWM!**' cyhoeddodd Speer. **Ac mi fyddwn i gyd yn marw gyda'n gilydd!**'

PENNOD **60**

# Y BOTWM COCH MAWR

Er ei fod wedi osgoi angau nifer o weithiau, roedd awydd ac ewyllys Eric i gadw'n fyw yn gryf. Cerddodd drwy'r dŵr a oedd wedi llifo i'r llong danfor cyn hyrddio'i hun ar y capten, gan ei godi oddi ar ei draed.

## DWFF!

Ymladdodd Speer yn ôl, gan gicio'i goesau a rhyddhau ei hun.

'YYYY!'

Nawr, roedd ei fysedd o fewn cyrraedd y botwm coch mawr.

Parhaodd dŵr budr afon Tafwys i arllwys i mewn i'r llong danfor. Bellach, roedd y gorila druan hyd at ei gwddf yn y dŵr ac yn ffustio'n wyllt, anobeithiol.

'WHYYYYYY!'

SBLASH!

Roedd mwy o fraw i ddod. Achosodd pwysau'r dŵr i'r llong danfor wyro â'i thrwyn at i lawr, gan daflu Capten Speer i un ochr. Suddodd y llong danfor i'r dyfnderoedd.

## SUUUUUUUDDO!

Nofiodd Eric i'r wyneb er mwyn llenwi ei ysgyfaint ag aer.

### 'WHIW!'

Sylwodd fod Sid yn arnofio gyda'i wyneb dan y dŵr, ac ofnodd y gwaethaf. Yn y cyfamser, llithrodd pen y gorila i'r dyfnderoedd.

# BLYB! BLYB! BLYB!

Trodd Eric yr hen ŵr drosodd er mwy iddo allu anadlu. Yna, gafaelodd yn y gorila.

### 'GRETA! DAL D'AFAEL!'

Wedi dychryn am ei bywyd, llwyddodd yr anifail i gydio yng nghefn y bachgen.

Yn y cyfamser, tynnodd Speer ddyfais anadlu dan dŵr o'r wal a'i osod dros ei wyneb. Roedd y dyn yn benderfynol o bwyso'r **botwm coch** er mwyn achosi cymaint â phosib o farwolaethau a distryw.

'Yn enw da y Führer!' gwaeddodd, cyn plymio i'r gwaelod.

'O, na!' meddai Eric. 'Greta! Edrycha ar ôl Sid! Dwi'n mynd ar ôl y capten!'

Llwyddodd y bachgen i ddadfachu breichiau'r gorila o gwmpas ei frest a'u gosod o gwmpas yr hen ŵr, cyn plymio i'r dyfnderoedd ar ôl Speer.

# SBLOSH!

Gan fod y dŵr mor fudr, roedd popeth yn aneglur, ond gallai'r bachgen weld tanc llwyd, mawr ar gefn y capten. Fel yr oedd Speer ar fin pwyso'r **botwm coch,** gafaelodd y bachgen yn y tanc. Dechreuodd y ddau ymaflyd yn ffyrnig, gan achosi iddyn nhw arnofio i fyny i gorff y llong danfor, lle'r oedd poced fechan o aer.

## AER!

Nofiodd y tanforwyr heibio, yn awyddus iawn i adael y llong danfor a oedd yn suddo'n gyflym.

'CACHGWN!' gwaeddodd Speer. 'CHI GYD YN GACHGWN! DWI AM EICH DINISTRIO! DWI AM DDINISTRIO POB UN WAN JAC OHONOCH CHI!'

Gan ddefnyddio'i gryfder, tynnodd y capten y tanc o afael Eric cyn ei daro'n hegar ar draws ei wyneb.

# CNOC!

'AAAA!'

Cafodd Eric ei daro'n anymwybodol.

Aeth pobman yn ddu.

Aeth pobman yn dawel.

———

# PENNOD | 61

# BEDD DYFRLLYD

Y peth nesaf a deimlodd Eric oedd tafod fawr, arw yn llyfu ei wyneb.

'GRETA!' he meddai, gan ddeffro'n ddisymwth.

Gydag un llaw yn gafael yn Sid, gosododd y gorila ei llaw arall ar ei chalon er mwyn dangos i'r bachgen ei bod yn ei garu.

Gwnaeth Eric yr un peth.

'Ble mae'r capten?' gofynnodd y bachgen, gan sylwi bod y tanc aer yn arnofio ger ei ymyl.

Ceisiodd y gorila ei ddeall, a gwyrodd ei phen.

Gan feddwl yn chwim, meimiodd y bachgen gap pig y capten.

Pwyntiodd Greta i lawr.

*Na!* meddyliodd Eric. *Mae Speer yn mynd i bwyso'r* **botwm coch** *a 'dan ni i gyd yn mynd i farw!*

## CLYNC!

Siglodd y llong danfor yn sydyn wrth i'w thu blaen daro gwely'r afon.

## CRANC!

Gafaelodd Eric yn y tanc aer. A oedd hi'n bosib i'w ddefnyddio i'w gyrru yr holl ffordd i wyneb afon Tafwys?

Doedd gan y gorila ddim gobaith caneri o nofio i'r wyneb.

Gyda Sid yn dal i fod yn anymwybodol, doedd Eric ddim am adael yr hen ŵr na Greta mewn bedd dyfrllyd.

Cododd y bachgen yr hen ŵr ar gefn y tanc aer. Yna, meimiodd wrth Greta i ddal ei gafael yn Sid. Dringodd Eric ar gefn y tanc.

'BETH AM FYND ALLAN O FAN HYN!' meddai'r bachgen, gan bwyntio'r tanc i gyfeiriad hatsh y llong danfor.

Ond fel yr oedd ar fin troi'r falf ar drwyn y tanc i adael yr aer allan ...

# TRYCHINEB!!

Roedd yr efeilliaid Braun wedi nofio trwy'r llong danfor.

'Ni gyd yn mynd i farw gyda'n gilydd!' gwaeddodd Mali.

'Yn enw'r Führer,' ychwanegodd Sali.

Cydiodd y ddwy chwaer yn fferau Sid er mwyn eu rhwystro rhag dianc. Doedd dim amser i ymladd, ac felly trodd Eric y falf ...

## TROI!

Daeth coesau gosod Sid
i ffwrdd yn eu dwylo!

## PLOP! PLOP!

Roedd ei hen goesau tun yn
ddefnyddiol wedi'r cwbl!

Gyda'r efeillaid wedi eu gadael
ar ôl yn gafael yng nghoesau Sid, ac yn gweiddi
'NEIN!'

... aeth ein tri arwr trwy'r hatsh.

# SWYSH!

# PENNOD |62|

## TON LANW

Roedd cryn bellter rhwng gwely ac wyneb afon Tafwys.
Hanner nos, a'r dŵr yn ddu.
Ni allai Eric weld fawr
pellach na'i drwyn wrth
iddo ddal ei afael fel
cranc yn Sid a Greta
trwy gydol
yr amser.

Ymhen dim, cododd ein harwyr i'r wyneb.

# SBLOSH!

'WHIW!' meddai'r bachgen, gan lenwi ei ysgyfaint ag
awyr iach. **Roedden nhw'n fyw!**

Gan ysmicio'i lygaid, gallai Eric weld y Senedd.

Trawodd Big Ben hanner nos.

**BONG! BONG! BONG! BONG! BONG! BONG! BONG! BONG! BONG! BONG! BONG! BONG!**

Yno, ar y teras, gwelodd y bachgen ffigwr cyfarwydd iawn, sef Winston Churchill! Safai rhwng tri dyn mewn iwnifform, sef penaethiaid y fyddin, y llynges a'r llu awyr. Y tu ôl iddyn nhw, safai casgliad o bobl nodedig. Yr holl aelodau seneddol. Pwyntiodd pawb eu bysedd a syllu ar y tri od yn trybowndio ar hyd yr afon ar danc aer.

'RHEDWCH!' gwaeddodd y bachgen. 'MAE LLONG DANFOR NATSÏAIDD I LAWR YN FAN'CW AC MAE HI AR FIN FFRWYDRO!'

Cafodd Churchill ei hebrwng yn syth i mewn i'r adeilad, a'r gweddill yn ei ddilyn.

**Yna...**

# BWWWM!

Rhaid bod Speer wedi pwyso'r botwm mawr coch,

wrth i fynydd o ddŵr ffrwydro'n uchel i'r awyr.

## WHYYYYSH!

Roedd y Senedd yn socian. Edrychai fel pe bai glaw

blwyddyn gyfan wedi pistyllio i lawr mewn eiliad.

# SBLOSH!

Crëwyd ton lanw anferthol gan y ffrwydriad dan afon

Tafwys. Trawodd yn galed yn erbyn Pont Westminster, a

bron iawn ysgubo'r bysiau a'r tacsis oddi ar yr hewl.

WHYYYSH!

Trodd Eric a gwelodd y don anferth, un mor fawr â thon tswnami, yn dod i'w cyfeiriad.

# WHYYSH!

Trodd y bachgen y falf ar y tanc aer er mwyn cyflymu.

## *TROI!*

Ond roedden nhw eisoes yn trybowndio ar hyd wyneb y dŵr fel torpido.

## *AR WIB!*

Roedd y don yn dal i ddod.

# WHYYSH!

'GRETA!' gwaeddodd Eric. 'SEFYLL AR DY DRAED! RHAID I NI SYRFFIO'R DON!'

Gan gadw ei gydbwysedd, safodd y bachgen ar y tanc aer.

Yna, meimiodd wrth y gorila i'w ddilyn. Gyda'i holl nerth, cododd yr hen ŵr di-goes ac anymwybodol. Gan gadw eu cydbwysedd gorau ag y gallen nhw, llwyddodd y tri i syrffio yr holl ffordd i lawr afon Tafwys.

**WHYYYSH!**

Pasiodd ein harwyr heibio Pont Blackfriars, cyn cyrraedd Pont Southwark a Phont Llundain. Arafodd y don, cyn stopio wrth iddi nesáu at Bont Westminster. Dyna lle'r oedd y tri, yn siglo i fyny ac i lawr yn y dŵr rhewllyd, yn gafael yn dynn yn ei gilydd er mwyn cadw'n fyw.

Gwelodd Eric ysgol ar ochr Pont y Tŵr, un oedd yn ymestyn yr holl ffordd i lawr i'r afon. Gan afael yn dynn yn Greta a Sid, ciciodd ei goesau yn gyflym a chaled er mwyn ei chyrraedd.

'FFORDD YMA!' gwaeddodd.

Greta oedd y gyntaf i gyrraedd gwaelod yr ysgol. Gwthiodd y bachgen yr hen ŵr ar gefn y gorila a gosod ei freichiau o'i chwmpas. Gwyddai'r anifail beth i'w wneud a rhoddodd ddwylo'r hen ŵr dan ei gên. Doedd yr ysgol ddim yn broblem o gwbl wrth iddi ei dringo'n eithriadol o gyflym. Dilynodd Eric, wedi blino'n llwyr ac yn breuddwydio am noson o gwsg.

Wrth i'r bachgen ddringo i fyny'r stepen olaf a chodi ei hun ar y bont, gwelodd bâr o esgidiau duon, mawr. Edrychodd i fyny a gwelodd mai esgidiau dau heddwas oedden nhw. Safodd y ddau'n gegrwth, wedi eu syfrdanu o weld gorila gwlyb diferol yn sefyll ar Bont y Tŵr gyda gŵr di-goes ar ei gefn.

'Noson braf i fynd i nofio!' meddai'r bachgen, yn ddireidus. Ni wenodd yr heddweision.

Gosododd Greta yr hen ŵr i lawr yn ofalus cyn ei daro'n ysgafn ar ei wyneb er mwyn ceisio'i ddeffro.

# 'HWW!'

'Wncwl Sid! Wncwl Sid?' meddai'r bachgen.

# 'DEFFRWCH!'

Ond doedd dim arwydd ei fod o'n fyw.

**'WAAAAAA!'** meddai'r gorila, yn drist iawn o golli ei ffrind.

'Oes angen i ni alw am ambiwlans?' gofynnodd un o'r heddweision.

'Dwi'n meddwl ei bod hi'n rhy hwyr!' meddai Eric, yn ddagreuol.

Yn y pictiwrs, roedd y bachgen wedi gweld arwyr yn cau llygaid eu ffrindiau a oedd wedi marw. Fel un o sêr y sgrin fawr, gosododd ei fysedd dros lygaid Sid.

'Tyn dy fysedd budron oddi ar fy llygaid!' protestiodd Sid.

**'Dach chi'n fyw!'** gwaeddodd Eric.

Rhoddodd y gorila waedd. 'WHYYP!'

Gafaelodd y ddau yn dynn yn nwylo'r hen ŵr.

'A gollais i unrhyw beth cyffrous?' gofynnodd Sid.

'Dim byd o bwys!' gwenodd y bachgen.

'O, na! Paid â dweud! Dwi wedi colli fy nghyfle i fod yn arwr!'

'Na, ddim o gwbl, Wncwl Sid. Ddim o gwbl!' meddai Eric, â'i drwyn mor hir â *Llyn Celyn. 'Dach chi ddim yn cofio beth ddigwyddodd?'

'Cofio beth?'

'Mi wnaethoch chi ymladd gyda chapten y llong danfor ar ben eich hunan bach!'

'Do?'

'Do, ac mi lwyddoch chi i drechu'r efeilliaid Braun.'

'A'r rheini hefyd?!'

'Chi, Wncwl Sid, a chi'n unig, achubodd Churchill. **Dach chi'n arwr!'**

---

*Argae yw Llyn Celyn a adeiladwyd rhwng 1960 a 1965 yn nyffryn afon Tryweryn yng Ngwynedd. Wrth greu'r argae i gyflenwi dŵr i Lerpwl, boddwyd Capel Celyn, pentref diwylliedig Cymraeg ei iaith.*

'**Fi? Yn ARWR?!**' meddai Sid, gan dagu ar ei eiriau.

'Odych! Dach chi'n **ARWR!**' meddai'r bachgen, â'i drwyn mor hir â dau Lyn Celyn.

'WHY-HEI!' gwaeddodd yr hen ŵr yn llawen. 'DWI'N ARWR! GLYWIST TI HYNNA, YR HEN HOGAN? MAE DY HEN GÎPAR SW YN ARWR!'

'Hymmmmm,' meddai'r gorila wrth ei hunan, ddim wedi ei llwyr argyhoeddi.

'Gwell i ni fynd â chi i orsaf yr heddlu,' cyhoeddoedd un o'r heddweision. 'Cyfle i chi gynhesu!'

'Cytuno,' cytunodd y bachgen.

**'Mae ganddon ni stori wych i'w dweud!'**

# RHAN 6

# CARU
# TRADDODIAD

# Y CYFEIRIAD ENWOCAF YN Y BYD

Ar ôl newid dillad, holiad trylwyr a digonedd o de a bisgedi, daeth aelodau o'r **Gwasanaeth Cyfrin Cudd** (MI6) i orsaf yr heddlu. Er mai bod yn gyfrinachol yw bwriad y **Gwasanaeth Cyfrin Cudd**, roedd hi'n ddigon amlwg pwy oedden nhw gan eu bod yn gwisgo hetiau meddal a chotiau glaw gyda'r coleri wedi eu troi at i fyny.

'Ni fydd yn gofalu amdanoch o hyn ymlaen,' cyfarthodd un o'r aelodau, gan ddangos ei gerdyn adnabod swyddogol.

Holwyd mwy o gwestiynau, a chafwyd mwy o de a bisgedi. Yna, wrth iddi wawrio a chyn iddyn nhw allu dweud 'Nicars Nain', roedd y tri yn eistedd yng nghefn car du, llydan ac yn gyrru trwy strydoedd Llundain mewn gosgordd. Rhwng yr adeiladau, gwelwyd golau gwan y gaeaf. Dyma pryd yr oedd y ddinas yn deffro, a doedd gan y Llundeinwyr ddim syniad am ddrama anhygoel y noson cynt. Byddai'r rhan fwyaf ohonyn nhw'n cysgu fel tyrchod pan wnaeth llong danfor Natsïaidd geisio llofruddio'r prif weinidog cyn ffrwydro yn nyfnderoedd afon Tafwys.

'Ble 'dan ni'n mynd, os gwelwch yn dda?' gofynnodd Eric, wedi ei wasgu rhwng Greta a'r Sid di-goes yn y sedd gefn.

Ond ni chlywyd yr un gair o enau'r milwyr cudd, wrth iddyn nhw syllu yn syth o'u blaenau fel pe baen nhw heb glywed y cwestiwn. Ni lwyddodd hyd yn oed fersiwn 'torri gwynt' o'r gân *Calon Lân* gan Greta, Eric a Sid godi gwên ar eu hwynebau surbwch.

**'PFF T! PFF T! PFF T! PFFFF T!'**

... ac yn y blaen ...

Ymhen amser, sylweddolodd Eric fod yr osgordd yn gwibio trwy'r Neuadd Wen (y Weinyddiaeth). Fe aethon nhw heibio'r Senotaff, y gofgolofn i goffáu'r milwyr a gollwyd yn y Rhyfel Byd Cyntaf. Yna, trodd y car yn sydyn a stopio y tu allan i'r cyfeiriad mwyaf enwog yn y byd.

**10 Stryd Downing.**

Dyma gartref pob prif weinidog ers dros ddwy ganrif. Agorwyd drws y car, a rowliwyd cadair olwyn ar gyfer Sid, cyn i'r tri gael eu hebrwng i mewn gan fwtler.

Dyma'r tŷ mwyaf **godidog** yr oedd Eric wedi bod ynddo erioed: y grisiau pren enfawr, y carpedi cochion, a'r llawr marmor. Aethpwyd â hwy i swyddfa gyda lle tân **anferth** a desg bren, urddasol.

'Eisteddwch, os gwelwch y dda,' meddai'r bwtler.

'Dwi eisoes yn eistedd!' meddai Sid, a oedd, yn wir, ar ei din yn ei gadair olwyn. Ond yn union fel y milwyr cudd, doedd dim arlliw o wên i'w gweld ar wep y bwtler, a gadawodd yr ystafell. Eisteddodd y tri mewn tawelwch am ennyd, gan ofalu bod Greta ddim yn bwyta'r ffôn oedd ar y ddesg. Ymhen dim, agorwyd y drws ac yno safai un o'r bobl enwocaf yn y byd. Dyn byr, crwn, boliog yn ei 60au, yn gwisgo siwt dridarn, crys gwyn a dici-bô smotiog. Cerddodd i mewn dan lusgo'i draed.

'Eich Mawrhydi!' meddai Eric yn ddifeddwl, gan sylweddoli'n syth ei fod wedi ei gyfarch yn anghywir. **'Ddim eto! Cyn hir efallai!'** meddai Churchill, gan chwerthin yn foddhaus.

PENNOD **64** CYFRINACHOL

# GWESTEION YN YMDDWYN YN DDRWG

Cododd y bachgen ar ei draed fel pe bai prifathro wedi dod i mewn i'r dosbarth.

'Does dim rhaid i chi godi ar eich traed, diolch yn fawr,' meddai Churchill.

'Diolch i'r drefn am hynny,' meddai Sid. 'Achos fedra i ddim sefyll! Mae'n bleser eich cyfarfod, syr!'

'I mi mae'r pleser! A phwy, os ca i ofyn, yw'r ferch ifanc, brydferth hon?' gofynnodd y prif weinidog.

Roedd o'n gwestiwn rhesymol achos doedd Churchill ddim yn gweld gorila'n eistedd yn ei swyddfa yn aml.

'O, dyma Greta, prif weinidog!' meddai Eric. 'Mi wnaethon ni ei dwyn —'

'ACHUB!' cywirodd Sid.

'Ei hachub o **SW LLUNDAIN**.'

'Ac o beth welais i o deras y Senedd neithiwr, fe helpodd i f'achub i, penaethiaid y lluoedd arfog a holl lywodraeth

454

Prydain, rhag bedd cynnar!'

'Mae hynny'n wir, syr!' atebodd Eric.

'Ond peidiwch â rhoi'r clod i **gyd** i Greta,' meddai Sid. 'Mi wnes innau fy nghyfran deg!'

'Mae hynny hefyd yn wir!' cytunodd y bachgen.

'**GRRRR!**' chwyrnodd y gorila, yn anghytuno'n chwyrn.

'Dywedwch fwy wrtha i am y cynllwyn Natsïaidd dychrynllyd.'

Adroddod Eric y stori wrth Churchill o'r dechrau i'r diwedd. Dweud sut oedden nhw wedi achub Greta o **SW LLUNDAIN** trwy ddefnyddio balŵn amddiffyn. Sut oedden nhw wedi ffoi oddi wrth **Rwdlyn, Crinc ac Aflan,** cyn dianc i Abertawe a chyfarfod yr **efeilliaid Braun anfad.** Sut oedden nhw wedi eu carcharu ar long danfor a oedd yn fom anferth! Rhoddodd Greta gymorth i'r bachgen trwy actio rhannau o'r golygfeydd. A does dim angen dweud bod Eric wedi sôn am ddewrder Sid yn y stori.

Roedd hi'n amlwg bod gan Churchill ddiddordeb mawr yn yr antur eofn.

'Y Natsïaid cachgwraidd! Does dim pen draw i'w mileindra!' meddai, gan agor bocs ar y ddesg. 'Sigâr?'

'Diolch, Syr. Gallaf ei smygu nes ymlaen,' meddai Sid, gan roi sigâr yn ei boced gesail.

'Wrth gwrs! Sigâr?' gofynnodd Churchill wrth Eric.

'Dim ond 11 oed ydw i,' atebodd y bachgen, 'a chefais gyngor da gan mam i beidio byth â smygu. Yn ei barn hi, mae'n hen arferiad budr ac afiach.'

'O ... ia ... ydy ... hollol! Gwell iti wrthod fy nghynnig felly!'

Ond doedd Greta ddim yn gwrando ar sylwadau Eric.

Rhoddodd ei llaw fawr, flewog yn y bocs a dwyn sigâr.

'Na, Greta!' meddai'r bachgen, ond roedd hi'n rhy hwyr. Bwytodd Greta y sigâr fel pe bai'n ddarn o siocled.

# BWYTA! BWYTA! BWYTA!

Ond surodd ei hwyneb yn fuan iawn wrth iddi sylweddoli bod blas drwg arni. Dechreuodd boeri darnau o'i cheg fawr.

'IYCH! IYCH! IYCH!'

Aeth darn o bapur sigâr i lygad Churchill.

## AWTSH!

'Mae'n ddrwg iawn gen i, syr!' meddai Eric.

Heb falio'r un botwm corn, tynnodd Churchill *hances boced sidan o'i boced, a sychodd ei lygad. 'O, paid â phoeni dim. Mae gwestai llawer gwaeth o lawer wedi camu dros riniog 10 Stryd Downing. Coeliwch fi! HA! HA! HA!'

Ymlaciodd Eric a Sid, a dechreuodd y ddau chwerthin. Chwarddodd Greta hefyd!

'HWW! HWW!'

Achosodd hynny iddi boeri mwy o bapur sigâr i wynebau pawb.

'HA! HA! HA!'

'Nawr, mae'n rhaid i mi bwysleisio un peth pwysig wrthych,' meddai Churchill. 'Bydd rhaid cadw'r cynllwyn

---

*Mae sawl gair am hances boced e.e. cadach poced, ffunen boced, macyn poced, hansier, hancisher, hanshed, neished a nisher. Mae'n dibynnu ym mha ran o Gymru rydych yn byw!

Natsïaidd yn un cyfrinachol iawn. Os glywith pobl Prydain a'r cynghreiriaid pa mor agos oedd Mr Hitler i'm llofruddio i, a gweddill y llywodraeth, bydd hynny'n gwanhau eu hysbryd ac yn niweidio ein hymdrechion i ennill y rhyfel. Odych chi'n deall?'

Cododd Eric a Sid ar eu heistedd ar unwaith.

'Ydym, syr!' atebodd Eric.

'O,' ychwanegodd Sid, gyda'r gwynt wedi ei dynnu o'i hwyliau braidd. Roedd hi'n bur amlwg bod yr hen ŵr eisiau i'r holl fyd wybod am ei arwriaeth.

'Fel pob cyfrinach genedlaethol, bydd yn cael ei chadw yn nghromgell y Gwasanaethau Cudd am 80 o flynyddoedd a bryd hynny – a dim ond bryd hynny – y bydd y ffeil yn cael ei rhyddhau.'

'Deall yn iawn,' meddai Sid, yn anfodlon.

Gosododd Greta ei bys ar ei gwefus a meimio,
### 'CYFRINACHOL IAWN!'

'Mae angen ffugenw ar eich hantur. Oes ganddoch chi unrhyw awgrymiadau?' gofynnodd y prif weinidog.

'Mae ganddon ni un eisoes!' meddai'r bachgen.

'Wel, dwi ddim yn rhy siŵr a ydy o'n un — ' dechreuodd Sid.

'Gad i mi glywed beth ydy o!' mynnodd Churchill.

'BANANAS! Y ffugenw yw **BANANAS!**'

meddai Eric, yn falch fel paun.

Chwarddodd Churchill cymaint nes iddo bron â phiso yn ei drowsus!

'HA! HA! HA!'

'Ydach chi'n hoffi'r enw?' gofynnodd y bachgen.

'Na. Dwi'n CARU'R enw!

Y ffugenw yw

**BANANAS!!!**'

## PENNOD 65

# CYFRINACHOL IAWN

'Dwi'n ymddiheuro na allaf ddiolch i chi yn gyhoeddus,' meddai Churchill. 'Ond mae'n rhaid bod rhywbeth gallaf ei wneud i chi. Rhaid i ni ddathlu rywffordd! Ydych chi i gyd yn hoffi te parti?'

'YN FAWR IAWN!' meddai'r bachgen.

'Beth am gael te parti prynhawn heddiw ym *Mhalas Buckingham?*' meddai Churchill. Ffoniaf y Brenin ar unwaith a dweud yr holl hanes wrtho!'

'*Palas Buckingham!*' meddai Sid, gan dagu ar ei eiriau.

'Y Palas Buckingham!' ychwanegodd y bachgen.

'HWW!' meddai Greta.

'Mae croeso i'r mwnci ddod hefyd!' meddai Churchill.

Edrychodd Sid ar Eric. Pwy oedd yn mynd i ddweud wrth y prif weinidog mai epa, nid mwnci, yw gorila.

Neb!

'A oes rhywun arall hoffech chi ei wahodd?' gofynnodd Churchill.

'Wel, mae un person galla i feddwl amdani,' meddai Eric. 'Rhywun a helpodd ni yn ein hantur.'

'Pwy?' holodd Sid.

'Besi!'

Daeth gwên swil dros wyneb Sid. 'Ia. Wrth gwrs! Rhaid inni wahodd Besi.'

'Iawn. Gofynnaf iddyn nhw wahodd pwy bynnag yw 'Besi' hefyd.'

'A syr?' gofynnodd y bachgen.

'Ia, ŵr ifanc?'

'Ydy hi'n iawn i ni wahodd rhai o ffrindiau anifeilaidd Greta hefyd?'

Gwenodd Churchill wrth feddwl am y syniad. 'Bydd rhaid i mi ofyn i'r Brenin, ond cyn belled â dwi yn y cwestiwn, does dim problem o gwbl! Cawn de a chacennau, ac efallai gwydriad neu ddau, neu dri, neu bedwar, o frandi a sigâr ... neu ddwy ...neu dair... prynhawn heddiw. Tan hynny, Nadolig Llawen!'

'Ydy hi'n *Ddiwrnod Nadolig?*' gofynnodd y bachgen, wedi llwyr anghofio pa ddiwrnod oedd hi, a pha ddyddiad.

'Bron iawn. Mae hi'n *Noswyl Nadolig.* Dwi'n gwybod mai dim ond te parti fydd o, ond dwi eisiau i chi wybod eich bod chi'n arwyr i mi.

## YR ARWYR MWYAF ARWROL!'

Cronnodd deigryn yn llygaid Sid. Am flynyddoedd, ers y Rhyfel Byd Cyntaf, pan gamodd ar ffrwydryn ar ei ddiwrnod cyntaf fel milwr, teimlai fel methiant. Ond nawr, dyma'r prif weinidiog, neb llai nag Winston Churchill ei hun, yn ei alw yn **arwr!**

'Diolch o galon i chi, syr,' meddai'r hen ŵr.

'A dwi am argymell i'r Brenin eich bod chi, Sid, yn derbyn **Croes y Brenin Siôr,** ac yn dod yn aelod o'r **Orsedd.'**

Er mwyn ymuno â'i gyffro, rhoddodd Eric a Greta gwtsh mawr i Sid, ond roedd yr hen ŵr wedi ei lethu dan deimlad.

'Ond ... ond ... ond ... '

'Does dim "ond" amdani!' cyhoeddodd Churchill.

'Rydych chi, syr, yn haeddu anrhydedd fwyaf ein gwlad. Y tri ohonoch. Hoffwn roi medalau i chi'ch dau, Eric a Greta, hefyd ond dyw anrhydeddau ddim yn cael eu rhoi i blant nac, yn wir, gorilas! Ymddiheuriadau.'

'Does gennych chi ddim syniad beth mae hyn yn ei olygu i mi, syr!' meddai Sid, â'i lygaid yn llaith.

'Ac fe gewn ni goesau newydd i chi ar unwaith! Ac os oes unrhyw beth alla i wneud i ti, fachgen, dim ond gofyn sydd rhaid iti.'

Meddyliodd Eric am ennyd. Doedd ganddo ddim gêm na thegan. Ond doedd y bachgen ddim eisiau rhywbeth iddo'i hun. Roedd eisiau rhywbeth i rywun arall ... '

'Wel, Mr Churchill, syr,' dechreuodd Eric, 'gan ein bod wedi symud Greta o'r sw, 'dan ni hyd at ein cesiliau mewn pw-pw ... yyy ... helbul, dwi'n feddwl.'

'Cer ymlaen,' prociodd y prif weinidog.

'Wel, mae Wncwl Sid wedi colli ei swydd yn **SW LLUNDAIN**, a ... wel ... ' meddai Eric, cyn edrych ar Sid. 'Wel, mae o wedi gweithio yno ar hyd ei oes a fo yw'r ceidwad sw gorau yn y byd! A meddwl o'n i, dim ond meddwl, a fyddai'n bosib i chi gael gair yng nghlust cyfarwyddwr y sw, Syr Robin Rwdlyn, a gofyn iddo a yw'n bosib i Sidni Rees-Roberts gael ei swydd yn ôl!'

Roedd dagrau yn llygaid Sid.

'Dim problem! Ffoniaf Syr Rwdlyn ar unwaith!'

'O diolch yn fawr i chi!' meddai'r bachgen. 'A phan dach chi'n sgwrsio efo fo, a allwch chi ddweud wrtho nad oes neb yn cael bod yn gas wrth fy ffrind perffaith Greta **byth eto.'**

'Darllenais yn y papur newydd ddoe bod helfa fawr yn chwilio amdani. Dwi'n addo iti. Gorchmynnaf wrth Syr Rwdlyn fod neb yn cael bod yn gas wrth yr anifail hyfryd hon. **BYTH ETO.** Yn sicr nid y tri twpsyn y soniaist amdanyn nhw: Rwdlyn, Crinc ac Aflan!'

Gwenodd Eric a Sid, a rhoi cwtsh enfawr, tyn i Greta. Rhoddodd hithau swsys gwlyb i'r ddau ar eu bochau.

'MWWWWWA! MWWWWWA!'

'Nawr, peidiwch â dili-dalio!' gorchmynnodd Churchill. **'Gwisgwch eich dillad gorau, eich dillad dydd Sul! Mewn cwpl o oriau, byddwn yn cael te gyda'r *teulu brenhinol!'***

PENNOD | **66** |

# PARTI YN
# Y PALAS

Yn ddiweddarach y prynhawn hwnnw, cynhaliwyd y parti Nadolig gorau erioed ym *Mhalas Buckingham*. Croeshawyd y prif weinidog, Winston Churchill, a nifer o ffrindiau newydd gan y Brenin Siôr y Chweched, ei wraig, Elizabeth, a'u merched ifanc, Elizabeth a Margaret.

Eisteddai Sid ac Eric o amgylch bwrdd bwyta hir, mewn ystafell wedi ei haddurno'n hyfryd gydag addurniadau Nadolig. Gwisgodd yr hen ŵr ei iwnifform filwrol o'r Rhyfel Byd Cyntaf. Ar ei siaced, roedd y Brenin Siôr wedi pinio **CROES Y BRENIN SIÔR,** un o'r anrhydeddau mwyaf ym Mhrydain. Croes arian yn hongian ar ruban glas, ac arni roedd y ddau air, **'AM DDEWRDER'.** Wrth i Besi ei fwydo gyda thamaid o fara brith, doedd neb ar y ddaear yn fwy balch na Sid.

'**Fy arwr!**' ochneidiodd Besi.

Ond yr hyn oedd yn gwneud y parti yn un mor arbennig

oedd yr anifeiliaid. Cafodd y ddwy dywysoges eu difyrru gan greaduriaid o bob siâp a maint. Chwarddodd y ddwy gydag Eric wrth weld:

Pymthegydwsin, y parot ag un adain, yn pigo ar y pwdin Nadolig.

## PIGO! PIGO! PIGO!

Smwt yr eliffant yn rhoi ei drwnc byr yn y blwmonj.

## MMMMMMM!

Barti y morlo dall yn bwyta brechdanau samwn.

## BLASUS!

Pechod y crwban yn edrych fel pe bai'n cymryd rhan mewn cystadleuaeth i weld pwy fyddai'r mwyaf araf wrth fwyta sbynj siocled.

IYM!

Pinci'r fflamingo ungoes yn pigo ar y gacen Nadolig.

**PIGO! PIGO! PIGO!**

Cegfawr y crocodeil diddan yn sugno jeli meddal, melys.

SUGNO!

Tindrwm y babŵn un-fraich yn bownsio yn ôl a blaen ar ei thin ENFAWR, ar ôl blasu mins-peis am y tro cyntaf.

**BOING! BOING! BOING!**

**SGLAFFIO! SGLAFFIO! SGLAFFIO!**

Ond seren y sioe, yn ôl ei harfer, oedd Greta. Roedd ganddi fanana hollt **anferth** i gyd iddi hi ei hun, un oedd yn cynnwys bananas, ceirios, malws melys, cnau ac, wrth gwrs, hufen iâ. Cafodd aelodau'r teulu brenhinol eu pledu gyda darnau o fanana wrth iddi sglaffio'r pwdin yn eithriadol o gyflym.

**IYMI! IYMI! IYMI!**

**PLEDU! PLEDU! PLEDU!**

'HWWW!'

'Dad!' meddai'r ferch hynaf, Elizabeth, a oedd yn 14 oed. 'Gawn ni ein gorila ein hunain yn anrheg Nadolig?'

'N-n-naa, c-c-cariad!' meddai'r Brenin, ag atal dweud arno, cyn tynnu darnau o fanana o'i wallt.

'Tydi hynna ddim yn deg!' meddai Margaret, y ferch ieuengaf 10 oed, yn siarp, cyn curo'r bwrdd yn galed gyda'i llwy.

CLANG!

'Bydd di'n eneth dda!' atgoffodd y Frenhines.

Ond gyda phalas yn llawn anifeiliaid, doedd ymddwyn yn dda ddim yn rhwydd iawn.

Trodd y Dywysoges Elizabeth at Eric. 'Beth wyt ti'n ei wneud?' meddai, mewn acen grand, fel pe bai ganddi ddwy daten boeth yn ei cheg.

'Siarad efo chdi ... yyy ... chi!' atebodd Eric, yn nerfus.

'Eich Uchelder Brenhinol!' sibrydodd Sid yn ei glust.

'Eich Uch- ... Uchder Breiniol!' aildroddodd Eric, gan gochi hyd at ei glustiau mawr.

Gwenodd y ferch. 'Na, na. Yr hyn rwy'n ei ofyn yw beth wyt ti'n ei wneud pan ti ddim yn cael te parti yn fy mhalas?'

'O, sorri. Wel ... dim llawer o ddim ... a dweud y gwir.'

'Mae'n gas gen i ddweud hyn, ond rwy'n gweld tristwch yn dy lygaid.'

'Mae rheswm am hynny. Plentyn amddifad ydw i.'

'O. Mae'n ddrwg gen i.'

'Mae'n iawn. A dwi ddim yn gwybod ble fydda i'n treulio'r Nadolig ...'

'Wel, Eric, rwy'n siŵr y byddai'n bosib iti dreulio'r Nadolig yn y palas, os wyt ti'n dymuno,' atebodd y dywysoges.

'Dach chi'n garedig iawn!' meddai Sid, gan dorri ar draws. ' Ond ... wel ... mae Besi a minnau wedi bod yn trafod a ... '

Ond cyn i Sid allu yngan yr un gair arall, gadawodd Besi y gath o'r cwd.

'*'Dan ni wedi dyweddïo!*' cyhoeddodd, ar dop ei llais!

# BANANA HOLLT

*CYFRINACHOL*

'NICARS NAIN!' meddai'r bachgen.

'Ia, yn wir!' ailadroddodd y dywysoges. 'NICARS NAIN!'

'Ti, Eric,' meddai Sid, 'wnaeth imi sylweddoli bod cannwyll fy llygad yn byw drws nesaf i mi! Fy annwyl Besi!'

'Fy annwyl Sidni!' meddai Besi, yn cwyfan fel colomen mewn cariad, cyn rhoi cusan fawr, wlyb i'r hen ŵr.

'MWWWWWA!'

'Dyna ddigon! Dyna ddigon! Cadwa gusan imi tan y briodas!' meddai Sid. 'Felly, Eric, wyt ti eisiau dod i fyw ata i a Besi?'

'Ga i?!' gofynnodd y bachgen, ei lygaid fel lleuadau llawn yn ei ben.

'Wrth gwrs y cei di, Eric bach!' cyhoeddodd Besi. ''Dan ni eisiau dy fabwysiadu di a'r holl anifeiliaid, er mwyn i ni allu byw fel un teulu mawr, hapus.'

Daeth dagrau i lygaid y bachgen. 'Dwn i ddim pam dwi'n

crio!' meddai. 'Ond dwi'n addo i chi mai dagrau hapusrwydd ydyn nhw!'

Gyda'i gilydd, heb air pellach, rhoddodd Sid a Besi gwtsh i'r bachgen. Safodd Eric yn y canol, yn union fel yr arferai ei wneud gyda'i fam a'i dad. Nid cwtsh oedd hi, ond **CWTSHOL!**

Ymunodd Greta yn y cwtshol hefyd.

'HWWW!'

'Wel, mae'n edrych fel bod diwedd hapus i'r stori hon, wedi'r cwbl,' meddai'r dywysoges Elizabeth. 'Mwy o de?'

'Dwi'n credu y byddai'n well gan Greta gael banana hollt, os gwelwch yn dda!' atebodd Eric. 'Mae hi'n mynd yn bananas pan mae hi'n gweld bananas!'

Nodiodd y gorila a rhwbio'i bol yn eiddgar.

'Rhoddaf wybod i'r cogydd!' meddai'r dywysoges.

Ymhen dim, cariwyd y banana hollt fwyaf a welwyd erioed i mewn i'r ystafell fwyta gan fyddin o weision, a gosodwyd y pwdin melys, blasus ar ganol y bwrdd er mwyn i'r anifeiliaid ei fwyta.

Ond roedd hwn yn GAMGYMERIAD MAWR!

Nawr, dwn i ddim os ydych wedi gweld casgliad o anifeiliaid yn rhannu BANANA HOLLT ANFERTH ar yr un pryd, ond mae hi'n gallu bod yn sefyllfa hurt! Mewn chwinciad chwannen, roedd hi'n draed moch!

Mae'n amhosib dweud pwy daflodd beth, ond ymhen dim roedd ymladdfa fwyd ANFERTHOL yn digwydd yn ystafell fwyta'r palas!

SBLASH!
SBLOT!
SBLWSH!

Sid a Besi oedd y rhai cyntaf i gael eu taro â thalp o hufen iâ!

'O'r mowredd!' meddai Besi.

Yna, glaniodd banana wedi ei gorchuddio â siocled yng nghanol wyneb y Brenin. **SBLAT!**

'Mae'n wir ddrwg gen i, Eich Mawrhydi!' meddai Sid.

'P-p-peidiwch â phoeni, S-s-sidni!' meddai'r Brenin, ag atal dweud arno. 'D-d-dwi ddim 'di cael c-c-cymaint o s-s-sbort ers b-b-blynyddoedd!'

Ar hynny, cododd fowlen anferth o dreiffl a'i gwagio ar ben ei wraig!

TREIFFL!

Chwarddodd y ddwy dywysoges tan siglo'u hochrau.

'HA! HA! HA!'

Yn ddi-oed, ymunodd y frenhines yn y sbort a rhoi dwy darten jam yn eu hwynebau.

'HWDIWCH CHI HONNA!' gwaeddodd, gan biffian chwerthin wrth sylweddoli pa mor wirion bost oedd y sefyllfa.

'TI-HIIII!'

Gyda jam ar eu hwynebau, chwarddodd y tywysogesau yn fwy fyth. 'HA! HA! HA!'

Dechreuodd y prif weinidog deimlo nad oedd o'n rhan o'r hwyl a'r miri.

'Dowch yn eich blaenau! Taflwch fwyd ata i!'

Caeodd ei lygaid, a phlannwyd sbynj siocled yn wyneb yr hen ŵr gan Margaret, y dywysoges fwyaf direidus.

### SBLAT!

'Blasus iawn!' oedd ymateb y prif weinidog wrth iddo lyfu'r eisin siocled o gwmpas ei geg. Yna, gan gilwenu'n bleserus, gafaelodd mewn blwmonj a'i daflu ar draws y bwrdd.

WHYSH!

# SBRENC!

Sbrenciodd dros Eric a Greta, a lyfodd y cwbl yn llawen gyda'i thafod hir.

'IYM! IYM!'

Ym mhen dim, roedd pawb yn yr ystafell yn chwerthin fel udfilod. Am rai oriau ar *Noswyl Nadolig 1940,* anghofiwyd am y rhyfel a'r dioddefaint a achosodd drwy'r byd, a bu dathlu mawr.

Bywyd.

*Cariad.*

Chwerthin.

Cododd Churchill ar ei draed, llenwi ei wydr â brandi cyn cynnig llwnc-destun. Gan ei fod newydd osgoi marwolaeth, addas iawn oedd ei eiriau, 'Hir oes!'

## 'HIR OES!'

# EPILOG

Os byddwch yn ymweld â **SW LLUNDAIN** ryw ddiwrnod, mae'n bosib y gwelwch ofalwr sw yn ei oed a'i amser.

Fo yw'r un sydd yn cael **CWTSHOL** mawr gyda'r holl anifeiliaid.

Yr enw ar ei fathodyn yw **'ERIC PRITCHARD'**.

Ym mhoced ei drowsus, mae bob amser llun o'i hen ewythr Sid yn gwisgo Croes Siôr.

Mae'n ei atgoffa o'r anturiaethau hynod a gafodd gyda'r hen ŵr, Besi ac, wrth gwrs, ei ffrind gorau yn y byd, Greta.

Mae'r twrch wedi wincio arnyn nhw bellach, ond erys y tri yn ei galon am byth.

Pan anwyd gorila yn y sw, gofynnwyd i Eric ei henwi.

Dewisodd yr enw **'GRETA'.**

# Y DIWEDD

Mae'r stori hon wedi bod yn gyfrinachol iawn tan nawr. Enw'r ffeil, sydd newydd ei rhyddhau, yw

Y ffeil yw'r llyfr rydych chi newydd ei ddarllen.

# NODIADAU AR BRYDAIN ADEG Y RHYFEL

Stori ddychmygol gan David Walliams yw **BANANAS!**, sy'n golygu mai ffuglen yw llawer o'r digwyddiadau anhygoel yn y llyfr. Ond gan fod yr awdur wedi gosod ei stori yn 1940, efallai yr hoffech ddysgu mwy am fywyd ym Mhrydain adeg y rhyfel, yn ogystal â rhai o'r digwyddiadau a ysgogodd y llyfr.

Cychwynnodd **Yr Ail Ryfel Byd** yn 1939 pan ymosododd yr Almaen ar Wlad Pwyl, gwlad yr oedd Prydain a Ffrainc wedi addo ei hamddiffyn. Daeth y rhyfel i ben yn 1945. Bu brwydro rhwng Galluoedd yr Echel (yn cynnwys yr Almaen, Eidal a Siapan) a'r Cynghreiriaid (yn cynnwys Prydain, Ffrainc, yr Unol Daleithiau, Canada, Awstralia, India, Tsieina ac, o 1941 ymlaen, yr Undeb Sofietaidd). Newidiwyd bywydau pawb ym Mhrydain gan y rhyfel o achos prinder bwyd a nwyddau eraill. Roedd llongau tanfor yr Almaen yn patrolio Môr yr Iwerydd, yn ymosod ar longau nwyddau ac yn dinistrio cyflenwadau gwerthfawr.

Ar ben hynny, bu rhaid i bobl adael eu gwaith ar y ffermydd a chynhyrchu bwyd er mwyn mynd i ryfel. Rhoddwyd rhai bwydydd ar ddogn er mwyn sicrhau bod digonedd i bawb, a chafodd pobl eu hannog i dyfu ffrwythau a llysiau yn eu gerddi. Byddai bananas wedi bod yn ddanteithion prin.

**Y Blits** oedd ymgyrch fomio yr Almaen rhwng 1940 a 1941 a fu'n targedu dinasoedd a threfi fel Llundain, Manceinion,